Rhannu'r Tŷ

Rhannu'r Tŷ

Eigra Lewis Roberts

Gomer

Cyhoeddwyd gyntaf yn 2003 gan
Wasg Gomer, Llandysul, Ceredigion SA44 4JL
www.gomer.co.uk

Ail argraffiad – 2007

ISBN 978 1 84323 320 6

Dymuna'r cyhoeddwyr gydnabod cymorth
Adrannau Cyngor Llyfrau Cymru.

Argraffwyd a rhwymwyd yng Nghymru gan
Wasg Gomer, Llandysul, Ceredigion SA44 4JL

I gofio
tenantiaid y Tŷ

1

Nid oedd Daniel Ellis ar unrhyw frys i ymuno â'i gydweithwyr y bore hwnnw o hydref cynnar. Wrth iddo gerdded dow-dow am y caban, chwyrlïai'r niwl o'i gwmpas gan lynu wrth ei wallt a'i ddillad. Ond ni thalai Daniel fawr o sylw iddo, nac i'r tamprwydd a dreiddiai drwy'i gôt liain. Yn ystod y bore, tra oedd yn trin a hollti a llwytho, bu'r geiriau, 'Dyn dieithr ydwyf yma', yn dôn gron yn ei ben. Yn ôl Williams, roedd yn rhaid croesi moroedd tymhestlog cyn cyrraedd gwlad yr addewid, ond roedd ei Ganaan ef o fewn ei gyrraedd ym mharlwr Bristol House ar stryd fawr Bethesda. Dim ond hanner awr o daith, ac eto mor bell o Bonc Twll Dwndwr.

Byddai Grace wedi clirio lludw neithiwr o'r grât, y tân oer wedi'i osod a'r lamp olew wedi'i hail-lenwi. Ac ar y bwrdd mawr, y pentwr llyfrau y bu'n rhaid iddo eu gadael yn oriau mân y bore. Yno'n aros amdano, ac yntau yma yn chwarel Braich y Cafn am na fyddai na llyfrau na gobaith mynd i goleg y Bala oni bai amdani hi.

Daeth nodau alaw pruddglwyfus 'Yr eneth ga'dd ei gwrthod' i wau drwy'r niwl wrth iddo nesáu at y caban. Gallai gofio'i fam yn canu'r gân, a'i dad yn mynnu mai wedi ei gau'n unig yr oedd y drws. Cawsai'r eneth honno faich unigrwydd yn ormod i'w ddal, ond pa mor unig bynnag fyddai'r llwybr yr oedd ef wedi'i alw i'w ddilyn nid oedd ildio i fod. Ac nid oedd ganddo ddewis ond cerdded y llwybr hwnnw ar ei ben ei hun gan fod gwasanaethu Duw yn hawlio hunanaberth. Ond sut oedd egluro hynny i Laura?

A'r gwewyr o wybod y byddai'n rhaid dweud yn llaw oer am ei galon, gwthiodd Daniel ddrws y caban yn agored i sŵn banllefau a churo dwylo. Safai Now Morgan ar ganol y llawr yn wên o glust i glust. 'Be fydd hi rŵan hogia?' galwodd gan daro'i organ geg ar gledr ei law nes bod poer yn tasgu ohoni. Cododd John Williams, llywydd y caban, ar ei draed. Distawodd y gweiddi a'r curo dwylo. Gwthiodd Now ei organ geg i boced ei drowsus melfaréd a dychwelodd yn surbwch i'w le ar y fainc.

Er mai dillad chwarel a wisgai John Williams heddiw, yr oedd ei lais a'i ystum yr un ag yn sêt fawr Jerusalem, a'r gorchwyl oedd yn ei aros yn mynnu'r un parch â chyhoeddiadau'r Sul.

'Mae'n blesar gen i gyhoeddi mai Robert Evans sydd wedi cael 'i ethol yn llywydd nesa caban Twll Dwndwr . . . dyn y mae ganddon ni i gyd barch ato fo ac un sy'n llawn haeddu'r anrhydadd. Mae o a finna'n cofio fel y bydda cyfarfodydd gweddi a dadleuon ar byncia diwinyddol yn cael 'u cynnal yn y cabana 'ma, a chyfarfodydd ardderchog oeddan nhw hefyd. Ga i'ch annog chi'r dynion ifanc i ddilyn yr un llwybyr a bod yn driw i'r gwerthoedd sydd wedi'n cynnal ni, chwarelwyr y Penrhyn, drwy gyfnoda digon anodd. Pob bendith i ti, Robat.'

Roedd y curo dwylo gwresog yn ategu clod John Williams i'r llywydd newydd, er nad oedd ei anogaeth yn dderbyniol gan bawb.

Ceisiodd Daniel ddal llygad Tom, ei bartner, wrth iddo groesi at y stof i lenwi'i gwpan â dŵr berwedig o'r ffowntan, ond roedd hwnnw geg yn geg efo Now Morgan. Oedodd ar ei ffordd yn ôl i longyfarch Robert. Am rai eiliadau, gallodd anghofio'i wewyr meddwl wrth deimlo cadernid yr ysgwyd llaw a chlywed y llais mwyn yn dweud, 'Diolch i ti, 'machgan i. Mi dw i'n 'i chyfri hi'n fraint wel'di.' Ond pan eisteddodd ar gwr un o'r meinciau i agor ei dun bwyd a gweld y brechdanau yr oedd Grace wedi'u paratoi, roedd yr oerni'n gwasgu'n dynnach. Er mor anodd fyddai dweud wrth Laura fod y cyfan drosodd, nid oedd hynny i'w gymharu â gorfod wynebu Grace a cheisio'i chael hi i dderbyn nad oedd ganddo unrhyw ddewis.

* * *

Ar fin gadael y siop i baratoi cinio iddi hi a'i thad yr oedd Grace pan gyrhaeddodd Laura, yn fyr ei hanadl a'i gwrid yn uchel.

Daeth Edward Ellis o'r tu cefn i'r cownter ac estyn cadair iddi.

'Steddwch am funud, 'ngenath i. Mae golwg 'di ymlâdd arnoch chi.'

Eisteddodd hithau ar flaen y gadair a'i llygaid wedi'u hoelio ar odre'i sgert. Er mor falch oedd hi o weld ei ffrind, ni allai Grace lai na theimlo nad oedd yr ymweliad annisgwyl hwn yn argoeli'n dda.

'Soniodd Daniel ddim dy fod ti'n dŵad draw heddiw.'

'Mi ge's i bnawn i ffwrdd heb 'i ddisgwl.'

'A sut mae petha tua Castall Penrhyn dyddia yma?'

'Digon prysur, Edward Ellis. Ond mi fydd ganddon ni lond gwlad o waith yn ystod y misodd nesa.'

'Mi glywson ni fod 'na briodas i fod.'

'Maen nhw'n deud fod darpar ŵr Lady Gwyneth yn graig o arian, Grace.'

'Mae gofyn iddo fo fod i allu cystadlu efo'i thad.'

Taflodd Edward gipolwg rhybuddiol ar ei ferch.

'I bawb 'i fyw 'i hun, yntê.'

Brathodd Grace ei thafod. Pa ddiben ceisio egluro i Tada nad dannod ei gyfoeth i'r Lord yr oedd hi, ond y rhyddid a ddeuai yn sgil hynny?

Canodd cloch y siop a gwthiodd Robat Jôs Gwich ei ben i mewn.

'Edward Ellis, dowch yn 'ych blaen! Mae'r bocsys menyn bach 'di cyrradd o farchnad Llangefni.'

Gollyngodd Edward ochenaid fach.

'Well i mi fynd, debyg, cyn i Robat Jôs ddechra 'melltithio inna. Fydda i fawr o dro, Grace.'

'Peidiwch â gadal iddo fo'ch tarfu chi, Tada.'

Ochenaid fach arall oedd unig ymateb Edward wrth iddo brysuro i ufuddhau i orchymyn Robat Jôs.

'Pwy sy 'dani tro yma?' holodd Laura.

'Pawb ond yr Eglwyswrs, fath ag arfar.'

Aeth Grace ymlaen â'r gwaith o bwyso'r siwgwr a'i dywallt yn ofalus i'r bagiau papur glas gan daflu ambell gipolwg pryderus i gyfeiriad Laura. Ni fyddai'r daith o dair milltir rhwng y Castell a'r pentref yn mennu dim arni fel rheol. Ond er ei bod yn ei hadnabod yn ddigon da i wybod fod rhywbeth amgenach na blinder yn ei phoeni, parodd cwestiwn Laura iddi ollwng ei gafael ar y sgŵp fach nes bod peth o'r siwgwr yn tasgu dros y cownter.

'W't ti'n meddwl y bydd Dan yn falch o 'ngweld i, Grace?'

'Wrth gwrs y bydd o.'

'Dydw i ddim mor siŵr 'sti.'

'Be sy'n gneud i ti feddwl hynny?'

'Doedd ganddo fo fawr ddim i ddeud wrtha i tro dwytha gwelis i o. Ofn sy gen i 'i fod o'n dechra blino arna i.'

Ysgubodd Grace y siwgwr ar gledr ei llaw a'i ollwng i'r bocs o dan y cownter. Fe gâi gweddill y bagiau aros. Roedd mwy o'i hangen yr ochor arall i'r cownter ar hyn o bryd.

'Wrthi ormod mae o 'te, rhwng 'i waith yn y chwaral a bod â'i ben yn yr hen esboniada 'na bob munud sbâr.'

'Mae'n rhaid 'i fod o'n glyfar iawn i fedru'u dallt nhw.'

'Dydyn nhw ddim ond yn deud yr hyn ydan ni'n 'i glywad yn y capal bob Sul.'

Ceisiodd Grace fygu'r ofnau oedd yn dechrau corddi o'i mewn.

'Mi w't ti *yn* cofio fod Steddfod Rachub mewn pythefnos, dwyt? Ti'n meddwl medri di ga'l amsar i ffwrdd?'

'Gobeithio. Mae gen i flys cystadlu ar yr unawd soprano.' Roedd peth cryndod yn llais Laura wrth iddi ychwanegu, 'Falla medra i berswadio Dan i ddŵad efo fi.'

'Mi wnâi les iddo fo anghofio'i lyfra am un noson. Paid ti â phoeni am Daniel. Mi setla i *o*.'

* * *

Petai Daniel wedi digwydd bod o fewn cyrraedd i glywed geiriau Grace a gweld yr olwg benderfynol ar ei hwyneb, byddai'r llygedyn gobaith oedd ganddo o allu ei chael i dderbyn wedi diflannu'n llwyr. Ond roedd o bellach ar ei ffordd o'r caban a Robert ac yntau wedi'u gorfodi i roi clust i Now.

'Wel, dal ar ein glinia byddwn ni am flwyddyn arall, hogia.'

'Wnaiff hynny ddim drwg i ti, Now.'

A'i wrychyn wedi codi, nid oedd Now yn barod i blygu i farn Robert Evans, mwy na neb arall.

'Doedd John Williams fawr elwach o weddïo pan ddaru David Prichard achwyn arno fo wrth yr Young 'na llynadd.'

'O leia mi gafodd 'i waith yn ôl, Now.'

Methiant fu ymgais Daniel i geisio tawelu'r dyfroedd.

'A mi wyddost gystal â finna mai bargan sâl ar y naw oedd hi. Mae Prichard 'di gneud 'i siâr o gario straeon. Wn i'm sut mae o'n gallu byw yn 'i groen, y cythral dan din.'

Gwyddai Daniel fod Tom yn ysu am gael rhoi ei big i mewn. Dim ond gobeithio y byddai ganddo'r gras i ymatal. Ond bu'r demtasiwn o fod yn garreg ateb i Now yn ormod iddo.

'Mae'n hen bryd i ni ga'l 'i warad o. Be w't ti'n 'i ddeud, Dan?'

Ond ni fu gofyn i Daniel roi ateb. Robert Evans gafodd y gair olaf am y tro. Heb godi'i lais na chyflymu'i gam, meddai,

'O leia mae o'n un ohonon ni, Tom. Mi fedran neud yn waeth.'

*   *   *

Anelodd Robat Jôs jou o faco heibio i Edward Ellis wrth i hwnnw estyn y bocsys menyn oddi ar y cert.

'Mi dach chitha'n un o griw'r hen Lloyd George 'na dydach, Edward Ellis?'

Safodd Edward ei dir, fel y gwnaethai sawl tro o'r blaen.

'Mae gen i barch mawr at y dyn.'

'Sut medrwch chi ddeud ffasiwn beth? Yr hen gena

drwg iddo fo, isio dwyn pres yr Hen Fam a'u rhoi nhw i gyd i'r capelwrs.'

'Mi fydda'n o sobor arnon ni heb ddynion 'run fath â fo.'

Rhoddodd Robat hwb ymlaen i'r cert nes gorfodi Edward i gamu'n ôl.

'Ond Canon Jones ddyla ga'l y pres 'te. Fo ydi'n tad ni oll . . . capelwrs hefyd.'

Clywodd Edward rywun yn galw'i enw ar draws y ffordd.

'Esgusodwch fi am funud, Robat Jôs.'

''Sgen i'm amsar i aros. Be dach chi am i mi neud efo rhein?'

Byddai ambell un wedi cael ei demtio i roi gwybod i Robat Jôs yn union beth i'w wneud efo'i focsys menyn bach ond ni wnaeth Edward ond dweud, yn dawel,

'Mi wnân y tro yn fan'na nes y ca' i gyfla i fynd â nhw i mewn.'

Gadawodd yn frysiog, ond nid cyn i jou arall o faco ddisgyn yn dwt wrth ei sawdl.

* * *

Er bod Emilius Augustus Young yn ymwelydd gweddol reolaidd â Chastell Penrhyn, yr oedd eto i allu dygymod â'r teimlad o israddoldeb bob tro y camai i mewn i'r Neuadd Fawr. Yn y chwarel, ef, fel y prif reolwr, oedd y meistr – ond yma nid oedd ond gwas ac iddo lai o awdurdod hyd yn oed na'r bwtler a agorodd y drws derw iddo gynnau. Ac yntau dros ei ben a'i glustiau mewn gwaith, ni fyddai wedi dod yma o gwbwl oni bai iddo glywed si'r bore hwnnw ei fod, o'r diwedd, i gael gwared â David Prichard, ei ddirprwy. Gallai Arglwydd Penrhyn o leiaf fod wedi rhoi gwybod iddo ei fod wedi cytuno i dalu teirpunt yr wythnos o bensiwn i Prichard yn ogystal â threfnu iddo fynd ar fordaith er lles ei iechyd. Petai ef wedi cael ei ffordd byddai Prichard wedi'i ddiswyddo heb yr un geiniog o bensiwn.

Pan ddychwelodd y bwtler, roedd Young yn cerdded hyd a lled y neuadd i geisio cadw gwres, a'r dicter a deimlai o gael ei gadw i aros yn corddi o'i mewn. Wrth iddo fynd i ddilyn Jarvis ar hyd y coridor a arweiniai i'r llyfrgell, ei draed yn suddo i'r carped moethus, gwnaeth ymdrech i'w reoli ei hun. Ni allai fforddio tynnu'n groes i'w feistr ac yntau angen ei gefnogaeth i roi'r cynllun newydd ar waith.

Croeso digon llugoer a gafodd gan yr arglwydd. Ymddiheurodd Young am aflonyddu arno a'i sicrhau na fyddai wedi gwneud hynny heb reswm.

'Of course, Mr Young.'

Ni wnaeth y dôn nawddoglyd ond megino'r teimlad o israddoldeb ac ni allodd ymatal rhag dweud, pan gafodd gadarnhad fod y si a glywsai'n wir,

'You have been more than generous towards Prichard, Sir. I'm afraid he had become a perpetual hindrance, failing to report men or punish them adequately, and so antagonistic to new methods.'

Nid dyma'r tro cyntaf iddo leisio'r un gwyn ond ni chafodd unrhyw ymateb mwy na'r troeon cynt. Roedd Arglwydd Penrhyn eisoes yn estyn am y gloch i alw ar Jarvis.

'If that is all, Mr Young, Lady Pennant and I have arranged to go to Glan Conway this afternoon.'

Gwasgodd y rheolwr ei ddyrnau nes teimlo'r ewinedd yn brathu i'w gledrau.

'May I urge you to find a replacement for Prichard as soon as possible, Sir?'

'And who would you recommend, Mr Young?'

'An engineer named H.P. Mears, who has worked in India. An excellent young man.'

'Has he any knowledge of quarrying?'

'He would soon learn. And I have no doubt that he would obtain the loyal support of all the new officials.'

'And the old ones? Would they object to being under the management of someone they would undoubtedly regard as an incompetent foreigner?'

Os mai i Robert Evans yr aeth y gair olaf ar Bonc Twll Dwndwr, Emilius Augustus Young oedd pia'r gair olaf yn llyfrgell Castell Penrhyn,

'The old ones, I'm sorry to say, are beyond change.'

* * *

Roedd llond cegin o groeso'n aros Robert a Tom yn rhif ugain, Llwybrmain, y lobsgows yn ffrwtian ar y tân, ac Elen Evans yn picio'n ôl a blaen fel gwenynen fach wrthi'n paratoi'r swper chwarel. Oedodd y ddau wrth y drws i dynnu'u hesgidiau hoelion mawr ac meddai Tom, gan roi winc ar ei dad,

'Mi o'n i'n meddwl y byddach chi o leia 'di gwisgo'ch ffedog ora heddiw, Mam.'

Sychodd Elen Evans ei dwylo ar ei barclod fras gan wgu.

'Be w't ti'n rwdlan, d'wad?'

'Siawns nad ydi llywydd newydd y caban yn haeddu rywfaint o barch.'

Diflannodd yr wg a daeth gwên lydan, falch i gymryd ei lle.

'Mi ddeudis i mai chi fyddan nhw'n 'i ddewis, yn do, Robat. A chitha'n twt twtian.'

'Mae 'na sawl un sy'n haeddu'r anrhydadd yn fwy na fi, Elen.'

'Fel pwy, 'sgwn i?'

Ni allodd Tom ymatal rhag herian ychydig rhagor ar ei fam wrth ei gweld yn sythu ar ganol y llawr cyn falched â pheunes ar dir y Castell.

'Mi fydd yn gamp i unrhyw un ddŵad i fyny â gofynion John Williams. Ydi'r dyn ddim yn ca'l digon o grefydd, deudwch, bob Sul a noson waith, heb fod isio troi'r caban yn gapal?'

'A mi w't ti â dy lach ar y capal rŵan?'

Sylweddolodd Tom ei fod wedi mynd gam yn rhy bell a cheisiodd ei amddiffyn ei hun.

'Nag ydw siŵr, ond does 'na ddim byd o'i le ar ga'l dipyn o hwyl weithia.'

Tynnodd Elen Evans ei barclod fras a'i thaflu ar gefn cadair cyn estyn am ei ffedog orau o ddrôr y dresel.

'Gad ti redag y caban i dy dad. A mi fydd gofyn i titha forol ati yn lle lolian efo'r Now afradlon 'na os w't ti am fod hannar cystal dyn â fo.'

* * *

Bu ymateb Daniel pan ddywedodd wrtho y byddai Laura yn galw heibio ymhen yr awr yn ddigon i gadarnhau amheuon Grace. Ni chawsai gyfle i fynd ar drywydd hynny ar y pryd gan fod rhes o gwsmeriaid yn disgwyl eu tendans a'i thad wedi cynhyrfu gormod i dalu sylw iddynt.

Erbyn iddi ddod drwodd o'r siop roedd Daniel wedi cau arno'i hun yn y parlwr. Siawns na fu iddo sylwi fel yr oedd y newydd am farwolaeth Tom Ellis wedi tarfu Tada. Gallai o leiaf fod wedi cynnig ei helpu tra oedd hi'n paratoi swper yn hytrach na diflannu heb ddim ond 'biti garw' a gadael y cwbwl iddi hi, fel arfer. Ond dyna oedd o wedi'i wneud ers misoedd, o ran hynny. Byth yn dangos unrhyw ddiddordeb yn y tŷ na'r siop, dim ond gadael y parlwr i gael ei fwyd, ac fel pe bai'n grwgnach yr amser i hynny hyd yn oed. A rŵan roedd o'n gyndyn o sbario awr neu ddwy i Laura a hithau'n gofyn cyn lleied ganddo. Yn benderfynol o gadw'i haddewid i setlo Daniel, aeth Grace ymlaen â'i dyletswyddau gan na fyddai na graen ar y tŷ na'r busnes oni bai amdani hi.

Eisteddai Daniel yn ei gadair arferol a'i lyfr yn segur ar ei lin. Nid oedd unrhyw ddiben ei agor na chynnau na thân na lamp chwaith. Wedi oriau o ysu am gael cyrraedd ei Ganaan byddai'n rhaid iddo ei gadael eto. Sut yn y byd y gallai ei baratoi ei hun ar gyfer mynd i goleg y Bala a'r holl rwystrau'n cael eu gosod ar ei lwybr? Roedd yn rhaid wynebu Grace. Fe âi drwodd i'r gegin ati rŵan a rhoi ar ddeall iddi na allai ganiatáu i neb na dim sefyll yn ei ffordd.

'Daniel?'

Llais ei dad, yn cael ei ddilyn gan gnoc fach ysgafn ar y drws.

Galwodd arno i ddod i mewn.

'Mae'n ddrwg gen i darfu arnat ti.'

'Dim ond hel meddylia o'n i.'

'Mae'r newydd am Tom Ellis wedi bod yn ysgytwad i titha.'

'Ydi.'

'Colli'r dydd, yn ddim ond deugian oed. Wedi gyrru gormod arno'i hun oedd o, wel'di.'

'Mi dw i'n eich cofio chi'n deud i chi 'i glywad o'n siarad yn fuan ar ôl iddo fo ga'l 'i ethol i'r Senadd. Mi 'nath argraff fawr arnoch chi'n do.'

'Mi fydd 'i eiria fo'n aros efo fi am byth. Deud oedd o nad rhyw ddwsin neu dair ar ddeg o siroedd wedi cael 'u rhannu gan ddwrn y Sais ydi Cymru, ond cartra ein cenedl ni ac ôl bys y Goruchaf arni hi. Ac mae'r cartra hwnnw dipyn tlotach heddiw o golli'i ben teulu.'

Ond ychydig iawn a olygai'r geiriau i Daniel ar y pryd. Wrth iddo syllu ar y pentwr llyfrau, ei golled ef ei hun oedd flaenaf yn ei feddwl. Mae'n debyg y dylai gynnig cymryd drosodd yn y siop am sbel ond nid oedd ganddo na'r amynedd na'r ynni i fân siarad. Roedd yn ddigon ei fod yn gorfod aberthu oriau prin ei fin nos.

'Mi a' i, i ti ga'l mynd ymlaen efo dy waith.'

'Does 'na fawr o ddiban dechra arni bellach.'

A'r newydd am farwolaeth ei arwr yn pwyso'n drwm arno, ni sylwodd Edward ar y chwerwder yn llais ei fab. Wedi iddo'i adael, arhosodd Daniel yn ei unfan yn swp o hunandosturi a'i fwriad o ddweud wrth Grace wedi'i ohirio, dros dro.

* * *

Ac yntau'n grwgnach pob cam, roedd y ffordd am y Castell yn ymddangos yn ddiderfyn i Daniel. Gwnaethai Laura bob ymdrech i gynnal sgwrs ond ychydig o ymateb a gafodd.

'Mi w't ti'n ddistaw iawn, Dan.'

'Che's i fawr o gwsg neithiwr.'

'Mae Grace a finna'n poeni'n dy gylch di 'sti . . . dy fod ti'n gweithio rhy galad.'

'Pa ddewis sydd gen i? Mae'n rhaid i mi ga'l pres i brynu llyfra.

'Ond mi fyddi 'di lladd dy hun yn llosgi'r gannwyll y ddau ben.'

Ceisiodd Daniel reoli'i dymer. Wedi'r cyfan, roedd Laura yn bwriadu'n dda.

'A be w't ti'n awgrymu ddylwn i neud? Rhoi'r gora i'r syniad o fynd i'r Weinidogaeth?'

'Na. Mi dw i'n gwbod faint mae hynny'n 'i olygu i ti.'

'W't ti?'

'Dyna w't ti 'di bod isio neud rioed, yntê. Ti'n cofio fel byddat ti'n sefyll ar y graig yn 'r afon ac yn rhoi pregath i ni?'

'A Tom yn gweiddi Amen cyn i mi fynd hannar drwyddi.'

'Isio ca'l bod ar 'i ben 'i hun efo Grace oedd o. Mae'n biti dydi?'

'Biti be?'

'Na fyddan nhw 'di ca'l bod efo'i gilydd fath â ni'n dau.'

'Doedd 'na ddim byd i'w rhwystro nhw.'

'Ond mi fuo'n rhaid i Grace aros adra yn do. Fedra hi ddim . . .'

'Fedra hi ddim be?'

'Gadal dy dad a chditha i briodi Tom.'

'Wyddwn i ddim 'i fod o 'di gofyn iddi hi.'

'Ond dyna fydda fo wedi'i neud.'

Ni fu Daniel erioed cyn falched o weld giatiau'r Castell. Teimlai fel petai ei ben ar ffrwydro.

'Yli, mi fydda'n well i ti fynd yn ôl rŵan. Mi gwela i di ryw ben wsnos nesa falla.'

Gafaelodd Laura yn ei law a'i chyffwrdd â'i boch.

'Mi liciwn i 'tasat ti'n gallu dŵad i Steddfod Rachub efo fi, Dan.'

'Mi dw i 'di deud y tria i ngora . . . ond fedra i ddim addo.'

Cipiodd Daniel ei law yn ôl. Byddai wedi rhoi'r byd, yr eiliad honno, am gael lapio'i freichiau amdani a dweud y byddai yno, ond ni allai fentro hynny. Roedd y penderfyniad wedi'i wneud.

Am sbel wedi iddo'i gadael, gallai ddal i deimlo gwres ei boch ar gledr ei law, ond roedd hwnnw wedi hen ddiflannu cyn iddo gyrraedd Bristol House. Gyda lwc, byddai ei dad a Grace wedi mynd i glwydo a châi yntau lonydd o'r diwedd i roi ei holl sylw i'w lyfrau.

Ond roedd Grace yn aros amdano a'r oerni'n ei llais yn fwy deifiol na'r un y tu allan.

'Mi w't ti'n ôl yn barod!'

'Fedra i ddim fforddio gwastraffu amsar.'

'Ddeudist ti mo hynny wrth Laura, gobeithio. Mae hi'n poeni 'sti . . . 'di cymryd yn 'i phen nad w't ti ddim isio bod efo hi.'

'Dydi hi ddim yn sylweddoli'r cyfrifoldab sy arna i, meddwl fod pob dim fel roeddan nhw.'

'*Maen nhw,* i Laura.'

Roedd meddwl fod y ddwy wedi bod yn ei drafod yn ei gefn yn dân ar ei groen. Ni fyddai Laura byth wedi achwyn ohoni ei hun. Grace oedd wedi rhoi pwysau arni. Pa hawl oedd ganddi hi i ymyrryd? A pha reidrwydd oedd arno ef i geisio'i chael i ddeall nad oedd unrhyw ddyfodol i Laura ac yntau? Unwaith y byddai popeth drosodd, ni fyddai ganddi unrhyw ddewis ond derbyn.

'Ofn sy arnat ti y bydda teulu Laura'n faen tramgwydd i ti, ia?'

'Does 'nelo'i theulu hi ddim â hyn.'

'Nagoes, siawns. Mae hi 'di diodda digon o'u herwydd nhw fel mae hi.'

Roedd hi wedi'i dramgwyddo. A hithau wedi addo iddi ei hun y byddai'n ceisio osgoi hynny. Nid oedd unrhyw bwrpas holi rhagor. Ond wrth iddi ei wylio'n symud wysg ei gefn am y drws, yn amlwg yn ysu am gael dianc, gwyddai Grace yn ei chalon ei bod eisoes wedi cael yr ateb. Ni allodd atal, fodd bynnag, rhag gwneud un ymdrech arall.

'Ddeudodd Laura wrthat ti 'i bod hi'n bwriadu cystadlu yn Steddfod Rachub?'

'Do.'

'Mi fyddi di yno, yn byddi?'

'Gawn ni weld sut bydd petha.'

'Ond mae hi angan dy gefnogaeth di, Daniel. Dydi hi ddim yn gofyn llawar gen ti, yn nag'di . . . rioed wedi gneud?'

Cwestiwn arall y gwyddai'r ateb iddo, oherwydd roedd hynny, er cyn lleied, yn amlwg yn ormod i'w ofyn.

2

Nid oedd clywed Tom yn haeru ei fod yn llygad ei le'n dweud y gallent fod yn waeth allan ar ôl cael gwared â Prichard o unrhyw gysur i Robert Evans. Gan daflu cipolwg i gyfeiriad ei gŵr, ceisiodd Elen gelu'i phryder drwy ofyn, yn ddigon didaro,

'A be mae'r dyn newydd 'di neud tro yma?'

Yr eiliad nesaf roedd hi'n difaru iddi ofyn. Dylai fod wedi sylweddoli nad oedd Tom ond yn disgwyl ei gyfle.

'Ein rhwystro ni rhag hel y tâl Undab yn y chwaral, am fod yr aeloda'n trio rhoi pwysa ar y lleill i ymuno . . . yn erbyn 'u hewyllys, medda fo.'

'Fydda fiw iddo fo fod wedi gneud hynny 'tasa Mr Young o gwmpas.'

Ni wnaeth sylw tawel Robert ond cynhyrfu rhagor ar y dicter a fu'n corddi yn Tom ers dyddiau.

'A lle mae hwnnw? Ar drip seiclo yn Ffrainc, myn coblyn i! P'un bynnag, 'run peth ydi ci a'i gynffon. Be ŵyr ryw ddiawliad fel y ddau yna am redag chwaral?'

'Tom!'

Bu'r cerydd yn llais ei fam yn ddigon i'w dawelu.

'Mae'n ddrwg gen i, Mam. Ond mae o 'di gneud andros o gamgymeriad. Cynyddu neith yr aelodaeth rŵan gewch chi weld. Mi oedd Now yn deud . . .'

'Mae Now yn deud gormod o'r hannar.'

Roedd hi wedi llwyddo i roi taw arno unwaith eto. Ond ni fyddai waeth iddo fod wedi cau ei geg ddim. Gwastraff amser oedd ceisio argyhoeddi dau nad oeddan nhw erioed wedi codi llais yn erbyn anghyfiawnder, dim ond derbyn y cwbwl yn ddi-gwestiwn a phlygu i'r drefn. Siawns nad oedd ei dad yn sylweddoli fel roedd pethau'n gwaethygu tua'r chwaral a'r anniddigrwydd yn tyfu bob dydd. Ond roedd hi'n haws cau llygaid a'i berswadio ei hun fod pob dim fel yr oeddan nhw. Pam na allai yntau wynebu'r gwir, fel pawb arall?

Petai Tom wedi clywed geiriau'i dad wedi iddo ef adael y gegin byddai wedi cael ateb i'w gwestiwn, ond go brin y gallai fod wedi rhannu ofn ei rieni a'u gobaith na welent ailadrodd helynt '96.

Achos diolch oedd gan Emilius Augustus Young, fodd bynnag. Ac yntau newydd ddychwelyd o'i drip seiclo, teimlai fod ganddo reswm digonol dros ei longyfarch ei hun. Wedi'r cyfan, ar ei awgrym ef y penodwyd Mears ac roedd hwnnw, gyda'i allu arbennig i drefnu a gweithredu, wedi gofalu na fu unrhyw broblem yn y chwarel. Er i Arglwydd Penrhyn holi ai peth doeth ar ran Mears oedd gwahardd casglu'r arian Undeb yn ystod ei absenoldeb ef, roedd wedi ei sicrhau, a hynny heb flewyn ar dafod, iddo roi ei fendith ar hynny. Cawsai yntau fendith yr arglwydd ar y cynlluniau oedd ganddo ar y gweill.

Yma yn ei gartref, bellter o Gastell Penrhyn, ef oedd y meistr, ac yfory'n y chwarel ef oedd â'r awdurdod i roi'r cynlluniau hynny ar waith.

*   *   *

Roedd Capel Salem dan ei sang. A hithau wedi arfer cadw'i phellter y tu ôl i gownter, câi Grace hi'n anodd dygymod â'r gwres a'r arogl chwys a godai i'w ffroenau. Byddai wedi gadael ers meitin oni bai am Laura. Roedd gofyn i rywun fod yno'n gefn iddi. Ond siwrnai ofer fu'r un i fyny i Rachub, yn ôl pob golwg. Cystadleuaeth yr unawd soprano oedd i ddilyn yr adrodd digri ac nid oedd unrhyw olwg o Laura.

Roedd Now Morgan yn ei elfen yn adrodd hanes Siencyn yr hen lanc a'r lle'n un bwrlwm o chwerthin, ond roedd wyneb Grace cyn sobred â phe bai'n gwrando ar John Williams yn traethu am y dŵr bywiol mewn cyfarfod dirwest. Sylwodd fod rhai o'r merched a rannai'r sedd yn sibrwd ymysg ei gilydd. Meddwl yr oeddan nhw, mae'n siŵr, ei bod hi'n ormod o hen drwyn i ymuno'n yr hwyl. Gwnaeth ymdrech i wrando, gan gadw un llygad ar y drws. Roedd Now yn gweithio i uchafbwynt, a'r eiliadau'n tician heibio, pan welodd hwnnw'n agor. Roedd Laura wedi cyrraedd mewn pryd, diolch i'r drefn. Eisteddodd yn ôl a rhoi ei holl sylw i Now, un na fyddai byth yn debygol o ddysgu oddi wrth brofiadau Siencyn:

'Gan hynny mi dreuliaf fy nyddiau i ben
  Yn hen lanc di-sen
  Heb Sali na Gwen
I wario fy arian a moedro fy mhen;
Tawelwch i mi, a heddwch, Amen.'

Yn ystod y chwerthin a'r curo dwylo, llithrodd Laura i'r sedd ati. Symudodd hithau fodfedd neu ddwy er mwyn gwneud lle iddi, gan dynnu gwg y lleill a pheri rhagor o sisial. Roedd clywed fod Daniel yn canlyn merch Richard a Catrin Morris, o bawb, wedi rhoi gwaith siarad i bobol, ac er bod honno'n hen stori bellach yr un oedd y syndod fod Edward a Grace Ellis, Bristol House, wedi ymostwng i dderbyn hynny.

'Ydi'r gystadleuaeth 'di bod, Grace?' sibrydodd Laura.

'Nag'di, drwy drugaradd.'

'Cwc ddaru fynnu 'mod i'n golchi pob llestar cyn cychwyn.'

Yr un cwestiwn oedd gan Daniel i Tom yng nghyntedd y capel. Byddai'n drueni petai wedi colli'r gystadleuaeth ac yntau wedi gwneud y fath ymdrech. Edrychodd Tom yn gam arno.

'Ar ddechra mae hi. Be w't ti'n neud yma, p'un bynnag? Ro'n i'n meddwl i ti ddeud na fedrat ti ddim fforddio'r amsar.'

'Grace sy 'di bod yn 'y mhen i, mynnu 'mod i'n dŵad.'

Distawodd y ddau wrth i'r arweinydd alw ar Laura Morris ymlaen. O'r munud y camodd i'r sêt fawr, anghofiodd Laura am y pentwr llestri a thafod mileinig Cwc wrth iddi ymgolli yn stori drist 'Y Gardotes Fach'.

'Pwy fasa'n meddwl y bydda merch Dic Potiwr yn gallu canu fel'na, 'te, Dan.'

Teimlodd Tom y dagrau'n cronni a phrysurodd i sychu'i lygaid â'i lawes.

'Glywist ti fod Dic 'di gwrthod ymuno â'r Undab? Fo fydd ar 'i gollad. Mae'r Young 'na ar gefn 'i geffyl rŵan fod yr aelodath yn cynyddu bob dydd. Mi gawn ni ddiodda am hyn, gei di weld.'

Ni chafodd hynny fawr o ymateb. Roedd angen amynedd Job efo Daniel ar adegau. Wedi cael gormod o'i ffordd ei hun yr oedd o, debyg, a hynny ar draul Grace. Go brin ei fod yn sylweddoli pa mor lwcus oedd o ohoni.

* * *

'Gyrhaeddist ti mewn pryd i 'nghlywad i'n canu, Dan?' holoddd Laura wrth i'r pedwar ohonynt ddilyn y ffordd i lawr am y pentref.

'Do. Llongyfarchiada iti.'

Teimlai Tom fel rhoi ysgytwad iawn iddo. Pam na allai'r llo cors fod wedi dweud hynny heb ei gymell? Os mai dyna oedd ymlafnio i fynd yn bregethwr yn ei wneud i ddyn, byddai'n well ganddo fo aros yn ben rwdan am byth.

'Mi oeddat ti'n 'u rhoi nhw i gyd yn y cysgod, hogan.'

Torrodd gwên fach dros wyneb Laura ond gwyddai Tom y byddai'r un clod gan Dan wedi golygu llawer mwy iddi. Dyna pam y bu iddo awgrymu, pan ofynnodd Grace a oedd am alw am baned cyn cychwyn am adref, eu bod yn mynd am dro at Bont y Tŵr.

'Mae gen i waith i neud.'

'Tyd 'laen, Dan. Neith awr neu ddwy fawr o wahaniath.'

'Mi dw i 'di colli oria fel mae hi.'

Ni chafodd Tom gyfle i roi rhagor o bwysau arno. Roedd o eisoes wedi eu gadael ac yn tuthio i lawr yr allt. Mae'n rhaid fod collad ar y diawl gwirion yn dewis rhoi ei sylw i hen lyfrau sychlyd yn hytrach nag i un o genod dela Bethesda.

'Mi fydda'n well i minna alw adra cyn mynd yn ôl am y Castall.'

Roedd Laura, hefyd, wedi troi ar ei sawdl am Ben Bryn a Grace yn gadael iddi fynd heb ddim ond 'nos da'.

'Pam na fasat ti'n trio ca'l perswâd arni hi i ddŵad efo ni?' holodd Tom yn bigog, a'i siom o weld ei gynlluniau wedi eu chwalu yn hogi'i eiriau.

'Mi dw i 'di gneud digon o berswadio am un dwrnod. P'un bynnag, fydda hi ddim balchach.'

'Dyna hi'n ta ta i Bont Tŵr am heno 'lly.'

'Mi fedrwn ni'n dau fynd.'

Ni allai Tom gredu ei glustiau. Ceisiodd gelu ei gynnwrf drwy ddweud yn chwareus,

'Os w't ti'n fodlon mentro rhoi gwaith siarad i bobol.'

Ond roedd yr ateb a gafodd yn un cwbwl ddifrifol a phendant.

'Mi gân feddwl be fynnan nhw.'

*   *   *

Er bod yr arogl a lanwai cegin rhif pump Stryd Ucha yn un digon cyfarwydd, teimlai Laura ei stumog yn corddi. Ceisiodd fygu'r surni a gododd i'w llwnc â pheswch ond roedd ei mam yn rhy brysur yn tantro i sylwi.

'Y mochyn Huw 'na 'di piso llond 'i wely eto. Fel 'tasa gen i ddim digon o waith golchi.'

Taenodd y gynfas byg dros yr hors ddillad a sodro honno rhwng Richard a'r tân cyn troi dau golsyn llosg ei llygaid ar ei merch. Gwyddai Laura'n dda beth fyddai ei chwestiwn cyntaf a'i phwrpas o'i ofyn, a phenderfynodd nad oedd ildio i fod y tro yma.

'Wel, 'nillist ti?'

'Do.'

Gwthiodd Richard yr hors ddillad ychydig o'r neilltu â'i droed yn slei bach gan roi winc ar Laura.

'I be w't ti'n gofyn peth mor wirion, Catrin? Does gen neb obaith yn erbyn Laura 'ma.'

'A faint o wobr ge'st ti?'

'Dau swllt.'

Goleuodd y llygaid ryw gymaint, fel petai fflam wedi cydio ynddynt.

'Siawns na fedri di fforddio rhoi rywfaint ohonyn nhw i dy fam.'

'Ond mi dw i angan dillad newydd yn sobor.'

'Er mwyn trio dal gafal ar y Daniel Ellis 'na, ia?'

''I phres *hi* ydyn nhw, Catrin.'

Taflodd Laura gip diolchgar i gyfeiriad ei thad ond sbardun fu'r sylw diniwed yn hytrach nag atalfa.

'A sut ydw i'n mynd i allu fforddio prynu bwyd, meddat ti, a chditha'n tywallt ceinioga prin i lawr dy gorn gwddw'n y King's Head bob nos?'

Ond yn wahanol i Laura, nid oedd llach tafod Catrin yn mennu dim ar Richard ac meddai'n dawel,

'Mae'n rhaid i ddyn ga'l *rhyw* blesar mewn bywyd.'

Tynnodd Catrin yr hors ddillad yn ôl i'w lle priodol gan orfodi Richard i symud ei gadair. Aeth sŵn sgriffio'r coesau ar lechi'r llawr fel cyllell drwy ben Laura a theimlai ei hun yn gwegian wrth i'r drewdod lenwi ei ffroenau. Caeodd ei bysedd am y sylltau yn ei phoced. Byddai'r flows fach wen efo'r les ar ei choler a welsai yn ffenestr Huws Drepar yn rhoi taw ar sylwadau sbeitlyd y morynion bob tro y gwelent ragor o ôl nodwydd ac edau.

'A dydi o'm ots gen ti weld Huw bach yn mynd i'r ysgol a'i draed allan o'i sgidia, debyg?'

Er mai at ei thad yr anelwyd y cwestiwn gwyddai Laura na châi fymryn o fwynhad o wisgo'r flows wen â'r goler les.

''Ma chi . . . Mi fedra i neud ar be sy gen i am sbel eto.'

Crafangiodd Catrin am yr arian a'u gollwng i boced ei ffedog.

'Fyddat ti'm tamad gwell o wastraffu dy bres ar y cyw-pregethwr 'na. Fydd o isio dim i neud efo dy siort di o hyn allan.'

Er nad oedd Laura wedi disgwyl unrhyw ddiolch, gallai ei mam o leiaf fod wedi derbyn y pres yn raslon yn hytrach na thaflu dŵr oer ar lwyddiant y noson drwy roi tafod i'r ofn a fu'n ei phlagio hi ers rhai wythnosau bellach.

Dychwelodd Laura i'w hystafell foel yn y Castell a'i phoced yn wag, i feddwl am Dan, fel y gwnâi bob nos cyn mynd i gysgu. Grace oedd yn iawn. Wedi gorflino roedd o. Ond gallodd adael ei lyfrau heno i ddod i wrando arni hi'n canu. Byddai'n rhaid iddi beidio disgwyl gormod ganddo. Fe ddeuai'r gwaith i ben ryw ddiwrnod a chaent fod efo'i gilydd, am byth.

* * *

Roedd ha' bach Mihangel wedi loetran wrth Bont y Tŵr a'r coed yn dal gafael ar eu dail, yn gyndyn o wynebu'r gaeaf. Nid oedd amser wedi gadael dim o'i ôl yma, meddyliodd Grace, er bod y garreg lefn yr eisteddai'r ddau arni yn ymddangos yn llai nag oedd hi pan roddodd y penolau bach sglein arni yn ystod sawl haf ers talwm. Yn y tywyllwch y tu cefn iddynt, roedd y goeden y torrodd Tom a hithau eu henwau arni un diwrnod wedi iddynt lwyddo i osgoi Daniel a Laura.

'Dydi'r lle 'ma 'di newid dim, Grace.'

Yr un atgofion oedd yn mynd drwy'i feddwl yntau, mae'n amlwg, ond byddai'n rhaid iddi fod yn ofalus rhag dweud gormod. Efallai na ddylai fod wedi cytuno i ddod yma a hithau wedi llwyddo'n ei hymdrech i gadw'r ers talwm o hyd braich.

'Mi fasa'n braf ca'l bod felly eto, yn bydda . . . heb ofal yn y byd.'

'Y chdi'n edrych ymlaen at ga'l gadal yr ysgol a mynd i'r chwaral.'

'Ac yn meddwl fod angan chwilio dy ben di am fod isio aros yno a mynd yn ditsiar, o bob dim.'

Ia, camgymeriad oedd dod. Rhedodd cryndod drwyddi. Tynnodd Tom ei siaced a'i thaenu dros ei hysgwyddau. Glynai ei wres wrthi.

'Mi oedd yn gas gen i'r diawliad, 'sti. Byth yn colli cyfla i ddeud wrtha i pa mor dwp o'n i.'

'Roedd 'na ddigon yn dy ben di, Tom, 'tasat ti 'di morol ati.'

'I be 'te? P'un bynnag, doedd gen i'm gobaith cystadlu efo chdi. Mi fasat ti 'di gneud andros o ditsiar dda 'sti.'

Roedd o fel pe bai'n mynnu rhwbio halan i'r briw. Doedd Tom ddim yn deall chwaith, mwy na neb arall. Prin y gallodd gadw'r chwerwder o'i llais wrth ddweud,

'Ond ddigwyddodd hynny ddim, yn naddo. Roedd fy angan i adra ar ôl colli Mam. O leia mi ge'st ti'r hyn oeddat ti'n 'i ddymuno.'

Sylweddolodd Tom ei fod wedi ei tharfu. Damio unwaith, sut y gallai fod mor ddifeddwl? Am mai un twp oedd o, dyna pam. Pa hawl oedd ganddo i weld bai ar Dan ac yntau'r un mor hunanol, yn malio dim am neb cyn belled â'i fod o'n cael ei ddymuniad? Ceisiodd achub peth ar ei gam drwy ddweud nad oedd pethau'n fêl i gyd yn y chwaral chwaith.

'Taw â deud,' digon di-ffrwt, oedd yr unig ymateb.

'A gwaethygu wnân nhw, mae arna i ofn. Dydi'r dynion ddim yn mynd i ddiodda llawar rhagor. Mae Dan 'di deud wrthat ti fel mae'r Saeson diarth 'na'n gwasgu arnon ni, mae'n siŵr.'

‘Fydd o byth yn sôn am y lle, mwy na dim arall, ran’ny.’

‘Yr holl studio ’ma sy’n deud arno fo ’te. Ond ’na fo, mae’n rhaid iddo fo forol ati os ydi o am wella’i hun.’

‘Ond ddim ar draul brifo Laura. Mi welist ti mor siomedig oedd hi heno. Fydda fo ddim ’di dangos ’i wynab yn Steddfod Rachub oni bai amdana i.’

‘Felly ro’n i’n dallt.’

‘Mi dw i ’di’n siomi ynddo fo, Tom.’

Ac wedi’i siomi ynddo yntau. Roedd o’n llawn gorchest wrth iddynt gerdded am Bont y Tŵr gynnau ac yn gresynu nad oedd neb o gwmpas i’w gweld. Byddai’n dal ar y cyfle i ddweud wrthi’r hyn yr oedd wedi bod eisiau’i ddweud ers blynyddoedd. Ni fyddai wedi cytuno i ddod efo fo oni bai fod ganddi ryw feddwl ohono, nac yn sicr wedi dweud y câi pobol feddwl be fynnan nhw. Ond gwnaeth stomp o’r cwbwl, colli’r siawns o ddweud wrthi nad oedd ei deimladau tuag ati wedi newid dim, mwy na Phont y Tŵr.

Wrth iddynt gerdded yn ôl am y pentref, y ddau mor dawedog â’i gilydd, siaced Tom yn dal dros ei hysgwyddau a’i wres bellach wedi cilio ohoni, rhyddhad i Grace oedd iddo fethu dweud.

* * *

‘Os bydd eisiau cael swyddogion,
Danfon ffwrdd a wneir yn union;
Un ai Gwyddel, Sais neu Scotsman
Sydd mewn swyddau braidd ym mhobman.’

Ymunodd Tom yn y cytgan, mor uchel ei lais â neb, ond tawodd yn sydyn wrth weld Now yn rhythu arno. Nid ei fai o oedd fod ei dad wedi cythruddo Now trwy ddweud nad oedd hi'n hawdd derbyn y rheolau newydd. Dylai fod wedi ei gadael hi ar hynny yn hytrach na mynnu, mewn ateb i'r 'Pam y dylan ni 'u derbyn nhw?', mai dyma'u bywoliaeth ac nad gweithio i fyw yn unig yr oeddan nhw, ond byw i weithio.

Roedd Dafydd yn ei morio hi a gweddill y dynion yn gweiddi a churo dwylo.

> 'Mewn gweithfeydd sydd yma 'Nghymru
> Gwelir Saeson yn busnesu;
> Rhaid cael Cymry i dorri'r garreg,
> Nid yw'r graig yn deall Saesneg.'

Eistedd yn ei gwman a wnâi Now, fodd bynnag. Sylwodd Tom fod y graith ar ei dalcen, ôl ysgarmes un nos Sadwrn wylltach nag arfer, yn plycio. Fe wyddai pawb nad oedd Now Morgan yn un i'w groesi. Byddai'n rhaid iddo wneud yn berffaith glir iddo ar ba ochor yr oedd o'n sefyll.

'Dydi'r hen ddyn ddim yn dallt 'sti,' sibrydodd.

'Nag'di . . . yn dallt dim.'

'Geiria da ydi rhein 'te.'

'Be dâl geiria?'

Ia, siarad gwag oedd y cwbwl. Pa ddiben oedd diben i'w dad ddweud fod ganddyn nhw, fel chwarelwyr Braich y Cafn, achos i ymfalchïo eu bod nhw'n feistri ar grefft na allai neb arall ei harfer hi a hwythau'n cael eu trin fel caethweision?

Roedd Robert Evans ar ei draed eto ac yn galw am osteg. Eisiau gwybod yr oedd o a fyddai'r aelodau'n barod i gyfrannu at anrheg priodas i Ledi Gwyneth Pennant.

Roedd aelodau'r cabanau eraill eisoes wedi cytuno a theimlai'n siŵr y byddent hwythau'r un mor barod i wneud hynny, fel arwydd o'u hewyllys da.

Aeth llaw Tom i fyny i ganlyn y lleill. Gorau po gyntaf iddyn nhw gau pen y mwdwl am heddiw.

'Rydan ni i gyd yn gytûn, felly.'

Teimlodd Tom ei galon yn ei gorn gwddw wrth weld Now yn camu i ganol y llawr a'i lygaid yn fflachio tân.

'Chodis i mo fy llaw, Robert Evans.'

'Mae'r penderfyniad wedi'i gario, Now.'

'A faint o ewyllys da mae'i thad hi wedi'i ddangos tuag aton ni? Mi ddeuda i wrthach chi. Dim ydi dim. Ein trin ni fel baw, cymryd ein hawlia oddi arnon ni, gwrthod rhoi clust i'n cwynion ni. Sut medrwch chi fod mor wasaidd, deudwch?'

Prin bod neb ym Mhonc Twll Dwndwr yn haeddu mwy o barch na Robert Evans. Ni chlywyd neb erioed yn codi llais yn ei erbyn. Ond er bod rhai o'r dynion yn diharebu at hyfdra Now roedd hi'n amlwg i Tom fod ambell un, fel yntau, yn difaru iddo godi'i law. Beth fyddai ymateb Dan wedi bod, tybed? Ond roedd o wedi'i heglu hi o'r caban yr eiliad y gorffennodd ei ginio. Go brin y byddai ganddo unrhyw ddiddordeb, o ran hynny, dim ond moedro'i ben efo geiriau nad oeddan nhw'n golygu dim. Be oedd yr adnod y byddai ei fam yn arfar ei hadrodd? 'Wrth eu weithredoedd', rwbath neu'i gilydd. '. . . yr adnabyddwch hwynt'. Ia, 'na hi, un oedd yn taro'r hoelen ar ei phen.

Sylweddolodd yn sydyn fod Now ar ei ffordd allan ac aeth yntau i'w ddilyn, heb edrych yn ôl.

* * *

A hithau'n ei adnabod fel cledr ei llaw, gallai Elen ddweud yr eiliad y camodd Robert i'r tŷ fod rhywbeth wedi ei darfu. Y Now Morgan 'na oedd wedi bod yn codi twrw eto, mae'n siŵr, a'i dafod yr un mor brysur â'i ddyrnau. Cafodd ras i atal ei thafod hi, er bod yr olwg surbwch ar wyneb Tom yn ei chyffroi. Yn hytrach na chymryd ei le wrth y bwrdd, aeth i sefyll wrth y ffenestr a'i gefn atynt. Cliriodd Robert ei lwnc, yn barod i ofyn bendith.

'Tyd 'laen, Tom,' galwodd Ifan. 'Mi dw i'n llwgu.'

''Sgen i ddim o'i awydd o.'

'Ga i dy siâr di 'ta?'

Caeodd Ifan ei lygaid a phlethu'i fysedd.

'Ein tad . . .'

Ni allodd Elen oddef rhagor.

'Na, Robert. Does 'na'r un fendith i gael ei gofyn na'r un tamad i gael 'i fyta nes bydd pawb wrth y bwrdd, fel arfar.'

Trodd Tom i'w hwynebu ac meddai a chryndod yn ei lais.

'Mae o 'di mynd yn rhy bell tro yma.'

Gollyngodd Elen ochenaid fach.

'Y Mr Young 'na sydd 'dani eto, debyg.'

'Dau ddwrnod o waharddiad am fod yn hwyr ac wsnos gyfa am adal cyn amsar yn y pnawn. A fel tasa hynny ddim digon drwg, mae o 'di diswyddo Griffith Parry, dyn sydd wedi rhoi dros hannar can mlynadd o wasanaeth i'r chwaral, am nad oedd o'n fodlon achwyn ar y dynion.'

'Mi wydda Griffith Parry'n iawn be fydda canlyniad torri'r rheola.'

Cynddeiriogi Tom yn hytrach na'i dawelu a wnaeth sylw'i dad.

'Feddylias i rioed y clywn i chi'n ochri efo'r meistri.

Ond mi ddangosoch chi'n ddigon clir lle rydach chi'n sefyll yn y caban heddiw, ran'ny.'

'Yn y chwaral i neud 'y ngwaith ora medra i yr ydw i, Tom.'

Ni fu gofyn i Elen erioed godi ei llaw at yr un o'r hogiau. Byddai'r rhybudd yn ei llais yn ddigon. Ond ar y munud, teimlai fel rhoi ysgytwad iawn i Tom, er ei fod ben ac ysgwydd yn dalach na hi. Pa hawl oedd ganddo i herio'i dad a'i orfodi i geisio ei amddiffyn ei hun?

'Dyna ddigon rŵan.'

Yn wahanol i'r arfer, ni lwyddodd y tinc rhybuddiol i roi taw ar Tom.

'Nid chi ydi'r unig un i ymfalchïo yn 'i grefft, 'nhad. Ond os ydach chi'n fodlon cowtowio i'r penna bach 'na, peidiwch â disgwyl i ni neud hynny.'

Anghofiodd Ifan y gwanc yn ei stumog wrth iddo holi'n eiddgar, 'Dach chi am fynd ar streic, Tom?'

'Dydw i ddim isio dy glywad di'n yngan y gair yna eto, Ifan.'

Bu'r edrychiad a roddodd ei fam arno yn ddigon i beri i Ifan swatio.

'A mi ddyla fod gen titha gwilydd yn troi ar dy dad fel'na. Sut siâp fydda ar betha 'tasa ti a dy griw wrth y llyw, tybad?'

Yn gyndyn o ildio, ond wedi cael peth rhyddhad o ddweud ei ddweud am unwaith, daeth Tom, yntau, at y bwrdd. Ond os oedd ei fam yn disgwyl iddo ymddiheuro, fe gâi aros tan Sul pys.

Roedd mwy o angerdd nag erioed yn llais Robert wrth iddo ofyn bendith y noson honno ond ni chafodd yr un ohonynt fawr o flas ar y swper chwarel.

3

Nid oedd dim yn osgo'r Grace Ellis a safai yn nrws Bristol House i awgrymu'r cynnwrf o'i mewn. I bob golwg, roedd hi'n ddall a byddar i fwrlwm nos Sadwrn setlo. Daeth Now Morgan heibio a chriw o fechgyn yn sownd wrth ei sodlau. Arafodd ei gamau a chyffwrdd pig ei gap stabal.

'Noson braf, Miss Ellis.'

Ni chafodd unrhyw ymateb. Chwarddodd y bechgyn yn uchel. 'Waeth i ti heb, Now,' galwodd un ohonynt. 'Chei di ddim croeso yn fan'na.'

Cerddodd Now ymlaen yn dalog a'i waed yn berwi. Yr hen drwyn gythral, meddyliodd, yn ei anwybyddu a gwneud ffŵl ohono yng ngŵydd yr hogia.

Gwyliodd Grace y criw yn diflannu drwy ddrws y King's Head. Camgymeriad oedd dod allan yma. Y siop a'r gegin, dyna oedd ei libart hi bellach. Clywodd sŵn y tu ôl iddi wrth i'w thad dynnu'r bleind dros y ffenestr. Byddai'n aros amdani, yn barod i gloi'r drws ar nos Sadwrn arall.

'Grace?'

Cyn iddi allu ateb, agorodd y drws.

'Dyma lle'r w't ti. Bora fory ddaw.'

Roedd awgrym o gerydd yn llais ei thad. Am ba hyd y bu hi'n sefyll yma, tybed? Gwyddai y dylai ymddiheuro am esgeuluso'i dyletswyddau, ond cafodd ei harbed rhag hynny pan welodd John Williams yn croesi'r stryd tuag atynt.

'A sut ydach chi'ch dau heno?'

'Yn weddol. A chitha?'

'Yn dda iawn 'y myd o'i gymharu â'r hen Lias Robaits druan, Edward Ellis. Mae gen i ofn na wêl o mo'r bora.'

'Mae hi'n glawio yn rhwla o hyd, on'd ydi?'

Ceisiodd bagad o lanciau wthio'u ffordd heibio iddo ond safodd John Williams ei dir a'u gorfodi i gamu i'r stryd. Rhegodd un ohonynt dan ei wynt.

'Mae o'n gwilydd o beth, y tafarna'n agorad tan berfadd nos a'r lle 'ma fel Gehenna.'

'Siawns nad ydi'r dynion yn haeddu dipyn o sbort unwaith y mis ar ôl gweithio mor galad.'

Tynnodd Edward Ellis ei wynt ato. Dylai Grace wybod yn well na thynnu gwg John Williams.

'Mae'n ofid mawr gen i'ch clywad chi'n deud hynna, Grace, a chitha'n aelod o'r Gymdeithas Ddirwast. "Rhodiwn yn weddus, megis wrth liw dydd; nid mewn cyfeddach a meddwdod", fel y deudodd Paul yn 'i lythyr at y Rhufeiniaid, yntê.'

Ac yntau'n gobeithio'n ei galon y câi ei ferch y gras i ymatal, rhyddhad i Edward oedd clywed llais yn eu cyfarch yn siriol.

'A sut mae petha efo chi'ch tri?

'Sychedu am y ffrydiau dwyfol yr ydan ni, Richard Morris.'

'Tewch â deud. Mae arna inna sychad y felltith 'fyd, John Williams.'

Teimlodd Edward ei galon yn suddo. Petai Grace heb oedi mor hir gallai fod wedi osgoi hyn i gyd. Ac yntau ar fin ei esgusodi ei hun, clywodd y pen-blaenor yn dweud, mewn tôn a fyddai'n ddigon i sodro'r rhan fwyaf o ddynion,

'Mae'r ddiod yr o'n i'n cyfeirio ati i'w chael yn rhad ac am ddim ond mynd ar 'i ofyn O.'

Ond nid oedd hynny'n mennu dim ar Richard Morris. Â gwên radlon ar ei wyneb, meddai,

'Faswn i'm yn gadal i Lloyd King's Head eich clywad chi'n deud hynna, John Williams . . . gneud drwg i'w fusnas o.'

Ac i ffwrdd â fo i ddilyn y llwybr y gallai ei gerdded â'i lygaid ar gau. Aeth John Williams, yntau, i ddilyn ei lwybr ei hun heb air ymhellach. Roedd Edward Ellis yr un mor dawedog wrth iddo gloi'r drws a diffodd y lampau. Dychwelodd Grace at ei gorchwylion a'r cynnwrf na fu neb yn llygad-dyst ohono yn dal i ffrwtian o'i mewn.

* * *

Roedd Byddin yr Iachawdwriaeth yr un mor awyddus ag arfer i rannu'r newyddion da:

> *'What a friend we have in Jesus,*
> *All our sins and griefs to bear!*
> *What a privilege to carry*
> *Everything to God in prayer.'*

Er bod pawb o'i gwmpas yn ymuno yn y canu, safai Daniel yn fud. Oni ddylai yntau allu cario'r cyfan at Dduw a rhoi ei holl bwysau arno? Yfory, byddai gwreichion tân uffern yn tasgu o bulpud Jerusalem a sŵn rhincian dannedd yn llenwi'i glustiau. Ond neges llawenydd oedd gan y rhain, a'r sicrwydd yn goleuo'u hwynebau.

Daethai Tom i fyny ato heb iddo sylwi.

'Mae Robat Jôs Gwich mewn hwylia heno, meddan nhw. Ti am ddŵad i wrando arno fo, Dan?'

'Oes gen rywun hawl bod mor hapus â rhain, d'wad?'

'Be wn i? Chdi 'di'r pregethwr. Tyd 'laen.'

'Mi dw i 'di addo cyfarfod Laura.'

'Go dda. Hen hogan iawn ydi hi 'te. Mi w't ti'n lwcus ohoni 'sti. Yli, mi wn i nad ydi o ddim o musnas i, ond . . .'

Torrodd Daniel ar ei draws, a'i lais fel llafn cyllell,

'Nag'di, Tom, dydi o ddim.'

Cer i gythral 'ta, meddai Tom wrtho'i hun, gan wthio drwy'r dyrfa i gyfeiriad Now a'r hogia. Wn i ddim pam dw i'n boddran efo chdi o gwbwl. Ond aeth ei ddicter yn angof wrth iddo wrando ar Robat Jôs yn rhefru.

'I bwy yr ydan ni i ddiolch? Does neb a ŵyr na neb a ddichon.'

Bloeddiodd yr ateb i ganlyn y gynulleidfa.

'I Lloyd George 'te . . . pwy arall.'

Roedd hynny'n ddigon i beri i Robat Jôs godi'i wich a'i wrychyn.

'Cythral drwg ydi o. Yr Hen Fam bia'r pres. Yn jêl C'narfon mae'i le fo a Watkins y beili. A chitha'r capelwrs i'w canlyn nhw, y lladron diawl!'

Daeth llais o'r dyrfa yn cyhoeddi fod Jones plisman ar ei ffordd.

'Well i ti 'i heglu hi, Robat, cyn iddo fo dy riportio di i Canon Jones,' gwaeddodd Now, a diflannodd Robat Jôs nerth ei draed i gyfeiliant chwerthin y dyrfa.

'Dyna ddiwadd ar 'i bregath o tan tro nesa, Now.'

'Does 'na'm dewis rhwng yr hen Wich a'r capelwrs, myn coblyn i. Falla fod rheiny'n newid 'u testun ond rhygnu ar yr un hen betha maen nhw'n dragwyddol. Cliria dy lwnc, Tom, mae'r Salfêsh yn barod i ailddechra.'

Rŵan fod Daniel Ellis wedi gadael, nid oedd yno neb i amau eu hawl i'w llawenydd, ac os mai i mewn drwy un glust ac allan drwy'r llall yr âi'r neges roedd grym y canu'n ddigon i beri i hyd yn oed selogion y King's Head dewi dros dro.

'Mine eyes have seen the glory of the coming of the Lord;
He is trampling out the vintage where the grapes of wrath are stored,
He hath loosed the fateful lightning of His terrible swift sword,
His truth is marching on.'

Gwelodd Now Richard Morris yn sefyll ar y cyrion a galwodd arno,

'W't ti am ddŵad i ganu efo ni, Dic?'

Camodd Richard Morris ymlaen, ar delerau da efo fo'i hun a'r byd.

'Siŵr iawn 'mod i. Ond well i mi beidio mentro'n rhy agos rhag ofn i mi ga'l fy achub, myn diawl!'

* * *

'Canu'n dda maen nhw 'te, Dan?

Fel rheol, byddai Laura wedi ymuno â nhw, ond nid oedd yn teimlo fel gwneud hynny heno a'r gofid na allodd ymatal rhag ei rannu â Grace yn dal i bwyso arni fel diffyg treuliad.

'Wn i ddim sut maen nhw'n gallu bod mor . . . mor hunanfodlon.'

'Mae o fel eli, dydi.'

'Be 'lly?'

'Canu 'te. Gneud i rywun anghofio hen betha cas.'

Roedd hi'n gwneud i'r cwbwl swnio mor syml. Nid oedd angen iddo ond agor ei geg, gadael i'r geiriau lifo drosto a rhedeg fel dŵr glaw i gwter. Gwasgodd ei wefusau'n dynn. Petai'n ildio, hyd yn oed am foment, ni fyddai ganddo'r nerth i ddringo'n ôl.

'Tyd, mae hi'n bryd i ni gychwyn.'

Brathodd Laura ei thafod rhag dweud nad oedd angen iddynt fynd am awr arall. Roedd Daniel eisoes yn prysuro i lawr y lôn. Tuthiodd hithau ar ei ôl a'r boen yn ei brest yn dal ar ei hanadl.

Nid oedd bellach ond sŵn traed ar wyneb garw'r ffordd i dorri ar y tawelwch. Roedd i hwnnw deimlad oer, tamp, er ei bod hi'n noson serog, braf.

'Steddwn ni am funud, ia?'

'Does 'na fawr o ffordd i fynd.'

'Pigyn sy gen i. Methu ca'l 'y ngwynt.'

Ofn sydd ganddi hi dy fod ti'n dechra blino arni, dyna ddwedodd Grace. Ond beth am ei ofnau o? Ofn methu dal, ofn yr oerni a'r unigrwydd, ofn siomi ei Dduw.

Yma ar y clwt gwair y cusanodd Dan hi am y tro cyntaf. Awal fach gynnas yn mwytho'i wallt, blas mwyar ar ei wefusau a hithau'n sibrwd yn ei glust, 'Mi dan ni'n ddau gariad go iawn rŵan, dydan'.

'Ni pia fan'ma, 'te?'

Estynnodd Laura am ei law a'i gwasgu yn ei hun hi.

'Diolch i ti am ddŵad i wrando arna i'n canu, Dan.'

'Mi ge'st ti hwyl arni.'

'Mi faswn i 'di gneud yn well 'taswn i'n gwbod dy fod ti yno.'

Llithrodd Daniel ei law o'i gafael. Ni ddylai fod wedi cytuno i oedi yma, o bob man.

'Mae'n ddrwg gen i na fedrwn i'm dŵad am dro efo chi.'

'Es inna ddim chwaith. Doedd 'na'm diban mynd hebddat ti.'

Oedd raid iddi wneud pethau mor anodd iddo? Cytuno â phob dim, maddau popeth, gofyn a disgwyl cyn lleied. Ac er hynny i gyd yn llyffethair arno, yn ei ddal yn ôl rhag gallu cynnig y cyfan.

'Dydi o ddim yn deg 'mod i'n gallu rhoi cyn lleiad o amsar i ti.'

'Liciwn i 'taswn i'n ca'l dy weld di'n amlach, ond mi dw i'n ddigon bodlon aros. P'un bynnag, mi gawn fod efo'n gilydd drwy'r amsar unwaith byddwn ni 'di priodi.'

'Mae 'na flynyddodd o studio o 'mlaen i, Laura. A fydd petha fawr rhwyddach wedyn. Mi fydd yna gyfrifoldab mawr arna i fel gweinidog.'

'Mi helpa i chdi hynny fedra i.'

Sut oedd modd rhoi ar ddeall i Laura nad oedd am iddi aros, nad oedd iddi le yn ei fywyd? Dim ond wrth ddweud yn blwmp ac yn blaen fod popeth drosodd, ceisio egluro mai o reidrwydd ac nid o ddewis y gwnâi hyn. Ond nid yma, nid rŵan.

'Faint o waith sydd gen ti i neud eto?'

'Dydw i ond megis dechra. Does 'na ddim digon o oria mewn dwrnod.'

'Biti na fedrat ti roi'r gora i'r chwaral 'te.'

'A pha obaith fydda gen i wedyn?'

'Mi dw i'n siŵr y bydda dy dad yn fodlon helpu.'

'Fedra i ddim mynd ar ofyn Tada. Fy llwybyr i ydi o a mi fydd raid i mi 'i gerddad o fy hun, faint bynnag mor galad fydd hynny.'

‘Mi oedd ’nhad yn deud fod y dynion yn cwyno’n arw am y Mr Young ’na.’

‘Rhyngddyn nhw a’u potas. Mae gen i reitiach petha i feddwl amdanyn nhw.’

‘Oes, ran’ny. Mi ddoi di drwyddi ’sti.’

‘O, dof. A chaiff neb na dim sefyll yn fy ffordd i.’

Unig ateb Laura oedd gwasgu ei law unwaith eto. Roedd bai arni’n bwrw ei gofid ar Grace. Cofiodd fel y bu iddi ddweud wrthi y byddai hi’n setlo Daniel. Ond nid oedd arni eisiau i Grace ymladd drosti. Byddai gofyn iddi fod yn amyneddgar a bodloni ar yr oriau prin a gaent efo’i gilydd. Dim ond iddi ddal i’w garu fel yr oedd hi wedi’i garu erioed, ni fedrai neb na dim sefyll yn eu ffordd.

* * *

Tynnodd Edward Ellis ei oriawr o boced ei wasgod a chraffu arni. Dim ond pum munud arall i fynd nes y byddai John Williams yn galw draw am ei faco Amlwch yn ôl ei arfer. Byddai’r ddau’n cael sgwrs ar ôl yr oedfa, fel rheol, ond gwnaethai’r pen-blaenor hi’n ddigon amlwg nad oedd yn dymuno cael ei gwmni neithiwr.

Er nad oedd ef a John Williams yn gweld llygad yn lygad ar bopeth, ni fyddent byth yn anghytuno’n gyhoeddus. I Edward yr oedd y diolch am hynny. Cadwai ei farn iddo’i hun gan amlaf. Unwaith erioed y bu iddo dynnu’n groes i John Williams ac ni chafodd eiliad o dawelwch meddwl nes mynd draw i Gae’r-berllan. Roedd y pen-blaenor wedi derbyn ei ymddiheuriad yn ddigon graslon gan ddweud, ‘Soniwn ni ddim rhagor am y peth’. Ond bob tro y gofynnai John Williams yn ystod cyfarfod blaenoriaid, ‘A be sy ganddoch *chi* i'w ddeud ar y matar, Edward Ellis?', fe'i câi ei hun yn ôl ar aelwyd Cae'r-berllan yn syrthio ar ei fai, heb fod yn siŵr a oedd hwnnw'n fai ai peidio.

Byddai Grace wedi gadael i baratoi swper cyn hyn, fel arfer, ond roedd fel pe bai'n benderfynol o loetran heddiw.

'Mi fydd John Williams yma toc.'

'Bydd, debyg.'

'Taw pia hi, Grace.'

Tada oedd yn iawn, mae'n siŵr. Pa well oedd hi o fod wedi ceisio ymresymu efo Daniel? Ni wnâi hwnnw ond dilyn ei fympwy ei hun. A dylai wybod erbyn hyn mai gwastraff amser oedd anghytuno â dyn yr oedd ganddo adnod i selio pob dadl. Ia, cau ceg oedd y peth doetha.

Syllodd Edward yn bryderus i gyfeiriad y drws, gan obeithio'n ei galon na fyddai i'r un cwsmer alw cyn iddo allu dal ar ei gyfle i esmwytho pethau. Ond roedd y siop yn wag, drwy drugaredd, pan gyrhaeddodd John Williams. Ateb digon swta a gafodd i'w gyfarchiad. Pocedodd John Williams ei faco, a thalu amdano. Roedd ar fin gadael pan ddywedodd Edward,

'Mae'n ddrwg gen i os cawsoch chi'ch tarfu nos Sadwrn, John Williams. Mi dw i'n siŵr nad oedd Richard Morris yn bwriadu dim drwg. Braidd yn anystyriol ydi o.'

Teimlodd Edward ei hun yn gwegian o dan bwysau'r llygaid llym. Mae'n amlwg nad oedd anghofio i fod y tro hwn.

'Synnu yr ydw i, Edward, eich bod chi'n fodlon i Daniel gyfathrachu efo merch un nad oes ganddo fo barch i na Duw na dyn.'

Ni allodd Grace oddef rhagor. Meddai, a'i llygad yr un mor llym â rhai'r pen-blaenor,

‘Fedrwch chi ddim dal Laura’n gyfrifol am ymddygiad ’i theulu, John Williams.’

‘Cyw a fegir yn uffern, yn uffern y mynn o fod, yntê.’

‘Mae Laura’n un o’r genod gora wisgodd sgidia erioed. Fedra Daniel ga’l neb gwell.’

‘Rydach chi a hitha dipyn o ffrindia, dydach.’

‘Er pan oeddan nhw’n blant, nhw’u dwy a Daniel a Tom, yn byw a bod efo’i gilydd.’

Ni chafodd ymgais Edward i dawelu’r dyfroedd unrhyw argraff ar John Williams.

‘Ro’n i wedi gobeithio y bydda Tom yn olynydd teilwng i’w dad ond does ’na ddim da yn dŵad o fynd i ddilyn un fel Now Morgan. Tybad fedar Daniel ga’l gair efo Tom, ’i ga’l o i sylweddoli’r peryglon cyn ’i bod hi’n rhy ddiweddar? Falla gallwch chitha berswadio Laura i drio diwygio rywfaint ar ’i thad, Grace . . . os ydi hynny’n bosib.’

‘Rydach chi’n credu ’i fod o tu hwnt i achubiath?’

Gwyddai’r ateb i’w chwestiwn cyn iddi ei ofyn.

‘Mae arna i ofn ’y mod i.’

‘Ond beth am y gras a’r maddeuant mae Thomas Jones yn sôn amdanyn nhw yn yr emyn yr oeddan ni’n ’i ganu neithiwr, y feddyginiaeth i bob bai?’

‘Ac mae’r feddyginiaeth honno i’w chael, Grace, ond edifarhau. “Nid rhaid i’r rhai iach wrth feddyg, ond i’r rhai clefion.” Bora da i chi’ch dau.’

Er bod llwch diwrnod gwaith yn glynu wrth ei ddillad, cerddodd John Williams allan o Bristol House gyda’r un urddas â phetai’n gwisgo’i ddillad parch. Ar waetha’i dicter, ni allai Grace lai na’i edmygu. Roedd o mor sicr o’i Dduw, yn ei adleisio ym mhob dweud. Pa ryfedd fod Tada druan, yr oedd ganddo'r fath feddwl o'i Dduw trugarog, mor barod i gyfaddawdu? Teimlodd hithau ias o ofn o fod wedi meiddio tynnu'n groes.

'Mi w't ti wedi'i dramgwyddo fo, Grace.'

'Dydi dangos rywfaint o oddefgarwch ddim yn arwydd o wendid, Tada.'

Ond dyna oedd o i John Williams. Ac roedd ganddo ef nid yn unig ei Gynghorwr cadarn o'i blaid ond yr Apostol Paul, a'i rybudd i beidio cydymffurfio â'r byd hwn os am brofi perffaith ewyllys Duw.

'Mae'r hyn oedd o'n 'i ddeud am Richard Morris yn ddigon gwir, yn anffodus.'

'Falla 'i fod o. Ond mae'i theulu hi'n ddigon o faich ar Laura heb fod Daniel yn 'i hanwybyddu hi.'

'Mae 'na bwysa mawr arno fo, Grace, yn enwedig rŵan. Siawns nad ydi Laura'n cymryd hynny i ystyriath.'

'Ydi, mae hi. Ond ydi Daniel yn 'i hystyriad hi, tybad?'

Dyna hi wedi cythruddo Tada unwaith eto. Dylai wybod, o brofiad, y byddai'n ochri efo Daniel. Onid ei ddyletswydd o, a hithau i'w ganlyn, oedd gwneud yn siŵr ei fod yn cael pob chwarae teg?

Canodd cloch y siop a throdd Edward Ellis i gyfarch ei gwsmer. Roedd yn hen bryd iddi roi'r tatws i ferwi. Byddai Daniel yn ysu am gael y swper chwarel drosodd er mwyn mynd yn ôl at ei lyfrau.

Wrth fynd heibio i'r parlwr, gwelodd fod y drws yn gil agored. Gwrandawodd yn astud, ond nid oedd yr un smic i'w glywed. Gwthiodd y drws yn betrus â blaen ei throed. Roedd yr ystafell yn union fel y gadawsai hi'r bore hwnnw. Pan aeth drwodd i'r gegin, sylwodd nad oedd côt liain Daniel yn hongian ar y bachyn arferol ar gefn y drws na'r esgidiau hoelion mawr yn gorwedd, drwyn wrth drwyn, o dan y sinc. Ni fyddai byth yn oedi ar ei ffordd adref. Ond roedd rhywbeth, neu rhywun, wedi'i orfodi i wastraffu'r amser prin heddiw. A Laura druan fyddai'n gorfod dioddef am hynny, unwaith eto.

* * *

Gorfodaeth o'i ddewis ei hun a barodd i Daniel aberthu'r amser hwnnw. Er bod ei goesau'n gwegian erbyn iddo gyrraedd Pen y Bryn, roedd y penderfyniad y daethai iddo cyn cychwyn i'w siwrnai yr un mor gadarn.

Gwelodd Huw bach yn sefyllian ar gwr Stryd Ucha, ei din yn noeth a baw dyddiau'n blorod ar ei wyneb gwelw. Galwodd arno, ac estyn ceiniog o'i boced.

'Dos i ddeud wrth Laura am ddŵad yma. A dim gair wrth neb arall, cofia.'

Rhedodd y bychan am y tŷ, ond oedodd cyn cyrraedd a gwthio'r geiniog i agen yn y wal. Daliodd Daniel ei anadl. Byddai wedi darfod arno petai Catrin Morris yn dod ar ei warthaf. Gollyngodd ochenaid o ryddhad pan welodd Laura yn cerdded tuag ato.

'Dan! Be w't ti'n neud yn fan'ma?'

'Mae gen i rwbath sy raid i mi 'i ddeud wrthat ti.'

Taflodd Laura gipolwg pryderus i gyfeiriad y tŷ.

'Dydi petha ddim rhy dda acw. Yli, mi fyddwn ni'n cwarfod yn hwyrach heno. Gei di ddeud wrtha i'r adag honno, ia?'

Clywodd Daniel lais Catrin yn diawlio rhywun neu'i gilydd, yn cael ei ddilyn gan sgrechian plentyn.

'Mae'n rhaid i mi fynd, Dan.'

Gafaelodd yn ei braich a'i thynnu i'r cysgodion.

'Na, fedra i ddim gohirio'r peth ddim rhagor. A fyddwn ni ddim yn gweld ein gilydd heno, na'r un noson arall mae arna i ofn.'

'Dydw i'm yn dallt. Ydw i 'di gneud rwbath i dy ddigio di?'

'Naddo. Ond fel deudis i'r noson o'r blaen, dydi hyn ddim yn deg arnat ti.'

'Does dim isio i ti boeni am hynny.'

Roedd hi'n closio ato. Gallai deimlo gwres ei chorff drwy'i gôt liain.

'Ond pa hawl sy gen i i dy rwystro di rhag ca'l y cyfla i gyfarfod rhywun arall . . . setlo i lawr.'

'Dydw i ddim isio neb arall, Dan.'

Camodd yn ôl, a gadael i leithder y cysgodion bylu'r gwres.

'Mi dw i'n credu 'i bod hi'n bryd dŵad â'r berthynas i ben, er ein lles ni'n dau.'

Nid ei Dan hi oedd y dieithryn hwn, ei lais yn oer a chras, yn brifo'i chlustiau. Wedi ymlâdd yr oedd o, rhwng yr holl waith a'r diffyg cwsg.

'Faswn i byth yn sefyll yn dy ffordd di, Dan. Deud ti be w't ti isio i mi neud.'

'Does 'na ddim byd fedri di neud. Fel hyn mae hi ora. Does 'na'm dyfodol i ni'n dau efo'n gilydd, Laura.'

Roedd o eisoes wedi ei gadael cyn iddo droi ar ei sawdl a brasgamu i lawr rhiw Pen y Bryn, fel y gwnaethai noson Steddfod Rachub. Ond roedd ganddi'r cysur bryd hynny mai rhywbeth dros dro oedd y gwahanu.

Teimlodd law feddal yn gwthio rhywbeth i'w llaw hi.

'Gei di hi, Lor.'

Huw bach, a'i ddagrau'n agor ffosydd drwy'r baw ar ei wyneb, yn cynnig cysur iddi drwy ildio'i geiniog. Rhoddodd ei breichiau amdano a theimlo'i gorff yn ysgytio wrth iddi gyffwrdd yn ddamweiniol â'r gwrymiau cochion ar waelod ei gefn.

Brwydrodd Laura i gadw'i dagrau hi'n ôl, rhag rhoi rhagor o ofid iddo. 'Does 'na ddim byd fedri di neud', dyna ddwedodd y Dan oer, diarth gynnau. Dim byd ond dal i'w garu, am na wyddai sut i beidio.

4

Rhoddodd y saethu mawr a glywyd o gyfeiriad Creigiau'r Castell i ddathlu priodas Ledi Gwyneth gyfle i Now Morgan atgoffa'i gyd-gabanwyr o'u gwaseidd-dra. Roedd y ffaith bod y Lord wedi gwrthod derbyn eu harian yn fêl ar ei fysedd. Cododd eraill eu lleisiau, ac ni fu Robert erioed cyn falched o gael dychwelyd at ei waith. Ond y noson honno, a sŵn y tân gwyllt yn rhwygo'r tawelwch, ni allai Tom ymatal rhag dweud,

'Gobeithio'ch bod chi wedi dysgu'ch gwers.'

Penderfynodd Robert anwybyddu'r sylw. Syllodd Ifan yn chwilfrydig ar ei frawd.

'Dysgu be, Tom?'

'Na ddylan ni ddim fod wedi cynnig rhoi'r arian prin yr ydan ni'n gorfod chwysu amdanyn nhw i ferch dyn sydd wedi gneud 'i ffortiwn ar draul rhai fel ni.'

'Mi yrrodd lythyr clên iawn, yn deud 'i fod o a'i deulu'n ddigon bodlon ar ein dymuniada da ni.'

'Chwara teg iddo fo, wir!'

Parodd y gwawd yn llais ei frawd i Ifan droi at ei fam, ei lygaid yn erfyn arni roi taw ar Tom. Gwelodd hithau'r edrychiad, ac meddai'n dawel,

'Newidiwn i ddim lle efo'r Lord, beth bynnag. Faswn i ddim balchach o fyw yn yr hen hongliad Castall 'na. Ond rhyngddo fo a'i betha. Siawns nad oes ganddo fo'r hawl ar 'i eiddo 'i hun, fel sydd ganddon ninna ar y clwt bach yma.'

Gwenodd Ifan. Roedd Mam wedi setlo pethau, unwaith eto. Ni fyddai rhagor o eiriau cas, a gallai yntau fynd i gysgu'n dawel gan wybod bod pawb yn ffrindiau. Roedd ar fin gofyn a gâi fynd allan i wylio'r tân gwyllt pan glywodd Tom yn dweud,

'Pa hawlia? 'I eiddo fo ydi'r tŷ a'r tir, Mam, a'n bywyda ninna hefyd. A does ganddon *ni* ddim dewis ond plygu i'r drefn a chymryd ein sathru.'

Yn ddiweddarach y noson honno, a'r golau'n dal i greithio'r awyr, gorweddai Ifan yn ei wely yn ceisio gwneud synnwyr o'r hyn ddwedodd Tom. I be oedd ar y Lord eisiau eu tŷ nhw ac yntau â llond gwlad o le? Ond o leia roedd o wedi gwrthod cymryd y pres am fod ar y dynion fwy o'i angen. Mae'n rhaid nad oedd o'n ddrwg i gyd.

* * *

Ond diafol mewn croen oedd o i Now Morgan. Oni bai amdano fo a'i blydi priodas ni fyddai'n gorfod treulio'r nos ar styllen o goed a'i gorff yn gleisiau drosto, na byw ar y gwynt am weddill y mis. A ble roedd y cachwrs eraill pan oedd o fwyaf o'u hangen? Wedi'i gwadnu hi am eu tyllau a'i adael o i ysgwyddo'r bai. Roedden nhw wedi bod yn ddigon parod i'w annog i godi'i fys bach a'i ddyrnau. Yno'n y loc-yp, rhwng gwreichion o regfeydd, tyngodd Now, nad oedd arno ofn na dyn na diafol, y byddai'n cael ei ddial ryw ddiwrnod.

O'i llofft yn y Castell, gallai Laura glywed chwerthin a rhialtwch y morynion a'r gweision yn y cwrt islaw. Roedd hyd yn oed Miss Johnson, yr howscipar, wedi llacio mymryn ar y rheolau heddiw. Yfory, byddent yn dechrau paratoi at y Nadolig, a châi hithau ei harbed rhag meddwl wrth iddi fwrw i'w gwaith. Ond heno, a'i dogn canhwyllau wedi'i dreulio, nid oedd dim i'w wneud ond meddwl.

Bob tro y ceisiai ymestyn am oriau braf y cyffwrdd a'r rhannu, roedd cysgodion y noson olaf honno yn ei gorfodi i lacio'i gafael. Unwaith yn unig y bu'n y pentref ar ôl hynny. Roedd y flows wen â'r goler les yn dal yn ffenestr Huws Drepar, ond nid oedd ganddi hi ddefnydd iddi bellach. Cawsai gip ar Grace drwy ffenestr Bristol House. Byddai wedi rhoi'r byd am allu troi i mewn a'i chlywed yn dweud, 'Mi fyddwn ni'n dy ddisgwyl di draw dwrnod Dolig, fath ag arfar.'. Ond ni fyddai'n dweud hynny byth eto.

Dannod ei dieithrwch iddi a wnaeth ei mam pan alwodd yno, gan ddweud,

'A mi w't ti 'di cofio fod gen ti deulu, o'r diwadd! Rhoi d'amsar i gyd i'r cyw-pregethwr 'na, debyg.'

'Fyddwn ni ddim yn gweld ein gilydd eto.'

Dyna'r tro cyntaf iddi gyfaddef hynny ar goedd, ac roedd y geiriau'n atsain yn ei phen fel cnul marwolaeth. A'r arian y bu Laura yn chwysu i'w hennill yn ei llaw, bu Catrin

Morris yn addfwynach ei thafod nag arfer, ond ni wnaethai ei 'Hidia befo, 'i gollad o ydi hi', ddim i leddfu'r boen.

Roedd hwnnw ar ei waethaf heno, yn cnoi fel cynhron y tu mewn iddi. Daeth geiriau'r gân a ddysgodd ei thad iddi i'w chof. Roedd hi'n ganol haf a'r ddau wedi llwyddo i osgoi llygaid barcud Catrin a dianc am y mynydd. Ei thad yn sôn am ryddid yr ers talwm, cyn i fywyd roi cyffion arno, a'r ddau yn canu,

> 'Hiraeth trwm a hiraeth creulon;
> Hiraeth sydd yn torri 'nghalon;
> Pan fwyf dryma'r nos yn cysgu,
> Fe ddaw hiraeth ac a'm deffry.'

Er mor drist y geiriau, roedd ei thad fel pe bai'n mendio drwyddo wrth ganu. A hithau, hefyd. Ond heno ni allodd Laura ond eu hadrodd yn dawel bach.

Yn ei hystafell wely yn Bristol House a'r tywyllwch yn cau amdani, ceisiodd Grace ei gorfodi ei hun i ganolbwyntio ar y tasgau a'i hwynebai yn y bore. Yma, unwaith, posibiliadau'r yfory a'i cadwai'n effro. Roedd i bob dydd ei sialens a hithau'n ysu am gael gafael yn ei ben llinyn a'i ddatod.

Rŵan bod y Nadolig yn agosáu, byddai gofyn archebu rhagor o stoc. Tybed a allai fentro addurno ychydig ar y tŷ eleni? Ond i beth yr âi i drafferthu? Ni fyddai hynny ond yn tynnu mwy o sylw at y gadair wag wrth y bwrdd. Cofiodd yr un tro y bu iddi eistedd arni. Cau ei llygaid a theimlo coed caled y breichiau'n troi'n gnawd meddal, cynnes. Ond daethai Tada i mewn heb iddi sylwi. Tasgodd y geiriau, 'Cadair dy fam ydi honna', drosti fel cawod o eirlaw. Yn fuan wedyn, aethai i weld Mr Rowlands, y prifathro. Fore trannoeth, roedd hi wrth gownter Bristol House, ei llyfrau a'i dyfodol wedi eu rhoi o'r neilltu.

Roedd pum mlynedd ers hynny, pum mlynedd o weini di-dâl a diddiolch, o geisio llenwi bwlch, a methu. O'r ystafell am y pared â hi, deuai chwyrnu isel ei thad. Ei unig ofid yn ystod y min nos oedd y byddai sŵn y tân gwyllt a'r gweiddi o'r stryd yn tarfu ar Daniel. Bellach, a'r dathlu drosodd, gallai orffwyso'n dawel. Clywodd y cloc mawr yn taro hanner nos a'r yfory yn ildio'i le i'r heddiw. Gollyngodd Grace ochenaid fach o ryddhad. Ni fyddai gofyn iddi edrych ymhellach na therfynau'r heddiw hwn am yr oriau nesaf.

* * *

Felly, o ddiwrnod i ddiwrnod, y daeth blwyddyn a chanrif i'w terfyn. Llwyddodd Tom i ddal ei dafod a Now i gadw'i ddyrnau iddo'i hun, ond roedd y tyndra i'w deimlo ar aelwyd rhif ugain Llwybrmain a rhwng muriau caban Ponc Twll Dwndwr. Ddydd Nadolig, ni ddaeth Laura heibio i Bristol House yn ôl ei harfer, er i Grace osod lle ar ei chyfer, ac ni chymerodd Daniel arno glywed sylw'i chwaer, 'Wedi methu ca'l amsar i ffwrdd mae hi, debyg'. Ym Mhen Bryn, cafodd Huw bach sgrwbiad iawn a llond ei fol o ginio Dolig, ond aeth y cil dwrn a roesai Laura i'w thad ar y slei i chwyddo coffrau Hughes y Kings Head.

Bu marwolaeth Thomas Roberts, gweinidog Jerusalem, yn ddigon i beri i John Williams anghofio'i ddicter dros dro. Rŵan eu bod heb fugail, roedd mwy o angen nag erioed iddynt hwy, fel blaenoriaid, dynnu efo'i gilydd, ac er nad oedd Edward Ellis mor unplyg ag y dylai fod, ni allai neb amau ei deyrngarwch i'w Dduw a'i eglwys.

Nid oedd gan unrhyw seiat obaith cystadlu â'r cyngerdd mawreddog a gynhaliwyd yn Neuadd y Farchnad nos Fercher olaf y mis. Roedd honno dan ei sang ac Emilius Augustus Young, llywydd y noson, yn ei elfen o gael hysbysu'r gynulleidfa fod Prydain wedi ennill dwy fuddugoliaeth arall yn Rhyfel De Affrica. Ni allai'r un Saesnes o waed fod wedi gwneud gwell cyfiawnder â geiriau Kipling na Miss Clara Pritchard, Brynderwen:

'When you've shouted "Rule Britannia", when you've sung 'God save the Queen',
When you've finished killing Kruger with your mouth,
Will you kindly drop a shilling in my little tambourine
For a gentleman in khaki ordered South . . .'

Bu hynny, a chyflwyniad ysbrydoledig Maggie Parry a Megan Llechid o 'Rule Britannia', yn ddigon i beri i bawb dyrchu i'w pocedi, a chasglwyd cant a hanner o bunnoedd er budd gweddwon ac amddifaid y rhai a laddwyd yn Ne Affrica. A'r balchder y cyfeiriodd Young ato ar derfyn ei anerchiad yn chwyddo yng nghalon pob Prydeiniwr ffyddlon, dyblwyd a threblwyd yr ymbil ar i Dduw gadw'r frenhines.

Erfyn am gael teimlo'r awel o Galfaria fryn a wnaeth ffyddloniaid Jerusalem. Dolur llygad i John Williams oedd gweld rhai seddau gweigion, ond ni allai hyd yn oed hynny bylu'i lawenydd o gael gofyn i'r gynulleidfa gymeradwyo Daniel Ellis, Bristol House, yn ymgeisydd ar gyfer y Weinidogaeth, fel y gallent wneud cais i'r Cyfarfod Misol rhag blaen. Wrth iddo wylio'r dwylo'n codi, ceisiodd fygu'r teimlad o hunanfalchder. Onid oedd Daniel wedi dweud, fwy nag unwaith, na fyddai wedi ystyried mynd i'r Weinidogaeth oni bai am ei arweiniad o? Ond i Dduw yr oedd y diolch am ddewis Daniel i fod yn gennad Iddo, a rhoi iddo yntau'r nerth a'r doethineb i'w annog a'i gefnogi. Diflannodd pob arlliw o'r hunan wrth iddo ddweud, a'i lais yr un mor ddisigl ag arfer,

'Pob bendith i ti ar drothwy blwyddyn a chanrif newydd, Daniel 'machgan i. Mi wn i y bydd i'r Arglwydd dy gynnal di bob cam o'r daith.'

* * *

Roedd y ganrif newydd wedi bwrw'i swildod pan edrychodd Ifan drwy'r ffenestr a gweld Joni Moss yn eistedd ar y wal gyferbyn â'r tŷ, yn edrych yn bles iawn arno'i hun. Aeth allan ato, er bod ei fam wedi taenu saim gwydd ar ei frest y bore hwnnw a'i siarsio i gadw'n gynnes.

'Be w't ti'n neud, Joni?

'Hisht, i mi ga'l cyfri rhein.'

Canolbwyntiodd Joni ar ei dasg, ei dalcen yn crychu a'i dafod yn hongian o gornel ei geg.

'Lle ce'st ti'r holl bres 'na?'

'Clennig 'te. Mi roth Thomas Ellis Penrhiw ddwy geiniog i mi dim ond am ddeud 'Hapi niw ïar'.'

'Mi cei di hi adra os clywan nhw bo chdi 'di bod yn fan'no.'

'Pam?'

'Yr hen gythral yna sy'n cario straeon am y dynion 'te . . . sbecian i weld pwy sy'n cyrradd yn hwyr i'r chwaral.'

Ond nid oedd hynny'n poeni dim ar Joni. Rhoddodd yr arian yn ôl yn ei boced. Câi gyfle i'w cyfri eto, heb gael

Ifan, oedd yn un mor dda am wneud syms, yn sbecian dros ei ysgwydd.

'Sut hwyl ge'st ti 'ta?'

'Che's i'm mynd gen Mam. Does 'na'r un o'n teulu ni'n ca'l begian o gwmpas y lle, medda hi.'

Edrychodd Joni'n dosturiol ar ei ffrind. Gallai fforddio bod yn glên heddiw.

'Hidia befo, 'ma chdi ddarn o gyflath. Gen Grace Ellis Bristol House, cariad Tom, ce's i o.'

'Dydi hi ddim yn gariad iddo fo.'

'Mi gwelis i nhw'n mynd efo'i gilydd am Bont Tŵr noson Steddfod Rachub.'

Roedd Joni Moss wedi bod yn y fan honno, hefyd. Allan berfeddion nos a ben bora, a neb yn swnian arno i ddysgu adnodau at y Sul na cheisio gwneud sgolor ohono.

'Chei di ddim dŵad i chwara 'lly?'

'Mi ga i os ydw isio, ond dydw i ddim.'

Gwyliodd ei ffrind yn rhedeg i lawr y rhiw, y pres yn clincian yn ei boced. Eitha gwaith os colli di nhw wrth chwara sbonc llyffant, meddyliodd. Gwthiodd y darn taffi i'w geg a'i droi am ei dafod, ond cafodd bwl o beswch a bu'n rhaid iddo ei boeri allan.

'W't ti'n iawn, Ifan?' Lisi Moss, mam Joni, ar ei ffordd i'w tŷ nhw a phowlen siwgwr wag yn ei llaw.

'Ydw. Mi dach chi newydd golli Joni.'

'Dyna be ydi lwc 'te. Blwyddyn newydd dda i ti, 'ngwas i'. Ac ymlaen â hi gan gecian chwerthin. Dyna hi wedi canu arno i allu sleifio i mewn heb i'w fam ei weld. Llusgodd ei draed am y tŷ, yn swp o hunandosturi. Efallai ei bod hi'n flwyddyn newydd dda i rai, ond nid iddo fo.

*   *   *

Sleifiodd Laura heibio i Bristol House, ond cyn iddi allu cymryd y tro am Ben y Bryn clywodd lais Grace yn galw arni. Bu ond y dim iddi â'i hanwybyddu, ond roedd yn rhaid iddi ei hwynebu'n hwyr neu'n hwyrach. Wedi'r cyfan, nid oedd unrhyw fai ar Grace ac nid oedd bod Daniel wedi ei gwrthod yn rheswm iddi droi ei chefn ar ei ffrind. Roedd yn amlwg oddi wrth yr olwg gyhuddgar ar wyneb Grace ei bod yn cytuno â hi.

'Ti 'di bod yn ddiarth iawn, Laura. Dydw i ddim wedi dy weld di ers hydoedd.'

Ceisiodd Laura ei hesgusodi ei hun drwy ddweud fod y Castell yn heidio o ymwelwyr yr adeg yma o'r flwyddyn a'r rheiny'n gofyn eu tendans ddydd a nos.

'Lle oeddat ti dwrnod Dolig? Gorfod gweithio, ia?'

'Na, adra efo'r teulu.'

'Ond pam na fasat ti'n galw heibio, 'run fath ag arfar?'

Teimlodd Laura'n ddig tuag at ei ffrind am ofyn y fath gwestiwn dwl. Grace oedd yr un glefar i fod. Siawns nad oedd hi'n deall pa mor amhosibl fyddai iddi allu gwneud hynny.

'Fedrwn i ddim.'

'Pam, mewn difri?'

Parodd y penbleth yn ei llais i Laura sylweddoli'n sydyn na fyddai Grace byth wedi ei holi mor galed, na mynd ati'n fwriadol i achosi rhagor o boen iddi, petai'n gwybod fod popeth drosodd.

Sylwodd fod dwy gymdoges i'w mam, a safai ychydig lathenni i ffwrdd, wedi rhoi'r gorau i sgwrsio, ac yn glustiau i gyd.

'Dydi Dan ddim 'di deud wrthat ti 'lly?' sibrydodd.

'Deud be?'

'Ein bod ni 'di cytuno i beidio gweld ein gilydd eto.'

Tynnodd Grace ei gwynt ati. Dyna oedd i gyfri am y dieithrwch, felly.

'A faint o ddeud ge'st ti'n y matar, 'sgwn i?' gofynnodd, ei thymer a'i llais yn codi.

Gwelodd Laura un o'r merched yn rhoi nòd fach ar y llall a honno'n gwenu'n fingam. Cyn nos, byddai stori'n dew yn Stryd Ucha fod Grace Ellis, yr hen drwyn iddi, wedi bwrw i mewn i Laura, y gryduras fach, ar y stryd fawr yng nghlyw pawb. Ond nid oedd gwybod y byddai eu cydymdeimlad i gyd efo hi o unrhyw gysur i Laura.

'Mae'n rhaid i mi fynd.'

Ni wnaeth Grace unrhyw ymdrech i'w hatal. Safodd yno am rai eiliadau, fel pe bai wedi rhewi'n ei hunfan. A hithau wedi addo i Laura y byddai'n setlo Daniel, roedd hi wedi ildio i gyngor Tada mai 'taw pia hi', a gadael iddo ddilyn ei fympwy ei hun.

Oherwydd ei llwfrdra, roedd cyfeillgarwch blynyddoedd wedi'i chwalu a'r yfory'n wacach fyth. Ar stryd fawr Bethesda, a'r prynhawn yn ferw o'i chwmpas, ni theimlodd Grace erioed mor unig.

* * *

Er bod y gaeaf yn fwy cyndyn nag arfer o lacio'i afael, bu'n rhaid iddo ildio o'r diwedd i'r Ebrill oriog a'i gyfnodau o law a hindda. A'r haul claear yn dangos pob llygedyn o lwch, aeth Elen Evans ati â holl egni eli penelin i roi sglein ar yr aelwyd nad oedd ganddi, yn ôl ei mab, yr un hawl arni. Roedd Ifan bellach yn rhydd o'r annwyd oedd wedi llorio sawl un, diolch i Dduw ac i'r saim gŵydd, a Joni ac yntau'n gymaint o lawiau ag erioed.

Ni lwyddodd amser i wella briwiau Laura nac i ysgafnu'r hiraeth creulon. Ni olygai clywed Miss Johnson yn ei chanmol am ei gwaith da ddim iddi. Pa werth oedd i hynny a hithau heb neb i'w rannu?

Wrth gownter Bristol House, ceisiodd Grace osgoi edrych drwy'r ffenestr ar y clytiau glas uwchben rhag cael ei hatgoffa o oriau diofal yr ers talwm, pan oedd popeth yn bosibl. Ond i Edward Ellis, roedd y gwanwyn yn llawn addewid. Cawsai'r cais ei dderbyn gan y Cyfarfod Misol a byddai Daniel yn traddodi'i bregeth gyntaf nos Sul ola'r mis. Trueni na fyddai Gwen yno i'w glywed. Byddai mor falch ohono.

Bu Daniel wrthi'n ddygn yn ymarfer ei bregeth yn ystod sawl awr ginio. Ambell ddiwrnod, teimlai ei fod yn cael gafael da arni, ond peth hawdd, wedi'r cyfan, oedd pregethu i gynulleidfa o feini mud a brain crawclyd. Daethai Tom a Now ar ei warthaf un diwrnod, a'i herian yn ddidrugaredd. Nid oedd yn disgwyl dim gwell gan Now, ond roedd cael Tom yn ei watwar yn brifo. Ni fu pethau yr un fath rhyngddynt wedi i Tom gael ar ddeall iddo roi'r gorau i Laura. Gallai fod wedi ceisio egluro iddo mai er lles y ddau y gwnaethai hynny, ond pam y dylai? Nid oedd a wnelo'r penderfyniad ddim â Tom, na neb arall. Byddai'r daith o barlwr Bristol House i bulpud Jerusalem yn gam ymlaen ar y llwybr, ac fe'i cerddai heb edrych unwaith ar y pethau oedd o'i ôl.

* * *

Nid oedd Tom yn ymwybodol o frath y gwynt o gyfeiriad Marchlyn na'r pyllau dŵr ar y lôn wrth iddo gyrraedd pen yr allt a throi am Lwybrmain. Nid oedd ganddo unrhyw gof o fynd heibio i'r Hen Dyrpeg na chroesi Pont Coetmor. Atseiniai'r geiriau a glywsai yn ei glustiau, geiriau dyn oedd wedi mynnu'r hawl i ryddid barn a mynegiant ar waethaf pob rhybudd.

Synhwyrodd Elen Evans ei gyffro y munud y camodd i'r tŷ. Gobeithio'r annwyl nad oedd unrhyw helynt wedi bod. Rhoddodd ei gwau o'r neilltu a holi'n bryderus,

'Be sy 'di digwydd, Tom?'

'Dyna i chi be oedd noson! Mae ffenestri Neuadd y Penrhyn 'di malu'n racs a mi . . .'

Torrodd Elen ar ei draws i ofyn,

'Dw't ti ddim gwaeth?'

'Nag'dw, ond mi gafodd Lloyd George 'i daro'n 'i ben wrth iddo fo adal.'

'Yr hen gnafon amharchus iddyn nhw.'

'Mae Robat Jôs Gwich yn deud mae'n y jêl y dyla fo fod.'

Dilynodd Tom y llais i weld Ifan yn eistedd yn ei gwman wrth y tân, wedi'i lapio mewn blanced.

'Deud ti hynna un waith eto a mi leinia i di. A be w't ti'n da i lawr mor hwyr?'

'Glychu at 'y nghroen wnes i wrth gerddad adra o Ysgol Glanogwen.'

'Be oedd ymlaen, 'lly?'

'Dyn yn dangos llunia o'r Transvaal efo Magic Lantarn.'

'Be sy 'nelo ni â fan'no? Mae digon o angan brwydro yma, ar ein tir ein hunan . . . tir *ddyla* fod yn eiddo i ni, beth bynnag.'

'Nei di 'nysgu i i gwffio, Tom?'

Diolchodd Elen fod Robert wedi mynd i glwydo. Ni chawsai fawr o gwsg ers nosweithiau, a byddai clywed y ddau yma'n sôn am frwydro a chwffio yn ddigon i'w gadw'n effro am oriau.

'Dw i'n methu meddwl! Ffwrdd â chdi i dy wely. A chofia ddeud dy badar.'

Llusgodd Ifan ei hun i fyny'r grisiau. Ni fyddai'n debygol o anghofio. Roedd mwy fyth o angen ei dweud heno, ac yntau wedi tynnu gwg ei fam a Tom.

Ailgydiodd Elen yn ei gwau, er nad oedd ganddi fawr o galon mynd ati. Crwydrodd Tom yn ddiamcan o gwmpas y gegin, ar dân am gael rhannu cyffro'r noson.

'Mi ddeudodd Lloyd George betha hallt heno.'

'A mi ga' i wbod be oeddan nhw, reit siŵr. Ond mi fedrwn i neud efo panad gynta.'

Daeth Tom â'i phaned iddi a safodd a'i gefn at y tân, gan daflu'i gysgod dros y gwau. Ni fyddai waeth iddi ei roi i gadw ddim.

'Deud oedd o mai rhyfal anfoesol ydi'r un yn Ne Affrica.'

'Anfoesol ydi pob rhyfal.'

'Ac mae'r Boeriaid, medda fo, yn bobol llawar nobliach na'r estroniaid mae'r wlad yma'n ymladd ar 'u rhan.'

'Wn i'm byd amdanyn nhw, wir.'

'Ffermwyr ydyn nhw, yr un teip â hen Biwritaniaid Cymru.'

'Mae'n anodd gen i gredu hynny. A mi ddyla fod gen Lloyd George betha rheitiach i sôn amdanyn nhw na phobol yn lladd 'i gilydd.'

'Siarad yn erbyn y rhyfal oedd o.'

'Ia, gobeithio. Ond mi fydda'n well iddo fo dewi, yn lle cynhyrfu pobol heb fod raid. Ac mi w't titha ar fai yn rhoi syniada gwirion ym mhen yr Ifan 'ma.'

‘Ddim mor wirion, Mam. Dydi’r dynion ddim yn mynd i gymryd ’u sathru am lawar rhagor.’

‘Ond faint gwell fyddwch chi o godi dyrna?’

‘Mwy nag o blygu glin, falla.’

Nid oedd gan Elen nerth yn weddill i’w geryddu am fod mor rhyfygus, ond roedd ei hedrychiad yn ddigon i atal Tom rhag dweud rhagor. Aeth am ei wely, a’r geiriau ‘rhyddid, cydraddoldeb, etifeddiaeth’, y pethau hynny oedd yn fwy o werth yn ôl Lloyd George na holl byllau aur Johannesburg, yn para i atseinio’n ei glustiau. Yn y gegin, estynnodd Elen am ei gwau unwaith eto, y gwres y bu i Tom ei guddio rhagddi a’r tawelwch diogel yn falm i’w chorff a’i hysbryd.

* * *

Er ei fod yn gwybod pob gair o’r bregeth ar ei gof, ni fyddai’r cryndod yn llais Daniel wedi llwyddo i berswadio neb ond y rhai a wyddai hynny eisoes fod y ffydd a’r gobaith sy’n aros yn dragywydd yn eu galluogi i orchfygu anawsterau ac i brofi’n llawnach o fendithion y saint. Ond rhoddodd y porthi a ddeuai o’r sêt fawr hyder iddo, ac ni allai Paul ei hun fod wedi rhoi mwy o argyhoeddiad yn ‘y mwyaf o’r rhai hyn’. Onid oedd ef ei hun wedi profi’r cariad gweithredol a hawliai gysegriad a hunanaberth? Onid oedd wedi gwrthod cysuron y byd hwn, ac wedi dioddef gwawd ei gyd-weithwyr?

Wedi’r oedfa, daeth John Williams ato, a gwasgu’i law. Ni ddisgwyliai Daniel unrhyw glod, ond roedd y, ‘Diolch, ’machgan i’, yn ddigon.

Llwyddodd Edward i ffrwyno’i falchder nes eu bod ar eu haelwyd eu hunain cyn dweud,

'Mi roist ti gyfri da ohonat dy hun heno.'

'Ro'n i'n crynu'n fy sgidia.'

'Nid ar chwara bach mae rhywun yn esgyn i bulpud.'

Rhoddodd Grace ei llyfr emynau yn nrôr y seidbord a'i chau'n glep. Ac meddai, a'i chefn atynt,

'Wn i ddim pa mor addas oedd dy ddewis di o destun chwaith.'

'Does 'na'm gwell geiria i ga'l.'

'Nid ama gwirionadd y geiria yr ydw i, Tada.'

'Gobeithio ddim.'

Gadawodd Edward yr ystafell. Nid oedd am roi cyfle i Grace daflu dŵr oer ar bethau heno. Be oedd yn bod ar yr enath, yn mynnu tynnu'n groes o hyd? Roedd o wedi gobeithio y byddai wedi etifeddu peth o ddoethineb tawel ei mam, ond ni allai weld fawr ddim o Gwen ynddi.

Gwrandawodd Grace ar sŵn ei draed ar y grisiau a gwich drws y llofft wrth iddo'i agor a'i gau. Yno, roedd y wardrob yn llawn o ddillad ei mam, y Beibl y byddai'n ei ddarllen bob nos ar y bwrdd bach wrth y gwely, a'i brws gwallt ar y bwrdd gwisgo a'r un blewyn hir, du yn glynu wrtho.

'Be sy'n dy gorddi di?'

Trodd Grace i wynebu Daniel, ei llygaid tywyll, llygaid ei mam, yn serio'i gnawd.

'Oes raid i ti ofyn? Sut medrat ti droi dy gefn ar Laura a hitha 'di bod mor driw?'

Roedd hi'n gwybod, felly. Gorau oll. Ond pam codi'r peth rŵan, wedi'r holl wythnosau?

'Tria ddeall, Grace. Dydi'r llwybr yr ydw i wedi'i ddewis ddim yn mynd i fod yn un rhwydd.'

'A llwybr unig iawn fydd o, mae arna i ofn.'

'Mi fydd yn rhaid i mi dderbyn hynny, cysegru fy hun yn llwyr i'r gwaith, aberthu pob cysur bydol.'

'Ac mi w't ti'n credu fod gen ti hawl disgwyl i Laura aberthu'i dyfodol hefyd, rhoi heibio pob siawns am hapusrwydd?'

'Dyna pam y penderfynis i ddŵad â phetha i ben, er mwyn iddi ga'l y cyfla hwnnw.'

'A dyna dy syniad di o'r cariad anhunanol 'na roeddat ti'n sôn amdano fo heno, ia?'

Roedd yntau wedi cilio, fel Tada; un yn ôl i'r doe na fu iddo erioed ei ollwng, a'r llall at ei lyfrau, allwedd ei ddyfodol. A hithau wedi'i gadael yma, ar dir neb y presennol, heb ddim i'w wneud ond mynd ati i baratoi swper, un o'r cysuron bydol na allai Daniel, hyd yn oed, fyw hebddo.

*   *   *

Roedd Tom yn difaru'i enaid iddo gymryd ei demtio gan Now Morgan i herian Daniel. Dylai wybod yn well na gwneud testun sbort o grefydd. Penderfynodd gadw Now o hyd braich ac aros yn gwmni i Daniel yn ystod yr awr ginio. Roedd hi'n andros o straen ar y dechrau, ac yntau'n gorfod dewis ei eiriau'n ofalus. Ond yn ara bach, a haul mis Mai yn magu gwres, pylodd yr ofn na allai byth ailennyn y cyfeillgarwch a fu rhyngddynt.

Byddai wedi llwyddo i berswadio Daniel i ddod i'r cyfarfod Gŵyl Lafur yng Nghaernarfon oni bai iddo fod mor fyrbwyll â chrybwyll fod Mears wedi diswyddo John Preis Marciwr, a hynny heb unrhyw reswm. Ni wnaeth Daniel ond dal ati i gnoi'n hamddenol a dweud, 'Mi gafodd 'i rybuddio, fel pawb arall, Tom.' Ni allodd yntau ei atal ei hun rhag gofyn, 'Ar ba ochor w't ti, d'wad?' Chwalwyd ei holl fwriadau da yn yfflon pan ddwedodd Daniel na allai fforddio cymryd ochor. A'i waed yn berwi, fe'i cyhuddodd o beidio malio beth a ddeuai o'r chwarel na neb arall, rŵan ei fod yn paratoi i'w gadael, o dorri calon Laura ac o siomi Grace, oedd â'r fath feddwl ohoni. Ond roedd Daniel wedi atal y llifeiriant â'r un sylw tawel, 'Fel sydd gen ti ohoni hitha, 'tasa ti ond yn cyfadda hynny.'

Daliai'r sylw hwnnw i'w blagio wrth iddo ymuno â'r orymdaith i ddilyn y bandiau i lawr Stryd Llyn. Drwy ei herio i gyfaddef y gwir, roedd Daniel wedi ei orfodi i sylweddoli mai breuddwyd ofer oedd yr un y llwyddodd i'w chadw'n gyfrinach cyhyd, er ei fod yn gwybod, cystal ag yntau, nad oedd ganddo ddim i'w gynnig i Grace.

Sgwariai Now wrth ei ochr. Ni fyddai ef wedi gwastraffu'i amser ar freuddwydion nad oedd ganddo obaith eu gwireddu. I Now, roedd popeth yn bosibl, a'i ffydd yn nerth Undeb Chwarelwyr Gogledd Cymru i'w weld ym mhob ystum o'i eiddo.

''Na ti be 'di chwythwrs go iawn, Tom!'

'Mae 'na sôn am ailddechra band yn Pesda 'cw 'sti. Mi oedd 'na ganmol mawr i seindorf Tŷ'n Tŵr ers talwm, medda nhad. Mae gen i flys garw ymuno efo nhw.'

'Pam lai? Mi w't ti'n llawn gwynt, p'un bynnag.'

Cachgi di-asgwrn-cefn, dyna oedd o i Now. Lle'r oedd o pan oedd angen ei gefnogaeth yn y caban? Yn gwastraffu rhagor o'i amser ar un nad oedd ganddo ddim i'w gynnig iddo, mwy nag i Grace.

Roedd y Pafiliwn dan ei sang, ond gellid clywed pin yn disgyn pan ofynnodd y llywydd a oedd rhywun yn barod i eilio cynnig Henry Jones, 'fod y cyfarfod hwn o'r farn mai drwy egwyddor o ymuniad yn unig y gallant sicrhau eu hawliau cyflawn fel dynion a'u gwobr deg fel gweithwyr'.

'Eilio!'

Ni allai Now gredu ei glustiau. Roedd Tom bach Llwybrmain wedi ennill y blaen ar bawb. Aeth y lle'n ferw drwyddo wrth i'r llywydd gyhoeddi fod y penderfyniad wedi'i dderbyn, a hynny'n ddiwrthwynebiad. Ond, ac yntau heb fod wedi amau am eiliad mai dyna fyddai'r canlyniad, nid y gweiddi a'r curo traed a barodd i lygaid Now befrio, ond clywed Tom yn dweud â her yn ei lais,

'Dim ond gwynt, ia?'

5

Ym marn Edward Ellis, bu'r cyfarfod diolchgarwch yn llwyddiant mawr. Siom iddo, pan gerddodd i mewn i ystafell fach y blaenoriaid, oedd gweld John Williams yn eistedd wrth y bwrdd a'i ben yn ei blu. Gobeithio'r annwyl nad oedd ef wedi dweud dim i'w dramgwyddo a hwythau wedi mwynhau misoedd o gydweithio a chyd-dynnu.

Nid oedd wedi bwriadu oedi heno. Roedd Daniel wedi'i wahodd i bregethu yng Nghapel Curig ac yntau'n dân am gael gwybod sut dderbyniad a gawsai. Wrthi'n estyn am ei gôt fawr yr oedd pan ddwedodd John Williams,

'Does ganddon ni fawr o obaith gwireddu'r geiria ddeudoch chi ar eich gweddi am fyw'n gytûn mewn heddwch, mae arna i ofn, Edward.'

A be oedd o'i le ar hynny, mewn difri? On'd oedd John

Williams ei hun wedi dweud peth tebyg, sawl tro? Gwisgodd Edward ei gôt, yn frysiog. Gorau po gyntaf iddo droi am adra.

'Rydach chi wedi clywad am yr helynt fuo ym Mhonc Ffridd, mae'n siŵr?'

'Mae 'na sôn garw wedi bod yn y siop 'cw, pawb â'i stori'i hun.'

A dweud y gwir, roedd o wedi hen flino gwrando cwynion y naill un ar ôl y llall, ond byddai'n well iddo ddangos rywfaint o ddiddordeb.

'Be'n union oedd achos yr anghydfod, felly?'

Parodd y cwestiwn i John Williams godi'i aeliau, fel pe bai'n diharebu at ei anwybodaeth.

'Mi gafodd rhai o'r dynion eu gwahardd ar ôl gwrthdaro efo'r rheolwyr ynglŷn â'r drefn contractio a mi wrthododd y lleill neud unrhyw waith nes eu bod nhw'n cael eu lle'n ôl.'

'Ond mae petha wedi tawelu erbyn hyn?'

'Am ryw hyd. Doedd ganddyn nhw ddim dewis ond ildio gan fod Mears yn bygwth eu gwahardd nhwtha.'

Fesul cam, symudodd Edward wysg ei gefn am y drws. Bu gofyn iddo yntau ildio i ofynion sawl cwsmer dros y blynyddoedd, er mwyn heddwch.

'Gobeithio fod modd dod i ryw ddealltwriaeth, yntê. Os gnewch chi f'esgusodi i, mi dw i ar dipyn o frys heno.'

Ond anwybyddu hynny a wnaeth John Williams.

'Mae'n amheus gen i. Dydi o'n syndod yn y byd fod y dynion wedi ymatab fel gnaethon nhw a nhwtha'n cael 'u cosbi am drosedda dibwys a'u sarhau gan reolwr sydd wedi arfar delio â *coolies* yn India, dyn nad ydi o'n gwbod dim am y chwaral.'

Ond roedd Edward wedi llwyddo i gyrraedd y drws, ac ni chlywodd John Williams yn ychwanegu dan ei wynt, 'mwy na chitha, Edward Ellis'.

* * *

Roedd Laura wedi diffygio erbyn iddi gyrraedd Pen y Bryn. Oherwydd ei phryder am ei thad a siars Miss Johnson ei bod yn ei disgwyl yn ôl yn gynnar fin nos, nid oedd wedi meiddio cymryd hoe ar y ffordd. Ond anghofiodd ei blinder pan welodd yr olwg druenus oedd ar ei mam.

Ni wnaeth Catrin ond troi dau lygad cyhuddgar arni a dweud yn ddagreuol,

'Lle w't ti wedi bod mor hir?'

'Mi ddois i gyntad ge's i'r negas. Be ddigwyddodd?'

'Y graig ddaru ddisgyn arno fo.'

'Yn sbyty'r chwaral mae o?'

'Ac yno bydd o am sbel. Maen nhw wedi gorfod torri'i goes o i ffwrdd, 'y ngwas i.'

Dechreuodd Catrin udo, ei chorff yn gryndod trwyddo fel un Huw bach ar ôl cael cweir. Teimlai Laura yn gwbl ddiymadferth. Byddai cusan ar ei foch ac addewid o werth dimai o daffi yn ddigon i dawelu Huw, ond roedd hyd yn oed meddwl am gyffwrdd â'i mam yn codi ias arni. Cofiai feddwl ers talwm mor braf oedd hi ar Grace yn cael teimlo breichiau'i mam amdani a'i llaw yn mwytho'i gwallt. Rhywbeth i'w ofni oedd llaw ei mam hi, yn gadael cleisiau ar gnawd.

'Mi fedra petha fod yn waeth. O leia mae o'n dal efo ni.'

Ond a allai pethau fod yn waeth, mewn difri? Sut y

gallai ei thad ddygymod â chael ei garcharu rhwng pedair wal? Ni chlywsai erioed mohono'n canu yma. A heb hynny, pa obaith fyddai ganddo o allu mendio?

Peidiodd yr udo, a syllodd Catrin yn ddirmygus ar ei merch. Ai dyna'r cwbwl oedd ganddi i'w gynnig? Ond be oedd ots ganddi hi, o ran hynny, a hithau'n dda ei byd tua'r Castell, yn cael lle braf a llond ei bol o fwyd?

'A be sy'n mynd i ddŵad ohonon ni rŵan? Yn y Wyrcws y byddwn ni, siŵr i chdi.'

Roedd hynna wedi'i hysgwyd hi. Cyndyn iawn oedd hi o alw i weld ei theulu pan oedd hi'n canlyn y cyw-pregethwr, ond roedd yn bryd iddi sylweddoli mai dim ond y nhw oedd ganddi bellach.

'Ylwch, 'ma'r cwbwl sydd gen i. Mi ddo i â rhagor i chi pan ga i 'nghyflog.'

Gwagiodd Laura gynnwys ei phoced ar y bwrdd.

'Mi fyddi di'n gefn i ni, yn byddi?'

'Wrth gwrs y bydda i.'

'Wnei di byth ddifaru helpu dy deulu.'

Cythrodd Catrin am y ceiniogau pan glywodd sŵn traed y tu allan.

'Sut w't ti erbyn hyn, Catrin fach?'

Daeth y tinc tosturiol yn llais Jini Maud drws nesa â dagrau i lygaid Catrin. Mor wahanol oedd hi â'i chalon fawr i'r Laura 'ma, nad oedd wedi dangos yr un owns o deimlad. Unwaith y byddai honno wedi hel ei thraed am y Castell, caent rannu'r dorth frith a ddaethai Jini iddi'n gynharach. Ond byddai'n rhaid iddi gadw darn i Richard. Dechreuodd y dagrau lifo yn ei rhyddhad o wybod ei fod wedi cael ei arbed. Gwthiodd Jini ei ffordd heibio i Laura. Lapiodd ei breichiau am Catrin a rhwbio'i chefn yn dyner â'i llaw fawr, wydn. Roedd y crio wedi troi'n igian sych a Laura wedi cyrraedd gwaelod allt Pen y Bryn cyn iddynt sylwi ei bod wedi gadael.

*   *   *

'Bang! Mi dw i wedi dy ga'l di, reit yn dy dalcan.'

Am y trydydd tro'r prynhawn hwnnw, llithrodd Joni ar ei bengliniau gan riddfan. Gwyrodd ymlaen, yn barod i'w ollwng ei hun yn glewt ar y ddaear. Drwy gil ei lygad, gallai weld Ifan yn codi'i ddyrnau'n fuddugoliaethus. Neidiodd ar ei draed a'i wyneb cyn goched â'i wallt.

'Be ti'n drio'i neud, Joni Moss? Ti 'di ca'l dy ladd, yn do.'

'Naddo ddim. A dydi o'm yn deg 'mod i'n gorfod bod yn Boer bob tro.'

'Pwy fasa isio sowldiwr efo dwy law chwith?'

'Mi dw i'n well saethwr na chdi, y babi mam.'

Petai Tom wedi ei ddysgu i gwffio'n iawn, fel yr oedd o wedi addo, byddai'r dwrn a anelwyd at drwyn Joni wedi cyrraedd ei nod, ac yntau'n cael ei orfodi i dynnu'i eiriau'n ôl. Ond aeth yr ergyd ar chwâl yn llwyr. Teimlodd Ifan law yn cau am ei arddwrn.

'I'r tŷ â chdi'r munud 'ma. A dos ditha adra, Joni.'

Ni ollyngodd Elen Evans ei gafael nes eu bod eu dau yn y gegin.

'A be oedd i gyfri am yr hen lol yna, meddat ti? gofynnodd, yn chwyrn.

'Chwara sowldiwrs oeddan ni.'

'Paid â gadal i mi'ch gweld chi'n gneud hynny byth eto.'

Ond sut arall yr oedd yn mynd i allu rhoi taw ar Joni?

'Mae Harri Jane Parry Tŷ Pen 'di mynd i gwffio'r Boers, dydi.'

Siawns na fyddai hynny'n darbwyllo rhywfaint ar ei fam a hithau wastad wedi dweud hogyn mor dda, mor agos i'w le, oedd Harri.

'A mae'r Lord yn mynd i roi lot o bres iddyn nhw os ceith o 'i ladd.'

'A'n gwaredo ni! A faint ydi gwerth bywyd y cr'adur, tybad? Dos at dy lyfra, bendith tad i ti.'

Doedd hi'n deall dim, nac yn trio deall chwaith. Byddai gan Joni fwy o reswm fyth dros ei alw'n fabi mam ar ôl heddiw. Roedd yn rhaid iddo atgoffa Tom o'i addewid, rhag blaen.

Pan oedd hanner y ffordd i fyny'r grisiau, clywodd ei fam yn dweud,

'Mae'n hen bryd i ti roi dy feddwl ar waith os w't ti am basio i'r ysgol fawr.'

Heb arafu'i gamau, gwaeddodd dros ei ysgwydd,

'Dydw i ddim isio mynd yno. Mi dw i am fynd i weithio i'r chwaral efo nhad a Tom.'

* * *

Roedd Robert Evans wedi diolch fwy nag unwaith yn ystod yr wythnosau diwethaf fod ei dymor fel llywydd y caban yn dirwyn i'w ben. Gwnaethai ef ei orau i adfer yr hen werthoedd y cyfeiriodd John Williams atynt, ond er iddo ddewis y pynciau trafod yn ofalus llwyddai Now i droi pob dadl i'w ddiben ei hun. Heddiw, fodd bynnag, nid oedd wedi cymryd unrhyw ran yn y drafodaeth. Teimlai Robert y gallai ymlacio, am unwaith, a chloi gweithgareddau'r awr ginio â'r newydd da fod rhif aelodaeth yr Undeb yn dal i gynyddu bob dydd, ar waetha'r ffaith iddynt gael eu rhwystro rhag casglu'r tâl yn y chwarel.

'Neu o'i herwydd o!'

Sylweddolodd Robert ei gamgymeriad, ond roedd y drwg wedi'i wneud a Now ar ei draed, y graith ar ei dalcen yn plycio.

'Mi liciwn i ofyn i John Williams, y trysorydd, be mae'r Undab yn bwriadu'i neud ynglŷn â'r ffaith fod y system bargeinio yn mynd i ga'l 'i gyfnewid am waith cytundab. Fel y gwyddon ni i gyd, mi all y sawl sy'n cymryd contract elwa ar y rhai sy'n gweithio'r fargan a hynny heb lafurio dim 'i hun.'

'Braidd yn hwyr ydi hi i ddechra trafod hynny heddiw.'

Boddwyd geiriau Robert gan fôr o leisiau'n galw am ateb i gwestiwn Now. Ond roedd John Williams, a eisteddai wrth ei ochr, wedi eu clywed. Dylai Robert wybod, cystal ag yntau, nad oedd unrhyw ddiben trafod na modd osgoi canlyniad yr unig ateb oedd ganddo i'w gynnig.

'Mae hynny'n ddigon gwir, ond yn anffodus does gan yr Undab ddim dylanwad ar y rheolwyr na modd o roi stop ar y contractwyr a'r drefn chwysu.'

Gadawodd Now i'r sŵn dawelu cyn tanio'r fatsien nesaf.

'Ond dyna arweiniodd i'r streic dair blynadd yn ôl, yntê, John Williams? A mi roddodd y Lord sicrwydd i ni'r adag honno y bydda fo'n barod i wrando ar unrhyw gwyn a gneud yn siŵr fod pob gweithiwr yn ca'l 'i dâl haeddiannol. Ond mae o wedi taflu llwch i'n llygaid ni, dro ar ôl tro, ein dallu ni efo'i addewidion.'

I Robert Evans, roedd y gair 'streic' yn ddigon o

ddychryn ynddo'i hun heb i'w fab, o bawb, daflu rhagor o danwydd ar y tân drwy ddweud,

'Ond mae hogia Ponc Ffridd wedi gweld y gola, o'r diwadd, ac wedi deud wrth Richard Hughes be fedar o neud efo'i gontract.'

Roedd wedi dal i obeithio i'r munud olaf y gallai'r Undeb, rŵan ei fod yn mynd o nerth i nerth, gael rhywfaint o berswâd ar y meistri. Ond, a'r ofn yn gwasgu arno, gwyddai Robert Evans bellach na allai neb na dim ddiffodd y fflamau a gyneuwyd yng nghaban Ponc Twll Dwndwr y prynhawn hwnnw.

* * *

Bu Grace mewn cyfyng-gyngor er pan glywsai am ddamwain Richard Morris. Teimlai na allai fyw yn ei chroen heb fynd draw i'r Castell a mynnu cael gweld Laura. Ond pa hawl oedd ganddi i feddwl y byddai arni eisiau ei gweld a hithau wedi ei siomi a'i chamfarnu drwy edliw ei dieithrwch iddi?

Dal i ogor-droi yr oedd hi, heb ddod i unrhyw benderfyniad, pan glywodd guro petrus ar ddrws y cefn a llais yn galw'i henw. Yn ei ffrwcs, gollyngodd ei gafael ar y llestri yr oedd newydd eu hestyn o'r cwpwrdd. Syrthiodd dwy o'r cwpanau a thorri'n deilchion ar y llawr llechi. Baglodd hithau drostynt wrth iddi ruthro i agor y drws i Laura.

'Mi 'nes i dy ddychryn di, do?'

Syllodd Laura'n bryderus ar y darnau. Roedd torri llestr yn bechod anfaddeuol yng ngolwg Miss Johnson.

'Mae'n ddrwg gen i, Grace.'

'Hidia befo'r llestri.'

'Ond dy fam gafodd nhw'n bresant priodas 'te. Mi dw i'n 'i chofio hi'n deud.'

Ac wedi eu cadw heb na chrac na breg, hyd heddiw. Ond be oedd ots? Be oedd ots am ddim rŵan fod Laura wedi dod yn ôl ati?

'W't ti ar frys?'

'Na, ddim felly. Ond mi fydd raid i mi fynd cyn i Dan gyrradd adra.'

'Mi gawn ni de bach efo'n gilydd, ia?'

Aeth Grace ati i godi'r darnau, llenwi'r tecell a chynnau'r stof, gan ohirio holi Laura ynglŷn â'i thad, rhag amharu ar fwynhad y munud. Roedd y te wedi'i baratoi a hwythau'n eistedd o boptu'r bwrdd pan fentrodd ofyn, 'Sut mae dy dad?'. Y munud nesaf roedd hi'n difaru na fyddai wedi oedi rhagor.

'Ro'n i wedi bwriadu mynd i'w weld o i'r sbyty heddiw, ond fedrwn i ddim.'

Estynnodd Grace ei llaw allan a'i rhoi i orffwys ar law Laura.

'Fedrwn i ddim gneud hynna chwaith. Ond mi allodd Jini Maud drws nesa afa'l am Mam a chrio efo hi.'

'Mi w't ti wedi gneud dy ora iddi hi. Fedra neb neud dim mwy.'

'Ond dw't ti ddim yn dallt.'

O, oedd, yn deall yn iawn. Sut y gallai beidio, a hithau'n cofio gweld y cleisiau ar gorff Laura? Roedd rhai pethau na allai amser byth eu dileu.

'Dydw i ddim wedi gallu crio 'sti. Mi dw i'n teimlo'n wag tu mewn. Does 'na ddim byd fedra i neud, i'r un ohonyn nhw.'

Ac nid oedd dim y gallai Grace, hithau, ei wneud ar y pryd ond gwasgu'r llaw yn dynnach yn y gobaith y byddai gwres ei bysedd yn lleddfu ryw gymaint ar y gwacter.

*   *   *

'Rho dy droed gora'n flaena, Dan.'

Ni cheisiodd Tom gelu'i ddiffyg amynedd. Dylai'r slèd fod wedi ei llwytho ers meitin, ac ar ei ffordd i'r sièd. Byddai rhywun yn meddwl, wrth ei weld mor ddi-lun, mai dyma'r tro cyntaf i Dan hollti carreg. Ond be arall oedd i'w ddisgwyl, o ran hynny? Nid oedd ei feddwl ar ei waith na'i galon ynddo chwaith. Roedd ei lygaid fel pe baen nhw wedi suddo i'w ben a chlytiau duon oddi tanynt.

'Noson hwyr eto neithiwr, ia?'

'Braidd yn drwm ydi hi arna i ar hyn o bryd, gorfod paratoi dwy bregath at bob Sul.'

'Pam na ddefnyddi di'r un un, fath â Robat Jôs Gwich?'

Gwyliodd Daniel yn bustachu i godi'r olaf o'r cerrig ar y slèd.

'Mi dw i'n bwriadu gneud cais i fynd i Goleg y Bala, 'sti.'

Rhawiodd Tom weddill y rwbel ar flaen y slèd ac meddai dan ei wynt,

'A gora po gynta.'

Ond byddai'n gweld colli Dan, ryfedded oedd o, ac fe gymerai sbel iddo allu dygymod â phartner newydd. Efallai y dylai fanteisio ar y cyfle i ddweud hynny wrtho, petai ond er mwyn yr hen amser pan oedd y ddau ohonynt yn deall ei gilydd mor dda.

Cyn iddo allu dod o hyd i'r geiriau, rhwygwyd y

tawelwch gan leisiau croch, a gwelodd Now yn rhuthro tuag atynt.

'Be gythral sy'n mynd 'mlaen, Now?'

Bu Now rai eiliadau cyn gallu ateb, oherwydd ei gynnwrf a'i ddiffyg anadl.

'Richard Hughes . . . 'di mynnu dŵad yn ôl i'r Ffridd . . . a'r ddau fab diffath 'na sydd ganddo fo i'w ganlyn.'

'Lle maen nhw rŵan?'

'Yn 'i heglu hi lawr yr inclên a'r hogia'n 'u pledu nhw efo cerrig. Ac mi geith y diawliad yr un driniath eto os meiddian nhw ddŵad yn agos i'r chwaral. Mae Pierce stiward gosod a'r Thomas Ellis geg fawr 'na i mewn amdani 'fyd.'

Roedd Now eisoes wedi troi ar ei sawdl ac yn galw arnynt i'w ddilyn.

'Tyd 'laen, Dan.'

Ysgydwodd Daniel ei ben ac meddai'n dawel,

'Fedra i ddim cefnogi trais, Tom.'

'Ond pa ddewis sydd ganddon ni?'

'Rydan ni i gyd wedi ca'l yr hawl hwnnw.'

Hyd yn oed petai Tom wedi clywed geiriau olaf Daniel, byddai wedi bod yr un mor amharod â Grace i'w derbyn. Ond roedd wedi mynd i ganlyn Now o raid, am mai dyna'i ddyletswydd fel dyn a chwarelwr.

* * *

Er mai'n anamal y deuai Elen Evans i'r pentref bellach, ni fyddai byth yn gadael heb bicio i mewn i Bristol House. Pan oedden nhw fel teulu yn byw efo rhieni Robert yn y tŷ bach orlawn yn Stryd Ogwen, prin yr âi diwrnod heibio heb fod Grace yn galw i'w gweld. Dim ond geneth ysgol oedd hi bryd hynny, yr un oed â Tom, ond roedd ganddi hen ben ar ei hysgwyddau. Efo hi'n unig y gallodd rannu'i dyhead o gael ei haelwyd ei hun, ac roedd hi'n amau mai i Grace yr oedd i ddiolch ei bod wedi cael ei dymuniad. Go brin y byddai Robert wedi ystyried symud ohono'i hun ac yntau mor gyndyn o dderbyn unrhyw newid.

Gallai gofio'i llawenydd y diwrnod y dwedodd Grace wrthi, 'Mi dw i am fod yn athrawas, Elen Evans'. Roedd hi'n teimlo cyn falched ohoni â phetai'n ferch iddi. Gwyn fyd na allai fod wedi talu'r gymwynas yn ôl drwy gael perswâd ar Edward Ellis i adael i'r eneth fynd ymlaen â'i hysgol. Ond gwnaethai ef yn ddigon amlwg efo'i, 'Mae'i hangan hi yma', nad oedd yn croesawu unrhyw ymyrraeth. Roedd ei chalon wedi gwaedu dros Grace sawl tro yn ystod y pum mlynedd diwethaf wrth i chwerwder y siom frigo i'r wyneb. Efallai ei bod hi ar fai, ond ni fu ganddi fawr i'w ddweud wrth Edward Ellis ers hynny.

Cafodd yr un gwahoddiad ag arfer i fynd drwodd i'r gegin, ond bu'n rhaid iddi wrthod.

'Mi dw i ar 'i hôl heddiw. Jane, fy chwaer, wedi 'nghadw i i siarad.'

'Ro'n i'n deall 'i bod hi a Dafydd Lloyd yn mynd i gadw tafarn y Waterloo.'

'Ydyn, Edward Ellis. Mi fydda Mam druan yn troi yn 'i bedd 'tasa hi'n gwbod.'

Roedd y ddau ohonynt yn cytuno ar hynny, o leiaf. Ond ni fyddai gan Grace a hithau obaith cael sgwrs ac yntau'n hofran o gwmpas. Drwy drugaredd, daeth cwmser i mewn, a gan nad oedd Grace yn osio symud bu'n rhaid iddo'u gadael.

'Nid dyna sy'n eich poeni chi, Elen Evans?'

Ysgydwodd Elen ei phen. Câi Jane a Dei wneud fel y mynnen nhw. Am ei heiddo ei hun yr oedd ei phryder hi.

'Pryd gwelsoch chi Tom ddwytha?'

'Mae 'na fisoedd, siŵr o fod.'

'Ofn sy gen i fod y Now 'na'n ca'l dylanwad drwg arno fo, Grace.'

'Un go wyllt ydi hwnnw wedi bod rioed. Ond mae Tom yn ddigon call i beidio cymryd 'i arwain ganddo fo.'

'Wn i ddim, wir. Mae o fel 'tasa fo'n gneud ati i fynd yn groes i Robat ar bob dim, meddwl 'i fod o'n gwbod yn well.'

Cyn iddi allu dweud gair yn rhagor, clywodd gloch y drws yn canu ac Edward Ellis yn holi'n bryderus,

'Daniel! Be w't ti'n neud adra'r adag yma?'

'Mae 'na andros o helynt 'di bod yn y chwaral.'

Teimlodd Elen yr ofn a fu'n ffrwtian yn ei meddwl ers wythnosau yn chwyddo o'i mewn.

'Y dynion 'di mosod ar Richard Hughes a'i ddau fab. Roedd 'u hwyneba a'u dillad nhw'n waed i gyd. A mi aethon i'r afael â Pierce stiward gosod wedyn. Fe fasan nhw wedi'i daflu o i'r afon oni bai am Sergeant Owen.'

'Chymrist ti ddim rhan yn hynny, gobeithio?'

'Dydw i'm isio dim i neud â'r peth, Tada.'

'Nag wyt, siŵr.'

Roedd y sicrwydd yn llais Daniel a'r balchder ar wyneb ei thad yn rhygnu ar Grace. Sut y gallen nhw fod mor hunanfodlon, ac mor ddi-hid o deimladau Elen?

'Siawns nad ydyn nhw wedi sylweddoli 'u camgymeriad erbyn hyn.'

'Go brin, Tada! Maen nhw ar 'u ffordd am y pentra yn gweiddi canu 'Soldiers of the Queen' nerth esgyrn 'u penna.'

Ceisiodd Grace ddal llygad Elen, i'w rhybuddio rhag gofyn y cwestiwn y gwyddai'r ddwy ohonynt yr ateb iddo.

'Ydi Tom efo nhw, Daniel?'

Ond roedd o wedi'i ofyn, a Daniel yn cael y boddhad pellach o ddweud,

'Ydi, Elen Evans, ac mor uchal 'i gloch â neb.'

6

Ni hidiai Grace fawr am y Tom a gerddodd i mewn i'r siop yn hwyr y prynhawn yn orchest i gyd, fel pe bai wedi cyflawni rhyw wrhydri. Oni bai fod y siop yn llawn, teimlai'n sicr y byddai ei thad wedi gwrthod iddo gael gweld Daniel. Ac oni bai am y cwsmeriaid byddai hithau wedi cael ei themtio i ddweud, 'Dydw i ddim yn meddwl y bydd o isio dy weld di, Tom.' Ond ni wnaeth ond agor y drws a arweiniai i'r tŷ a'i wylio'n strytian am y parlwr; un o geiliogod bach Now Morgan yn barod i herio ceiliog Bristol House ar ei domen ei hun.

Gwthiodd Tom y drws yn agored. Eisteddai Daniel wrth y bwrdd a'i gefn ato.

'Wel, rydan ni wedi dangos iddyn nhw, Dan.'

'Dangos be, d'wad?' holodd yntau, heb godi ei ben o'i lyfr.

'Na chymrwn ni mo'n sathru 'te.'

'A pha well ydach chi?'

Ar waetha'r fath gwestiwn twp, a'r 'chi' yn arbennig, ceisiodd Tom gadw ffrwyn ar ei dymer. Daethai yma'n unswydd i roi un cyfle arall i Dan. Wrth iddynt orymdeithio am y pentref gynnau, byddai wedi rhoi'r byd petai ei bartner yno i rannu cyffro'r fuddugoliaeth, ac i brofi i Now nad oedd y pregethwr bach yn ormod o gachgi i ddangos ei ochr.

'Mae Now wedi ca'l 'i restio, Dan.'

'Biti. Ond dydi hynny ddim syndod, yn nag'di.'

'Rydan ni i gyd wedi cytuno ein bod ni'n mynd i'r llys ym Mangor fory i ddangos ein cefnogaeth iddo fo a'r lleill. Mi ddoi di efo ni, yn doi?'

Ond ni chafodd yr erfyniad unrhyw effaith ar Daniel.

'Ddo i ddim yn agos i'r lle. A mi fydda'n rheitiach i titha fynd adra a gweddïo am ras.'

Teimlai Tom fel gafael yn y pentwr llyfrau a'u hyrddio'n erbyn y wal, ond llwyddodd i gadw rheolaeth arno'i hun. A gwres y fuddugoliaeth yr oedd ef yn rhan ohoni yn cynnau o'i mewn, meddai, â hyder yn ei lais,

'Mae amsar gweddïo a darllan esboniada drosodd, Dan. Gweithredu ydi'r nod rŵan. A mi ddaliwn ni ati nes ca'l ein hawlia, ar waetha cachgwn fel chdi.'

*　　　*　　　*

Nid oedd George Sholto Douglas-Pennant yn un i gymryd ei fygwth na'i ddychryn. Go brin y byddai wedi cysylltu â'r Pen Gwnstabl Ruck oni bai fod y Wasg, unwaith eto, fel petai'n benderfynol o gynhyrfu'r dyfroedd. Haeru yr oedden nhw'r tro hwn fod perchennog Chwarel y Penrhyn yn awyddus i adfer y drefn a fodolai cyn y streic bedair blynedd ynghynt. Yn anffodus, roedd rhai o'r gweithwyr yn fwy na pharod i gredu'r celwyddau, er i olygydd y *North Wales Chronicle*, gyda'i ddoethineb arferol, eu rhybuddio o beryglon dilyn mympwy yn hytrach na rheswm. Canran fechan oedden nhw, mae'n wir, ond roedd gofyn lladd yr egin cyn iddo fagu gwreiddiau. Pan dderbyniodd neges oddi wrth Ruck i ddweud ei fod wedi cael caniatâd ynadon Bangor i alw'r milwyr i mewn, gallodd ymlacio am y tro cyntaf y diwrnod hwnnw.

I William Jones, yr aelod seneddol, peth cwbl annheg a dianghenraid oedd dod â'r milwyr i Arfon. Y tu allan i'r llys ym Mangor, addawodd i'r cannoedd a ddaethai i gefnogi'r naw a arestiwyd y byddai'n gwneud popeth o fewn ei allu i gael eu gwared.

Gadawodd Now y llys gan frolio iddo wneud cymaint o argraff ar y fainc fel eu bod eisiau ei weld eto'r wythnos nesaf.

'Fydd hi'n ddrwg arnat ti?' holodd Tom yn bryderus.

Bu ar bigau'r drain er pan glywsai Robat Jôs Gwich yn darogan wrth geg Lôn Pab mai yn y jêl y byddai Now Morgan, ar ei ben.

'Na fydd. Dim ond siars i beidio gneud peth tebyg byth eto. Ond mi wna i'n siŵr na cha i mo 'nal tro nesa. Dydi hyn yn ddim ond dechra, Tom.'

Roedden nhw wedi elwa mwy yn ystod y deuddydd diwethaf nag mewn deuddeng mlynedd o grefu, ac o gael eu hanwybyddu, dro ar ôl tro. Ond roedd brwydrau eraill i'w hymladd, a'u hennill, nes cael goruchafiaeth. A phan ddeuai honno, byddai Daniel Ellis, y pregethwr a dreuliai ei Suliau'n dweud wrth bobl be ddylen nhw ei wneud os am gael eu gwobr yr ochr draw, yn difaru'i enaid na fu iddo helpu ei gyd-ddynion i sicrhau eu hawliau yn y byd hwn.

'Biti i ti golli clywad William Jones yn siarad, Now. Roedd o'n ein canmol ni i'r cymyla, deud ein bod ni wedi ennill edmygadd yr holl wlad, a'i fod o'n 'i chyfri hi'n fraint ca'l ein cynrychioli ni'n y Senadd.'

'Ac mi gnawn ni o'n falchach fyth ohonon ni. Tyd, mi dan ni am fartsio'n ôl i Pesda. A chofia dynnu dy gap wrth basio giatia'r Castall.'

Pan oedd cannoedd o esgidiau hoelion mawr yn tasgu gwreichion ar lôn Bangor, a'r hen gân Saesneg am sowldiwrs y rhoesai Elen Evans ei chas arni yn cystadlu â'r geiriau, 'O! Arglwydd Dduw rhagluniaeth', roedd Emilius Augustus Young yn ei swyddfa ym Mhorth Penrhyn yn paratoi llythyr i'w anfon at ei arglwydd.

Roedd y llythyr a'r rhybudd a oedd ynghlwm wrtho yno'n ei aros pan ddychwelodd i'r Castell wedi prynhawn o saethu llwyddiannus yng Nghapel Curig. Fore trannoeth, o ganlyniad i'r rhybudd hwnnw, a hoeliwyd wrth fynedfa'r chwarel, nid oedd gan y 'cyfryw weithwyr' y cyfeirid atynt unrhyw ddewis ond cyrchu eu harfau a throi am adref. Ond fel yr eglurodd Young yn ei lythyr, nid oedd ganddo yntau ddewis chwaith ond eu hatal am bedwar diwrnod ar ddeg, a hwythau nid yn unig wedi cymryd rhan ymarferol mewn ymosodiadau yn erbyn eu cyd-weithwyr a'r swyddogion, ond wedi meiddio gadael eu gwaith heb ganiatâd.

* * *

Yn dawel bach, credai Edward Ellis fod Mr Young yn llygad ei le. Rheol oedd rheol, wedi'r cyfan. Ond peth cwbwl annheg oedd cosbi rhai fel Daniel nad oedden nhw wedi cymryd unrhyw ran yn y ffrwgwd. Mentrodd ddweud hynny wrth John Williams pan alwodd am ei faco Amlwch. Siawns na fyddai'r pen-blaenor yn cytuno ac yntau'n rhoi'r fath bwyslais ar gyfiawnder. Y munud nesaf, roedd yn difaru na fyddai wedi gweithredu ar ei gyngor ei hun mai 'taw pia hi'.

'Penderfyniad y dynion oedd cerddad allan, Edward Ellis, i gefnogi'r rhai oedd wedi cymryd amsar i ffwrdd i fynd i Fangor.'

'Tewch â deud. Wyddwn i mo hynny.'

'Synnu yr ydw i na fydda Daniel wedi sôn.'

'Dydw i wedi gweld fawr arno fo. Ac es i ddim i holi. Mae gan y bachgan amgenach petha ar 'i feddwl.'

Byddai hynny wedi bod yn ddigon i roi pen ar y mwdwl oni bai i Grace, oedd yn amlwg wedi bod yn clustfeinio ar y sgwrs o ben arall y siop, holi yr eiliad y cafodd wared â'i chwsmer,

'Ydach chi'n credu fod gobaith setlo'r anghydfod 'ma?'

Dyna hi wedi'i gwneud hi rŵan, ac yntau'n cael ei orfodi i wrando ar y pen-blaenor yn haeru fel y bu i'r berthynas dda a fodolai rhwng yr hen Lord a'i weithwyr gael ei dinistrio mewn llai na thri mis pan ddaeth yr ail farwn Penrhyn i rym. Roedd hwnnw, meddai, yn credu fod ganddo'r hawl i ddiswyddo unrhyw un heb orfod rhoi rheswm ac yn dal yr un mor benderfynol o wrthod eu hawliau i'r dynion.

Efallai fod hynny'n wir, ond gan y meistr yr oedd y llaw uchaf. Pa well oedden nhw o'i herio a'i gythruddo? Petrusodd Edward. Ond cawsai John Williams gyfle i ddweud ei ddweud, ac roedd ganddo yntau hawl mynegi barn, wedi'r cyfan. Gan fesur ei eiriau'n ofalus, meddai,

'Ond does bosib na fedrwch chi drafod hyn yn rhesymol.'

'Dydi'r Lord ddim yn barod i drafod, Edward Ellis.'

Doedd 'na ddim dewis rhyngddyn nhw, felly. Roedd y naill mor benstiff â'r llall. Sut oedd modd dod i unrhyw gytundeb pan oedd Cristion fel John Williams yn swcro'r fath gasineb? Ni allai Edward oddef rhagor, a gadawodd y ddau heb ddim ond 'pnawn da' cwta.

Arhosodd John Williams nes ei fod allan o glyw cyn dweud,

'Mae arna i ofn nad ydi'ch tad yn deall y sefyllfa, Grace.'

'Nac yn dymuno deall, John Williams. Ydi o'n wir fod 'na rai cannoedd o filwyr wedi cyrradd Bangor?'

'O, ydi, a heb ddim galw am hynny.'

'Os nad i daflu sen ar yr ardal ac i geisio temtio'r chwarelwyr i wrthryfela, yntê?'

Roedd hi wedi taro'r hoelen ar ei phen. Diolchodd John Williams fod o leiaf un o deulu Bristol House yn deall. Ond wrth iddi sylweddoli arwyddocâd y geiriau, byddai'n dda gan Grace am unwaith pe bai wedi etifeddu gallu'i thad i gladdu'i ben yn y tywod.

* * *

Bu'r pythefnos hwnnw yn fendith i rai ac yn fwrn ar eraill. Ym mharlwr Bristol House, ymhell o Bonc Twll Dwndwr, gwibiai'r amser heibio wrth i Daniel ymgolli'n ei lyfrau, ei feddwl yn effro a'i gydwybod yn glir. Ond i fyny yn Llwybrmain roedd amser yn llusgo'i draed. Er na fyddai Elen Evans wedi cyfaddef hynny wrth undyn byw, roedd hi'n anodd dygymod â chael Robert yn tin-droi o gwmpas y tŷ drwy'r dydd, fel dyn ar goll mewn niwl. Nid oedd wedi sôn gair am y gwaharddiad, ac roedd hithau wedi siarsio Tom ac Ifan i beidio crybwyll y chwarel. Ond nid oedd modd osgoi deubar o esgidiau segur a'r ddau dun bwyd gwag.

Ysai Tom am weld y pythefnos yn dirwyn i'w ben. Roedd gorfod dal ei dafod yn dreth arno. Ni chawsai Now ei roi dan glo, er gwaethaf bygythiadau Robat Jôs Gwich. Dim ond dwybunt o ddirwy a siars i fyhafio. I Lloyd George yr oedd y diolch am hynny. Dyna be oedd araith! Roedd o nid yn unig wedi cyhuddo'r *North Wales Chronicle* o gynnwys sylwadau hollol gamarweiniol, ond wedi rhoi ar ddeall i bawb mai'r Arglwydd Penrhyn, prif berchennog y papur, oedd gwir erlynydd yr achos.

Ond roedd gan yr arglwydd ei gefnogwyr. Yn ystod y pythefnos, bu Catrin Morris yn canu'i glodydd ar stryd fawr Bethesda. On'd oedd Richard, y creadur, yn mynd i gael benthyg coes bren o ysbyty'r chwarel, ac wedi cael addewid gwaith ysgafn fel dyn llnau caban unwaith y deuai ato'i hun? Go brin fod yna'r un mistar yn cymryd gwell gofal o'i weithwyr na'r Lord, a'r cwbwl fedrai'r taclau ei wneud oedd cwyno a chreu helynt. Roedd ganddyn nhw'u rhesyma, yn ôl Laura. Be wyddai honno am ddim? Ei lle hi oedd bod yn driw i'w mistar. Deud y drefn oedd yna, meddai hi, fod y Lord wedi trefnu i ddod â'r milwyr i mewn. Ond byddai hynny'n eu setlo. Roedd o'n gywilydd o beth fod gweithiwr gonest fel Richard yn gorfod dioddef, a rapsgaliwn fel y Now Morgan 'na'n cael ei draed yn rhydd.

Yn Neuadd y Farchnad nos Sadwrn olaf y gwaharddiad, mynegodd Henry Jones, y llywydd, ei ofid ynglŷn â gweithred y Pen Gwnstabl Ruck. Roedd ei waed yn berwi, meddai, wrth feddwl nad oedd gan Weinyddiaeth Dorïaidd

Arglwydd Salisbury ddim gwell ar gyfer pobl ddeallus a darllengar creigiau Eryri, pan yn ymladd am eu hiawnderau, na'r *dum-dum bullets*, y math o fwledi a ddefnyddid i saethu a lladd bwystfilod gwylltion. Ac ar eu ffordd yn ôl am Lwybrmain y noson honno roedd Now a Tom yn fwy penderfynol nag erioed nad oedd ildio i fod.

* * *

'Ti'n dŵad i chwara 'ta?'

Mae'n rhaid fod gan y Joni Mos 'ma gof fel gogor, meddyliodd Ifan. On'd oedd o wedi dweud wrtho ddwywaith o leiaf ei fod yn gorfod mynd adra ar ei union?

'Fedra i ddim, yn na fedra.'

'Pam?'

'Mae Tom wedi addo ceiniog i mi am roi dwbin ar 'i sgidia fo'n barod at fory. A mae o'n mynd i 'nysgu i sut i gwffio go iawn 'fyd.'

'Efo pwy w't ti'n mynd i gwffio 'lly?'

'Wn i'm eto. Ond mae'n rhaid i mi fod yn barod, does.'

'Barod i be?'

'I sefyll efo'r dynion pan eith petha'n ddrwg 'te.'

'Yn jêl byddi di.'

'Chafodd Now ddim jêl, naddo. A mi roth o andros o waldan i Richard Hughes contractor.'

'Sut gwyddost ti?'

'Mi oedd Tom yno, doedd. A mi fasa fo a Now 'di lladd y Thomas Ellis 'na 'tasan nhw 'di ca'l gafal arno fo.'

'Mae'r Beibil yn deud fod hynny'n bechod.'

'Lladd pobol *dda* mae o'n 'i feddwl.'

'Ond mae pawb yn ffrindia eto rŵan, dydyn.'

Dim ond twpsyn fyddai'n meddwl y fath beth. Ond roedd syr wedi dweud sawl tro, o ran hynny, mai dim ond llwch lli oedd gan Joni rhwng ei glustiau.

'Nag'dyn siŵr. A fyddan nhw byth.'

'Pam mae'r dynion yn mynd yn ôl i'r chwaral fory 'ta?'

'Rhoi un cyfla arall i'r Lord 'te. Os ydi o'n gwrthod gwrando arnyn nhw tro yma mi fydd hi 'di canu arno fo.'

Ond er ei orchest i gyd, roedd Ifan yn gobeithio'n ei galon y byddai'r Lord yn gwrando, am unwaith.

* * *

Troi clust fyddar a wnaeth Arglwydd Penrhyn, fodd bynnag. Bu Emilius Augustus Young yn barod iawn i roi sêl bendith ar ei benderfyniad nad oedd unrhyw bwrpas trafod. Roedd y rhan fwyaf o'r Cymry, meddai, mor anwybodus a phlentynnaidd fel nad oedd modd rhesymu â nhw. Ac wedi'r cyfan, nid oedd yn gorfodi'r amodau gwaith ar neb. Roedd ganddyn nhw'r dewis o dderbyn neu wrthod.

Fore Gwener ar Bonc Twll Dwndwr, roedd y dynion yr un mor amharod i roi clust i Robert Evans. Ceisiodd apelio arnynt i fwrw ati gan eu bod wedi cytuno i ailddechrau gweithio ar ddiwedd y pythefnos, ond teimlodd y gafael a fu ganddo unwaith yn llacio pan ddwedodd Now Morgan â her yn ei lais,

'Ond mae'r sefyllfa'n waeth rŵan nag oedd hi, Robert Ifans. Wyth o boncia heb eu gosod a channodd o ddynion heb fargeinion.'

Byddai'n well petai wedi ei gadael hi ar hynny. Ond, a hunllef y pythefnos diwethaf yn gyrru iasau drwyddo, gwnaeth un ymdrech arall i'w cael i bwyllo.

'Mi ddaw petha i drefn mewn amsar, Now.'

'Ac mi wyddoch chi gystal â finna be fydd honno . . . trefn chwysu 'te.'

'Falla y dylan ni drio ca'l gair efo Mr Young i egluro'r sefyllfa, gweld be ydi'i fwriada fo.'

'Gwastraff amsar fydda hynny.'

'Ond *ni* fydd yn diodda fwya. Mi fedar Arglwydd Penrhyn fforddio cau'r chwaral am gyfnod, ond fedrwn ni ddim byw ar y gwynt.'

Sylwodd Robert fod rhai o'r dynion yn sibrwd ymysg ei gilydd. Roedd amryw ohonynt yn bennau teuluoedd ac yn cofio'r caledi a fu yn ystod streic '96. Efallai y gallai gael perswâd arnynt, wedi'r cyfan. Ond roedd Now wedi achub y blaen arno ac yn eu hannog i wneud yr unig ddewis posibl os am gadw'u hunan-barch. Teimlodd bwysau llaw ar ei fraich.

'Dowch, 'Nhad. Mi awn ni i nôl ein harfa.'

Gadawodd i Tom ei arwain i ganlyn y gweddill, ei gamau'n ansicr a'i ben yn isel. Sut y gallen nhw feddwl, am eiliad, y gallai dwylo glân a dyddiau segur ennyn hunan-barch? Gwaith gonest oedd yr unig beth a roddai'r hawl hwnnw i ddyn.

O ffenestr ei swyddfa, gwyliodd Young y dynion yn gadael, ond nid oedd eu hosgo herfeiddiol yn mennu dim arno. Gorau po gyntaf iddynt sylweddoli gan bwy yr oedd y llaw uchaf. A phan ddeuent ato a'u capiau'n eu dwylo, ei dro ef fyddai derbyn neu wrthod. Erbyn y prynhawn roedd y ponciau'n wag a rhybudd arall wedi'i hoelio wrth y fynedfa yn cyhoeddi fod y chwarel yn awr ar gau.

Y noson honno, eisteddai Elen Evans yn ei chwman wrth lygedyn o dân yn aros am Tom. Roedd hi'n berfeddion arno'n cyrraedd. Wedi bod yn gwagswmera efo'r Now 'na, debyg, a'r ddau yn curo cefnau'i gilydd.

Aeth ei gweld yn eistedd yno â'r gwynt o hwyliau Tom. Roedd wedi gobeithio cael pum munud iddo'i hun i gnoi cil ar ddigwyddiadau'r diwrnod. Ceisiodd fygu ei siom drwy ddweud yn chwareus,

'Doedd dim rhaid i chi aros amdana i. Mi dw i'n hogyn mawr rŵan.'

'O ran dy faint, falla.'

Roedd hi'n amlwg yn benderfynol o gael dweud ei phwt. Taflodd Tom goedyn ar y tân. Os oedd pregeth i fod, byddai mymryn o wres yn ei gwneud hi'n haws dygymod. Ond roedd hwnnw, i bob golwg, wedi hen chwythu'i blwc.

'Ddylach chi ddim fod wedi gadal i'r tân fynd mor isal.'

'Paid ti â dechra deud wrtha i be ddylwn i 'i neud.'

'Meddwl amdanach chi o'n i. Ofn i chi ddal annwyd. Mae hi'n sobor o oer yma.'

Ond nid oedd yr oerni hwnnw i'w gymharu â'r oerni deifiol yn llais ei fam.

'Biti garw na fasat ti wedi meddwl am dy dad cyn cymryd rhan yn yr hen helynt 'ma.'

Am y tro cyntaf, mentrodd Elen Evans roi tafod i'r ofn y llwyddodd i'w gadw dan gaead yn ystod y gwaharddiad.

'Wn i ddim sut mae o'n mynd i allu dygymod â'r segurdod.'

Dyna oedd yn corddi'r hen wraig, felly. Ond byddai'n rhaid i'w dad ddysgu dygymod, fel pawb arall.

'Fydd hi ddim yn hawdd ar yr un ohonon ni.'

'A mi w't ti'n credu y bydd y Lord yn barod i ildio i chi?'

'Wnawn *ni* ddim ildio, reit siŵr. Mae'n ddrwg gen i,

Mam. Chymrwn i mo'r byd â brifo 'nhad, ond dyma'r unig ffordd o ennill ein hawlia.'

Teimlodd Elen y dicter a fu'n mudferwi o'i mewn yn ystod y prynhawn a'r min nos yn lliniaru. Yr hogyn gwirion. Oedd o'n meddwl, mewn difri, eu bod wedi cael y gorau ar y Lord drwy adael y chwarel? Druan ohono fo. Syllodd yn dosturiol arno ac meddai, gan adleisio geiriau Robert ar Bonc Twll Dwndwr,

'Ond mae'r Lord dipyn cryfach na chi, Tom. Ac mae arnoch chi lawar mwy o angan y chwaral nag sydd arno fo.'

7

Nid oedd Catrin Morris wedi croesi trothwy Bristol House ers misoedd. Pam y dylai roi'r un geiniog ym mhoced Edward Ellis, a'r mab 'na oedd ganddo fo wedi gwneud tro mor wael â Laura? Ni fyddai wedi mynd yn agos yno heddiw chwaith oni bai i Jini Maud ddweud bod peryg iddyn nhw feddwl mai cywilydd oedd yn ei chadw draw.

'A be fedra i neud i chi, Catrin Morris?'

Byddai be fedrai hi ei wneud i Grace Ellis yn nes ati. Nid dod yma i ofyn cymwynas yr oedd hi.

'Mwy na fedrodd Davies grosar, gobeithio, yr hen gena c'lwyddog iddo fo.'

'Mi dan ni wedi'i ga'l o'n ddyn gonast iawn, yn do, Tada?'

Hi a'i 'tada'. Ni allodd erioed gymryd ati. Hen hogan fach wedi'i difetha, yn cael bob dim heb orfod codi bys. Am fod yn ditsiar yr oedd hi, yn ôl Laura. A lle'r oedd hi wedi'r holl frolio? Yn gweini y tu ôl i gownter, at alwad pawb.

'Hy! Doedd ganddo fo ddim llychyn o faco'n y siop, medda fo. A finna newydd 'i weld o'n pwyso peth i gwsmar arall.'

'Dyna ydach chi isio, felly?'

'Wel, ia. Siawns nad ydi Richard yn haeddu rhyw gysur, y cr'adur.'

'Mae hi'n siŵr o fod yn arw iawn arno fo.'

'Ac arna inna, Edward Ellis. Wn i ddim be faswn i wedi'i neud heb Laura.'

'Rydach chi'n lwcus ohoni.'

'Ac yn sylweddoli hynny, yn wahanol iawn i amball un.'

Gwyddai Grace fod Catrin yn ysu am ffrae ers meitin. Unrhyw funud rŵan, byddai Tada'n cael ei orfodi i'w iselhau ei hun drwy amddiffyn Daniel.

'Dwy a dima fydd hynna, Catrin Morris.'

Gwnaeth Catrin sioe o chwilio'n ei phoced.

'Daria unwaith, mi dw i wedi gadal 'y mhwrs adra. Mi alwa i mewn fory.'

Cafodd Grace ei themtio am eiliad i roi'r baco iddi er mwyn cael ei gwared. Ond wrth iddi estyn llaw farus amdano, cofiodd y cleisiau a adawsai'r llaw honno ar gorff Laura.

'A mi gewch chi'r baco'r adag honno.'

Bu hynny'n ddigon i agor y fflodiart.

'Cadwch o! Mi dach chi bobol capal i gyd mor grintach â'ch gilydd. Cymryd arnoch gydymdeimlo a gw'rafun chydig o blesar i rai fel Richard druan. Ond mi ddeuda i i chi un peth . . . mae o werth deg o'r brawd 'na sydd ganddoch chi, Grace Ellis.'

Gwelodd Catrin y gwrid yn codi i wyneb Edward Ellis. Roedd ganddo fo'r gras i gywilyddio, o leiaf. Ond doedd yr enath 'ma erioed wedi cyfadda na bai na chywilydd, mwy na'i brawd. Petai gan Laura rywfaint o synnwyr ni fyddai wedi cyboli efo'r un ohonyn nhw.

Gadawodd y siop a'i thrwyn yn yr awyr gan gau'r drws yn glep ar ei hôl. Gollyngodd Edward ochenaid o ryddhad.

'Mi fuo ond y dim i mi â cholli 'nhymar rŵan, Grace.'

'Wn i.'

'Mae'n biti gen i dros y Laura fach 'na, ond mi fydda'i theulu hi wedi bod yn faen tramgwydd mawr i Daniel.'

'Does dim rhaid i chi boeni am hynny bellach.'

'Nag oes, drwy drugaradd.'

Ond pa obaith oedd gan Laura o allu symud y maen hwnnw? Teimlodd Grace don o gywilydd yn chwalu drosti. Petai Tada wedi cael ei orfodi i amddiffyn Daniel, ni fyddai ganddi hithau unrhyw ddewis ond ei gefnogi. Lle i ddiolch oedd ganddi ei bod wedi cael ei harbed rhag hynny, o leiaf.

* * *

Ar ei ffordd i'r ddarllenfa yr oedd Daniel pan ddaeth wyneb yn wyneb â John Williams. Dyma'r tro cyntaf iddo'i weld wedi'r cloi allan. Cawsai ei siomi'n fawr ynddo y bore hwnnw ar Bonc Twll Dwndwr. Roedd wedi disgwyl y byddai ef, o bawb, yn ategu Robert Evans. Ni fyddai i Daniel ei hun fod wedi gwneud hynny ond wedi cythruddo rhagor ar Now Morgan, ond roedd gan John Williams y gallu a'r awdurdod i roi peth taw ar hwnnw hyd yn oed.

Roedd yn amlwg oddi wrth dôn gyhuddgar John Williams ei fod yntau wedi cael ei dramgwyddo.

'Lle'r oeddach chi nos Ferchar, Daniel, a chitha'n arfar bod mor deyrngar i'r seiat?'

A faint o deyrngarwch oedd o wedi'i ddangos i un yr oedd yn honni bod â gymaint o feddwl ohono? Ond er ei siom, roedd gan Daniel ormod o barch at y pen-blaenor i gyfaddef iddo gadw draw o fwriad.

'Roedd gen i ddwy bregath i'w paratoi ar gyfar y Sul.'

'A mwy o amsar i'w roi iddyn nhw, rŵan fod y chwaral wedi'i chau, yntê? Mae'n siŵr fod y ddarllenfa newydd o fudd garw i chi.'

'Mae Griffith Davies twrna wedi gneud cymwynas fawr yn 'i hagor hi i ni.'

'Rydach chi'r un mor awyddus i ddal ymlaen, felly?'

'O, ydw, ond mi fydd yn rhaid i mi ohirio mynd i'r Bala nes daw petha'n ôl i drefn.'

'Does 'na fawr o arwydd hynny, mae arna i ofn.'

'Falla na fydda hi wedi dŵad i hyn petai'r dynion wedi bod yn fodlon gwrando ar rai fel Robert Evans.'

'Doedd 'na ddim fedra Robert na neb arall fod wedi'i neud.'

'Tybad?'

'Mi wn i eich bod chi wedi'ch siomi, Daniel. Ond dydach chi ddim yn barod i ildio, yn nag ydach?'

'Does 'na ddim peryg o hynny.'

'Mi ddylach chi allu deall y sefyllfa, felly. Ddarllenoch chi golofn Trebor Llechid yn *Y Faner* yr wythnos yma?'

'Dydw i'n ca'l fawr o gyfla i studio'r papura.'

'Biti. Deud oedd o pa mor wael oedd y cyfloga'r Sadwrn tâl dwytha. Prin 'i fod o'n werth 'i gario adra gan fod y gwaith wedi'i atal am y rhan ola o'r mis.'

Ond dylai'r dynion fod wedi sylweddoli hynny cyn

cerdded allan. Sut y gallen nhw orfodi dioddef ar wragedd a phlant diniwed? A sut y gallai Cristion o ddyn fel John Williams gymeradwyo hynny?

'Waeth i ni heb â chwyno.'

Ond camddeall ei eiriau'n fwriadol a wnaeth John Williams.

'Pwy fydda'n meiddio mynd â chwyn o flaen Young ac Arglwydd Penrhyn, yntê, heddiw mwy nag yn y gorffennol. A dyna'r dynion sy'n ceisio twyllo'r wlad i gredu pa mor barod ydyn nhw i dderbyn cwynion.'

Roedd gan Daniel ateb i hynny hefyd, ond nid oedd unrhyw ddiben ceisio ymresymu â dyn a gredai nad oedd gan neb arall hawl i leisio barn. Ni fyddai ronyn gwell o adael i helynt nad oedd arno eisiau dim i'w wneud â hi greu anghydfod rhyngddynt. Roedd hi'n gymaint haws ffarwelio ar delerau gan addo y byddai'n y seiat fel arfer nos Fercher.

Wrth iddo gerdded am adref, teimlai John Williams iddo fod braidd yn llawdrwm ar Daniel. Roedd siom, fel y trawst mewn llygad, yn gallu rhwystro rhywun rhag gweld yn glir. Fe ddeuai'r hogyn i ddeall mewn amser, yn wahanol i'w siopwr o dad na allai weld ymhellach na ffiniau Bristol House.

* * *

Roedd clywed y lleisiau o'r llofft yn ddraenen yn ystlys Catrin Morris. Prin bod gan y Laura 'na air i'w ddweud wrthi hi. Bob amser ar frys i adael, a'r olwg surbwch oedd arni'n ddigon i godi'r felan ar unrhyw un. Ond roedd hi'n gallu sbario amser i ddyn nad oedd yn malio'r un botwm corn am ei deulu. Cwyno iddo'i hun yr oedd o, debyg, a'r dwpsan yna'n fwy na pharod i roi clust iddo. Ond hi oedd yn gorfod gwrando arno'n tuchan o fore gwyn tan nos. Ac i feddwl fod Jini Maud wedi meiddio awgrymu y dylai gyfri'i bendithion. Pa fendithion, mewn difri? Roedd honno wedi gwneud ati i dynnu'n groes iddi'n ddiweddar. Cwilydd oedd ganddi mae'n siŵr fod y ddau fab da-i-ddim 'na wedi troi eu cefnau ar y Lord.

Bu gweld y wên ar wyneb ei thad wrth iddynt ail-fyw'r ers talwm yn eli calon i Laura. Roedd hi wedi ofni ei bod wedi ei golli am byth, ond gallai ddychwelyd i'r Castell yn ysgafnach ei chalon heddiw. A siawns na fyddai ei mam yn teimlo'n well pan ddwedai wrthi ei fod yn dechrau dod ato'i hun.

Ni chafodd y newydd hwnnw unrhyw ymateb. Eisteddai Catrin a'i thraed yn y lludw, yn un swp o hunandosturi.

'Mi fasa 'nhad yn licio brechdan fach, medda fo.'

'Licio geith o. Does 'na'r un tamad o fara'n y tŷ. 'Sgen ti ddim chydig o geinioga i sbario?'

'Mi rois i'r cwbwl i chi'r tro dwytha i mi alw.'

'Mi a'th rheini i gyd i dalu i Lewis Becar. A rŵan mae o'n gwrthod lab i mi, y fo a'r Grace Ellis drwyn uchal 'na.'

'Mae Grace yn hogan ffeind.'

'Ffeind, wir! Yn gw'rafun chydig o gysur i dy dad, a finna wedi addo y byddwn i'n talu am y baco drannoeth. Ond mi 'nes i'n ddigon clir iddi be ydw i'n 'i feddwl ohoni hi a'i thipyn brawd.'

'Ddylach chi ddim fod wedi gneud hynny.'

A dyna'r diolch oedd hi'n ei gael? Roedd gan hon fwy o feddwl o'r cyw-bregethwr nag oedd ganddi o'i mam ei hun, er ei fod o wedi'i thaflu hi ar y doman.

'Dw't ti ddim wedi bod yn hel o'u cwmpas nhw eto, gobeithio?' holodd yn llym.

'Mi fydda i'n gweld Grace weithia.'

'Ro'n i *yn* ama. Fedri di ddim cadw draw, yn na fedri. Lle mae dy hunanfalchdar di, d'wad?'

'A be sy gen i i fod yn falch ohono fo?'

Er bod Catrin yn cytuno â hi, ni allai fforddio dweud hynny. Byddai arni fwy o angen ei thipyn cyflog rŵan nag erioed.

'Dy fod ti wedi dy arbad, yn un peth. Mi allat fod wedi gwastraffu blynyddodd ar hwnna, dim ond i ga'l dy adal ar y clwt.'

Roedd y llawenydd a deimlai Laura gynnau wedi cilio'n llwyr. Byddai'r daith yn ôl am y Castell yr un mor ddiflas ag arfer. Efallai fod ei thad a hithau wedi llwyddo i'w twyllo eu hunain y gallent ddal eu gafael ar yr ers talwm, ond pa obaith oedd gan yr ail-fyw yn erbyn byw heddiw?

'Mi fydda'n well i mi 'i chychwyn hi.

'Ia, dos di.'

Byddai wedi hoffi ychwanegu, 'a gwynt teg ar d'ôl di', ond ni allai adael iddi fynd heb wneud un ymdrech arall.

'Does gen ti ddim pres arnat felly?'

'Pum ceiniog, 'na'r cwbwl.'

'Mi neith hynny'r tro am rŵan.'

Estynnodd Laura'r ceiniogau iddi. Roedd hi wedi addo i Grace yr âi efo hi i Gaernarfon ddydd Sadwrn, ond sut y gallai wynebu hynny a hithau heb yr un geiniog i dalu'i ffordd?

'Fedra i ddim rhoi 'nghyflog i gyd i chi tro nesa, Mam. Ylwch yr olwg sydd arna i.'

'Ond does dim rhaid i ti boeni o lle mae'r pryd nesa'n

dŵad, yn nag oes, na gorfod gwrando ar Huw bach yn crio isio bwyd.'

'Mi gewch bres o'r Undab, siawns.'

Dyna oedd hi'n ei obeithio, ia? Os oedd hi'n meddwl am funud y gallai osgoi ei chyfrifoldeb roedd hi'n gwneud andros o gamgymeriad.

'Mi ddaru dy dad wrthod ymuno'n do.'

'Wyddwn i mo hynny.'

'Mwy na finna. Begian pres oddi arna i, esgus talu'i aelodaeth, a'u tywallt nhw i gyd i lawr 'i lôn goch yn y King's Head. Ddeudis i mai'n y Wyrcws y byddwn ni'n do.'

Dychwelodd Laura i'r Castell a'r addewid y gofalai hi na fyddai hynny'n digwydd yn gyffion amdani. Ni châi hel ei thraed am Gaernarfon y Sadwrn, na'r un Sadwrn arall. Roedd hi'n gymaint o garcharor i'r heddiw ag oedd ei thad, a'r ers talwm ymhellach o'u gafael nag erioed.

* * *

Ni fu Elen Evans erioed yn un i gerdded o dŷ i dŷ yn hel clecs. Roedd popeth yr oedd arni ei angen yma ar ei haelwyd ei hun. Ond er bod honno yr un mor dwt a glân ag arfer nid oedd iddi, fel y dywedodd y pregethwr, ddim diddanwch ynddi mwyach. Nid oedd yr un boddhad i'w gael o weld canlyniad y blacledio a'r sgwrio a'r cwyro a Robert druan heb ddim i'w ddangos am ei ddiwrnod. Roedd o wedi gofyn iddi, fwy nag unwaith, 'Oes raid i chi 'neud hynna rŵan, Elen?', a hithau wedi gadael ei gwaith i fod yn gwmni iddo. Nid oedd fymryn elwach o eistedd yno'n dal ei dwylo, yn crafu am rywbeth i'w ddweud.

Doedd 'na ddim pall ar eu sgwrsio cyn y cloi allan, a phob baich yn ysgafnach o'i rannu. Ond nid oedd wedi sôn gair am y streic er pan roesai ei arfau i'w cadw'n y cwt, ac er bod ei chalon yn gwaedu drosto ni chymrai hi mo'r byd â'i orfodi i wneud hynny. Bu'n ceisio ei gymell ar y dechrau i fynd i'r ardd am awr neu ddwy, ond nid oedd ganddo unrhyw ddiddordeb yn honno bellach.

Prydau bwyd oedd yr adegau gwaethaf. Roedd hi'n byw ar ei nerfau drwy'r amser. Yna, un noson, digwyddodd yr hyn y bu'n ei ofni ers dyddiau. Newydd orffen eu swper yr oedden nhw pan ofynnodd Ifan,

'Newch chi ddeud y stori am Twm bach yn rhegi'r stiward, 'nhad?'

Gwasgodd Elen ei dyrnau'n dynn. Be oedd ar ben yr hogyn yn gofyn y fath beth a hithau wedi ei siarsio i beidio crybwyll y chwarel?

'Dw't ti wedi'i chlywad hi ganwaith,' meddai'n chwyrn.

Taflodd gipolwg rhybuddiol arno ond ni chafodd hynny unrhyw effaith.

'Un waith eto. Mi ga i fod yn Twm bach a chitha'n stiward. Barod?'

Gwthiodd ei dad ei blât o'r neilltu ac meddai, gan ddynwared tôn fawreddog Roberts y stiward gosod,

'Rydw i'n deall fod y goruchwyliwr wedi'ch cynghori chi i ymddiheuro i mi, Thomas Jones.'

'Ydi, Mr Robaits. Ydach chi'n cofio i mi ddeud wrthach chi bora 'ma am fynd i'r diawl?'

'O, ydw, Thomas Jones, yn cofio'n iawn.'

'Wel, does dim isio i chi fynd yno wedi'r cwbwl.'

Edrychodd Elen yn bryderus ar Robert. Oni bai ei bod yn gwybod yn amgenach, gallai daeru fod cysgod gwên ar ei wyneb. Roedd y ddau arall yn eu dyblau'n chwerthin a'r sŵn anghyfarwydd yn gyrru ias drwyddi.

'Twm bach ddeudodd wrth Robaits y bydda'r Bod Mawr wedi rhoi bachyn yn 'i ben ôl o petai o wedi bwriadu iddo fo dynnu'r wagan 'te?'

Roedd hi wedi gobeithio y byddai Tom, o leia, yn ddigon doeth i ddal ei dafod. Pam na allen nhw fod wedi gadael llonydd i'w tad geisio dygymod yn ei amser ei hun? Fe wnâi hi i'r ddau ddifaru am hyn. A'i meddwl yn nyth cacwn o siom a dicter, aeth Elen â'r llestri drwodd i'r gegin gefn, a chau'r drws arni ei hun. Ni chlywodd Robert yn dweud a'i lygaid yn gloewi,

'Dew, mi oedd 'na hwyl i'w ga'l, a pheth wmbradd o dynnu coes. A neb ddim dicach, pawb ar delera. Does 'na nunlla tebyg ar wynab daear.'

* * *

Bu'r Rhagfyr hwnnw yn fwy didostur nag arfer, ei oerni'n treiddio i bob twll a chornel a'i rewynt yn udo'i gynddaredd ar bonciau gweigion Braich y Cafn. Teimlai rhai fod hyd yn oed yr elfennau'n cynllwynio'n eu herbyn ac yn edliw eu segurdod iddynt. Clywai eraill adlais o'u her hwy yn yr udo pell.

Enaid cytûn oedd y gwynt i Now Morgan, a'r naill fel y llall yn gorchestu yn ei nerth. Cawsai Dei ei frawd brawf o hynny pan benderfynodd godi'i bac a hel ei draed am y Sowth. Petai'r hen wraig heb gael pwl o sterics byddai wedi darn ladd y cachwr bach. Hi hefyd gafodd berswâd arno i fynd i ddanfon Dei i'r stesion gan ddweud y byddai'n difaru pe bai'n dod yn ei ôl yn gorff.

Roedd y lle dan ei sang a phawb yn morio canu 'O fryniau Caersalem'. Synnodd weld Daniel Bristol House yn hofran ar y cyrion.

'Be w't ti'n neud yma, Dan?' holodd.

'Nôl nwydda i'r siop.'

'Dwyn gwaith Robat Jôs Gwich, ia? Paid â gadal iddo fo dy ddal di. Mi dw i'n cofio'i weld o'n certio Jac Huws o'r stesion a hwnnw'n carlamu fel ceffyl gwyllt rhwng y llorpia.'

'Mi roth andros o bregath i rhain gynna. Mynnu na chaen nhw byth well mistar na'r un maen nhw'n 'i adal.'

'A dyna w't titha'n 'i gredu?'

Ond nid oedd Daniel am adael i Now dynnu arno. Câi hwnnw feddwl beth a fynnai.

'A lle w't ti'n cychwyn felly?'

''Nôl adra gynta medra i ar ôl gweld cefn y Dei 'ma.'

'Mae 'na griw mawr yma heddiw does?'

'Gwranda arnyn nhw, mewn difri. Mi fydda'n rheitiach iddyn nhw gau 'u cega, o gwilydd.'

'Fedri di mo'u beio nhw am fod isio gweithio.'

'Dyna ydan ni gyd isio, Dan, ond dydi'r rhan fwya ohonon ni ddim yn barod i droi cefn ar ein cyd-weithwyr er mwyn 'i ga'l o.'

Roedd Now ar ei ffordd yn ôl am Danybwlch cyn i'r trên gyrraedd. Byddai ei fam a'i phen yn ei phlu am ddyddiau rŵan, yn poeni rhag ofn i Dei bach gael gwely tamp a'i lwgu gan hen betha'r Sowth 'na. Twll ei din o, a phob diawl diegwyddor arall. Dylai'r hen wraig ddiolch fod ganddi un mab oedd â digon o asgwrn cefn i sefyll ei dir.

Dychwelodd Daniel i Bristol House yn dân am gael gwared â'r nwyddau. Ni fyddai'n rhaid iddo fod wedi mynd draw i'r stesion na dioddef ensyniadau Now Morgan petai Grace heb gythruddo Robat Jôs, a hwnnw wedi gwrthod cario iddyn nhw.

Siawns na châi lonydd i fynd ymlaen â'i waith rŵan ei fod wedi gwneud ei ddyletswydd am y diwrnod. Ond pan aeth drwodd i'r parlwr, roedd Grace yno wrth ei gwt. Gwyddai oddi wrth ei hosgo benderfynol fod ganddi rywbeth ar ei meddwl ac na fyddai'n fodlon nes cael dweud beth bynnag oedd o. Wedi cael syniad yr oedd hi, meddai hi, ac eisiau ei help i gael perswâd ar Tada.

'A be ydi'r syniad 'ma felly?' holodd.

'Ein bod ni'n cynnal cyngerdd elusennol yn Jerusalem i gasglu arian i Richard Morris a'r teulu.'

Ni allai Daniel gredu ei glustiau. Doedd hi rioed yn disgwyl i'r blaenoriaid gefnogi dyn ofer nad oedd ond aelod mewn enw'n unig?

'Mi wyddost gystal â finna na wnâi o byth gytuno i hynny.'

'Ond fyddwn ni ddim gwaeth â thrio . . . er mwyn Laura. Mae hi wedi bod yn rhoi'r rhan fwyaf o'i chyflog i'w mam ers tro bellach. Welith hi'r un geiniog ohono fo o hyn allan.'

'Mi gân' help o'r Undab, fel pawb arall.'

'Dydi Richard Morris ddim yn aelod, nac wedi bod ers wn i ddim pryd.'

''I fai o ydi hynny.'

'Ond Laura sy'n gorfod cario'r baich. Mae golwg druenus arni hi, Daniel.'

'Oes.'

'Mi w't ti wed'i gweld hi felly? Yn lle? Pryd?'

'Ar y stryd, ryw dridia'n ôl.'

'Fuost ti'n siarad efo hi?'

O, do, a bu ond y dim iddo roi ei droed ynddi drwy gyfaddef ar funud gwan ei fod yn gweld ei cholli. Ond pan glywodd dinc gobeithiol ei 'W't ti, Dan?', roedd wedi prysuro i ychwanegu mai dyna'r pris yr oedd yn rhaid iddo'i dalu. Nid oedd Laura wedi sôn gair am na diffyg arian na dim arall, er iddo holi sut oedd pethau adra. Ei hunig bryder oedd ei fod ef wedi gorfod gohirio mynd i'r coleg. Roedd yntau wedi gallu lleddfu ryw gymaint ar yr euogrwydd a deimlai o'i gweld mor ddiysbryd a di-raen drwy ei sicrhau mai rhywbeth dros dro oedd hynny.

Sylweddolodd yn sydyn fod Grace yn syllu'n galed arno a sialens yn ei llygaid tywyll. Petai'n ei gwrthod byddai'r euogrwydd yn dal i'w blagio ac yn ei rwystro rhag ei gysegru ei hun yn gyfangwbl i'w waith.

'Mi ga i air efo Tada.'

'Diolch, Dan.'

Ond er y cynhesrwydd yn llais Grace, ofnai Daniel na fyddai ei ymdrech i ddarbwyllo'i dad yn ddigon i ysgafnu baich Laura na phontio'r bwlch rhyngddynt hwy eu dau. Ni allai ond gobeithio y câi ef, o leiaf, ryw fudd o hynny.

8

Er mor falch oedd y mwyafrif o weld cefn yr hen flwyddyn, croeso digon llugoer a gafodd y flwyddyn newydd. Roedd Ionawr yr un mor awyddus â Rhagfyr i ddangos ei ddannedd, a byddai degau'n rhagor wedi mynd yn ysglyfaeth iddi oni bai am gyfraniad y Gronfa

Gynorthwyol a haelioni unigolion fel Griffith Davies twrna a W.J. Parry, Llys Coetmor. Llwyddodd y corau i gasglu rhai cannoedd o bunnau ar eu teithiau drwy Gymru a thu hwnt, ond buan iawn y diflannai'r arian o'i rannu rhwng tri rhanbarth ar ddeg yr ardal.

Ni fu'n rhaid i Tom ac Ifan ddioddef brath tafod Elen Evans wedi'r cyfan. Roedd Robert wedi torri'r garw, diolch iddyn nhw, ac yn treulio'i ddyddiau ym Mraich y Cafn heb orfod symud o'i gadair. Câi Tom hi'n anodd rhannu ei argyhoeddiad y byddent i gyd yn ôl wrth eu gwaith ymhell cyn y gwanwyn. Ni fu Henry Jones a'r lleill fymryn elwach o fynd yr holl ffordd i Lundain i drafod cwynion y gweithwyr. Ond roedd Now wedi rhag-weld mai siwrnai seithug fyddai hi, ran'ny. Nid oedd y Lord wedi mentro dangos ei wyneb, dim ond anfon yr Young 'na i osod y ddeddf i lawr. Roedd Henry Jones wedi dal ato'n ddygn yn ôl y sôn ac wedi dweud wrtho, pan ofynnodd pam y dylai newid ei feddwl, ei bod yn llawer haws iddo ef wneud hynny nag iddyn nhw fynd yn ôl i Fethesda a cheisio newid meddwl rhai miloedd o ddynion. Ond yr un ar y cyfan oedd y telerau y gofynnwyd iddynt bleidleisio dros eu derbyn neu eu gwrthod. Roedd y system gontracio i barhau, a'r chwarelwyr i golli diwrnod o bae os oedden nhw chwarter awr yn hwyr.

Fe'i câi yr un mor anodd rhannu ffydd Now na fyddai neb yn ei lawn synnwyr yn cytuno i hynny. Cafodd lond ei getyn pan fentrodd ddweud,

'Dydw i ddim mor siŵr. Fedri di ddim rhoi coel ar bobol.'

'Ac roedd collad arna inna'n meddwl y gallwn i ddibynnu ar fab Robert Evans. Am dderbyn mae o, ia?'

'Wnâi 'nhad byth mo hynny. Ond mae o wedi mynd i

foedro'n arw'n ddiweddar, sôn fel roedd petha'n y chwaral ar ddechra'r wyth dega. Yr oes aur, medda fo.'

'Oedd hi d'wad?'

'Felly mae o'n 'i gweld hi.'

'Ond fory fydd fy oes aur i, Tom, pan fydda i wedi profi na chymra i mo fy sathru ac wedi ennill yr hawl i ddal fy mhen yn uchal.'

Roedd ei galon yn ei gorn gwddw wrth iddo aros canlyniad y bleidlais y tu allan i'r locyp y noson honno. Er bod y stryd fawr yn orlawn, gellid clywed pin yn disgyn wrth i Henry Jones gamu ymlaen, ond rhwygwyd y tawelwch gan hwtio a bwio dirmygus pan gyhoeddodd fod saith deg saith wedi pleidleisio dros dderbyn telerau Mr Young. Eiliadau'n ddiweddarach, roedd y gwawd yn ildio'i le i floeddiadau o gymeradwyaeth i'r mil saith gant a saith oedd wedi bwrw pleidlais dros wrthod. Ac yntau'n ferw o ryddhad a chyffro, bu Tom sbel cyn sylwi nad oedd Now yn cymryd unrhyw ran yn y gorfoleddu.

'Glywist ti hynna, Now?' holodd.

'Do, mi glywis.'

'Dyna ti be ydi buddugoliath 'te.'

'Ond be am y brain duon sydd wedi'n bradychu ni?'

'Maen nhw wedi ca'l cythgam o gweir, pwy bynnag ydyn nhw.'

Yr un fu'r byrdwn yr holl ffordd i fyny am Lwybrmain. Tyngai Now nad oedd y gweir a gafodd y saith deg saith y noson honno yn ddim o'i gymharu â'r hyn oedd yn eu haros. Ceisiodd Tom ei dawelu drwy ei atgoffa nad oedden nhw fymryn callach pwy oedd y brain duon, ond sylweddolodd y byddai'n rheitiach iddo fod wedi cau ei geg pan ddwedodd Now,

'Mi fasa'n well i ti fynd adra at dy dad, Tom bach. Maen nhw'n deud fod adar o'r unlliw yn hedag i'r unlle, dydyn.'

* * *

Treuliodd John Williams y rhan orau o'r bore Sadwrn yn dal pen rheswm efo hwn a'r llall ar y stryd fawr yn y gobaith o weld Daniel. Er iddo wylio pob symudiad i mewn ac allan o'r siop, ni chawsai gip arno. Wedi mynd draw i'r ddarllenfa yr oedd o, mae'n siŵr, a doedd fiw aflonyddu arno yn y fan honno.

Pan oedd ar fin rhoi'r gorau iddi a throi am adref, gwelodd Daniel yn brasgamu i fyny'r ffordd heb edrych i na de na chwith. Prysurodd yntau'i gamau a llwyddodd i gyrraedd Bristol House ar y blaen iddo.

'Rydach chi ar frys garw, 'machgan i.'

'Wedi addo rhoi help llaw i Tada am y pnawn yr ydw i.'

'Ro'n i wedi gobeithio ca'l gair efo chi.'

Ceisiodd Daniel ffrwyno'i ddiffyg amynedd. Roedd yn ddigon ei fod wedi cytuno i aberthu'i brynhawn er mwyn i Grace gael mynd i jolihoetio i Fangor heb orfod rhoi clust i John Williams.

'Mi awn ni i mewn, ia? Mae hi'n rhy oer i sefyllian yn fan'ma.'

Nid oedd gan John Williams ddewis ond ei ddilyn. Dyna be oedd gwastraff o fore. Byddai'n amhosibl cael sgwrs gall ac Edward Ellis yn gwrando ar y cwbwl.

'Dydan ni ddim yn arfar eich gweld chi'n y pentra ar fora Sadwrn, John Williams.'

Roedd yn amlwg fod yr ymweliad annisgwyl wedi tarfu ar Edward.

'Hannah fydd yn dŵad fel rheol, ond dydi hi ddim yn teimlo'n rhy dda.'

'Tewch. Mae'r hen helynt 'ma'n deud ar bawb. Gresyn fod petha wedi dod i hyn.'

'Dyma'r unig atab.'

Byddai wedi ei gadael hi ar hynny am y tro, ond teimlodd ei waed yn berwi pan ddwedodd Edward,

'Dydi pawb ddim o'r un farn.'

Roedd o fel pe bai'n ymhyfrydu mewn cael dweud hynny. Byddai Edward yn ddigon bodlon gweld y dynion yn troi'n ôl am y chwarel a'u cynffonnau rhwng eu coesau cyn belled â bod ei fusnes yn ffynnu. Ond roedd Daniel yn un ohonyn nhw ac ni allai adael i ddyn cibddall geisio dylanwadu arno.

'Mae bod dros fil a saith gant wedi gwrthod ildio yn ddigon o brawf i mi. Ac rydan ni'n benderfynol o ddal ati i frwydro nes y cawn ni'n hiawndera, dydan, Daniel?'

Taflodd Daniel gipolwg tosturiol ar ei dad. Roedd yr hyn ddwedodd o'n berffaith wir. Er mai dim ond saith deg saith oedd wedi cytuno i dderbyn y telerau, roedd y rhif hwnnw'n chwyddo bob dydd. Ond ni fyddai'n gwneud cymwynas â'i dad drwy atgoffa John Williams o hynny.

'Ama'r gair brwydro 'na yr ydw i. Siawns nad ydan ni wedi clywad digon o sôn am effeithia hynny.'

Er iddo ddethol ei eiriau'n ofalus, roedd y pen-blaenor yr un mor barod ei ateb ag arfer.

'Ond arfogaeth yr Arglwydd yr ydan ni'n 'i wisgo, yntê, 'machgan i. Fel deudodd yr Apostol, mi all tarian y ffydd, helm yr iachawdwriaeth a chleddyf yr Ysbryd ddiffodd holl bicellau tanllyd y fall.'

Gadawodd John Williams y siop yn waglaw. Wrth iddo droi am Gae'r-berllan, gwelodd Hannah yn dod i'w gyfarfod a'i basged ar ei braich.

‘Lle dach chi wedi bod mor hir a finna angan mynd i’r pentra?’ holodd.

‘Yn fferru i ddim pwrpas, mae arna i ofn. Os ydach chi’n bwriadu galw yn Bristol House, peidiwch â synnu os gofynnan nhw i chi ydach chi’n teimlo’n well.’

‘Ond does ’na ddim byd o’i le arna i.’

‘Nagoes, ond deudwch eich bod chi, er fy mwyn i.’

Cytunodd Hannah i hynny heb holi rhagor. Ni fyddai John yn gofyn iddi ddweud celwydd heb reswm ac fe gâi eglurhad yn hwyr neu’n hwyrach.

Yn ddiweddarach y prynhawn hwnnw, ac yntau’n dechrau dadebru, teimlai John Williams na fu’r bore yn gwbwl ofer wedi’r cyfan. I’r Apostol Paul yr oedd y diolch am hynny. Ac fe âi ar ei ofyn eto pan ddeuai cyfle i gael gair efo Daniel ar ei ben ei hun. “Felly ninnau, a ni yn llawer, ydym un corff yng Nghrist, a phob un yn aelodau i’w gilydd.” Go brin y byddai angen dweud rhagor.

* * *

Dechreuodd y mis bach yr un mor egar. Canwyd yr un emynau ddegau o weithiau ar stesion Bethesda, a bu sawl mam yn darogan gwely tamp a stumog wag. Ni wnaeth yr ychydig linellau annigonol a dderbyniodd oddi wrth Dei fawr i godi calon Beti Morgan, ac nid oedd wedi torri gair â Martha drws nesa er pan ddwedodd honno fod Wil wedi cael cynnig gwaith yn chwarel Pantdreiniog. Bu gorfod cau’r siop yn gynnar fin nos oherwydd prinder cwsmeriaid yn ergyd drom i Edward Ellis, a’i unig gysur yn ei hiraeth am Gwen oedd ei bod hi wedi cael ei harbed rhag hyn.

Ar waetha’r colledion a’r caledi, casglodd tyrfa fawr ynghyd yng nghapel Bethesda i ddangos eu parch a’u teyrngarwch

Cymreig i'r ddiweddar Rasusaf Frenhines Fictoria. Chwaraewyd y 'Dead March' ar yr organ a thalodd W.J. Parry, Llys Coetmor, deyrnged uchel i un a fu mor llwyddiannus fel priod, mam, dynes, cyfeilles a Phenadur. Yn Neuadd Fawr y Castell, talodd Arglwydd Penrhyn ei deyrnged yntau ar ran pob Prydeiniwr i un yr oedd ei henw wedi ei amgylchynu â disgleirdeb ysblennydd na fyddai iddo byth bylu.

Heidiodd miloedd o bob cwr i seremoni cyhoeddi'r Brenin Edward y Seithfed ym Mangor. Rhoddwyd lle o anrhydedd i Arglwydd Penrhyn ac aelodau ei deulu ar y llwyfan gerllaw'r Eglwys Gadeiriol. Darllenodd y Maer y datganiad, dyblwyd a threblwyd 'God Save the King', a llwyddodd y mwyafrif i anghofio'u helbulon am ychydig oriau. Haerai rhai fod y brenin newydd yn rhy barod i syrthio i demtasiynau ac na ddeuai byth i esgidiau'i fam; teimlai eraill ei fod yn haeddu'r cyfle ac yntau wedi gorfod aros mor hir.

Mewn cyfarfod yn Ysgol Glanogwen, a oedd, yn ôl gohebydd *Baner ac Amserau Cymru*, yn un o'r rhai mwyaf cynhyrfus a gynhaliwyd erioed, cafodd W.J. Parry dderbyniad a fyddai'n gweddu i'r hen frenhines ei hunan pan gododd ar ei draed i amddiffyn apêl Pwyllgor y Gronfa yn erbyn ensyniadau'r Parchedig R.T. Jones. Ni chodwyd yr un llaw o blaid cynnig y ficer eu bod yn dwyn cwyn yn erbyn yr apêl am ei bod yn gwneud cam â chymeriad Arglwydd Penrhyn ac yn debygol o fod yn rhwystr ar ffordd dod i heddwch. Hwtiwyd y ficer a'i eilydd, derbyniwyd gwelliant W.J. Parry eu bod yn cymeradwyo'r apêl yn unfryd unfarn, a rhoddwyd tair banllef o ddiolch i'r Mri John Hill a'i Fab, Ashton-under-Lyne, am eu rhodd haelionus o dair tunnell o blwm pwdin.

*   *   *

'Cym' bwyll, Ifan, neu camdreuliad gei di.'

Roedd yr hogyn yn rhawio'r pwdin i'w geg fel petai ar ei gythlwng.

'Mi oeddan ni'n arfar ca'l plwm pwdin bob Dolig doeddan, Mam? Pam na fasa chi wedi gneud peth Dolig dwytha?'

'Efo be 'ngwas i?'

Parodd y tristwch yn llais ei fam i Ifan frysio i ychwanegu,

'Hidiwch befo. Mi dan ni wedi ca'l un rŵan dydan. O lle doth hwn, Tom?'

'Gen rhyw gwmni o Loegar. Mi fuo Robat Jôs Gwich wrthi drwy'r dydd yn cario'r tunia o'r stesion i Neuadd y Farchnad.'

'Ffeind oeddan nhw 'te?'

Sylwodd Elen nad oedd Robert prin wedi cyffwrdd ei bwdin a cheisiodd ei gymell i'w fwyta cyn iddo oeri.

'Does gen i fawr o'i awydd o.'

'Ond mae'n gysur gwbod fod dieithriaid fel'na'n meddwl amdanon ni dydi.'

'Nid cardod i ddyn, ond gwaith.'

Roedd Ifan wedi llowcio cynnwys ei blât ac yn llygadu un ei dad yn awchus.

'Ga i'ch siâr chi 'ta?'

'Cei, â chroeso.'

Mygodd Elen ochenaid fach. Gallai hyn fod yn ddigon i yrru Robert i'r felan unwaith eto. Ceisiodd grafu am ryw gysur i'w gynnig iddo.

'Mae 'na si'n mynd o gwmpas fod Mr Young am ailagor y chwaral, Robat.'

Gwyddai Tom ei bod yn bwriadu'n dda, ond nid oedd unrhyw bwrpas twyllo'i dad i godi'i obeithion.

'Waeth iddo fo heb. Yr unig ffordd y câi o'r chwaral i weithio eto fydda i'r streicwyr fynd yn ôl a dydi hynny ddim yn debygol o ddigwydd. Wyddoch chi be galwodd o ni yn ôl un o'r papura . . . plant wedi'u difetha, byth yn hapus os nad ydyn nhw'n creu rhyw helynt.'

'Ond mi ddaru ddeud yn y terma y bydda fo'n barod i roi clust i'n cwynion ni, Tom.'

'A be ddigwyddodd i'r rhai ddaru feiddio cwyno yn '97? Ca'l 'u diswyddo "am dorri'r rheola", medda fo. Mae o'n trio deud rŵan fod y papurau pleidleisio'n hollol ddiwerth. Y c'lwyddgi cythral!'

Bu ond y dim i Ifan â thagu ar ei lwyaid olaf o bwdin.

'Ond dydi hynny ddim yn deg. Ni ddaru ennill 'te.'

Rhythodd Elen arno.

'Ennill be, d'wad?'

Roedd hi'n difaru'i henaid iddi sôn dim. Ond roedd y drwg wedi'i wneud a'r gobaith a fu'n ei chynnal yn ystod yr wythnosau diwethaf yn diffodd wrth i Robert ddweud,

'Allan y byddwn ni, felly.'

* * *

Er i Hannah geisio'i ddarbwyllo mai gadael i Daniel benderfynu drosto'i hun oedd y peth calla, ac na fyddai ymyrraeth ond yn creu drwgdeimlad rhyngddo ef ag Edward Ellis, roedd John Williams yr un mor benderfynol o gael y maen i'r wal ar y cyfle cyntaf.

Byddai wedi gwneud y gorau o'r cyfle hwnnw ar ôl y seiat nos Fercher pe bai Edward Ellis heb ei alw'n ôl fel yr oedd o'n gadael y festri. Go drapia'r dyn. Gallai fod wedi dweud beth bynnag oedd ganddo i'w ddweud cyn y seiat. Ni fyddai'n synnu petai'n gwneud hyn yn fwriadol.

Wrth weld John Williams yn rhythu arno, cafodd Edward ei demtio i roi'r ffidil yn y to ond ni allai dorri'i addewid i Daniel.

'Rhyw feddwl yr oeddan ni, John Williams . . .'

'A pwy ydi'r "ni" 'ma felly?'

'Daniel a finna. Wedi cael ar ddeall yr ydan ni fod petha'n o ddrwg yng nghartra Richard Morris gan nad ydi o'n derbyn yr un geiniog o'r Undab.'

'Mi gafodd gynnig ymuno, fel pawb arall.'

'Ond Laura sy'n diodda fwya. Mae hi'n gorfod rhoi'r cwbwl o'i thipyn cyflog i gadw'r teulu bach. A meddwl yr oeddan ni falla y gallwn ni gynnal cyngerdd yn y capal i godi arian i'w helpu nhw.'

Er bod Daniel ac yntau'n gwybod na fyddai'r syniad wrth fodd John Williams, nid oedd Edward wedi disgwyl y fath ymateb sarrug.

'Rydach chi *yn* sylweddoli nad ydi Richard a Catrin Morris ddim yn t'wllu'r capal o ddechra blwyddyn i'w diwadd hi?'

'Ydw, ond . . .'

Roedd ar fin dweud fod amlygu cariad at gyd-ddyn, sut berson bynnag oedd o, yn rhan o ddysgeidiaeth Crist, pan dorrodd John Williams ar ei draws,

'Ac eto rydach chi'n awgrymu gofyn i'r ffyddloniaid, nad ydyn nhw ond prin yn gallu crafu byw 'u hunain, gyfrannu at gynnal dyn ofer sydd wedi gwastraffu'i arian ar y ddiod feddwol. Rydw i'n synnu atoch chi a Daniel, Edward.'

Aeth y ddau i'w ffyrdd eu hunain, John Williams i ddweud ei gwyn wrth Hannah oherwydd y cyfle a gollwyd ac Edward Ellis i gyfaddef ei fethiant. Ni chafodd y naill na'r llall fawr o gydymdeimlad. Gyda'i doethineb arferol, ni ddywedodd Hannah air, ond roedd clec y tafod a'r ysgwyd pen yn ddigon. Dim ond codi'i ysgwyddau mewn ystum 'be arall oedd i'w ddisgwyl' a wnaeth Daniel ond ni cheisiodd Grace ei hatal ei hun rhag dweud,

'"Y tadau a fwytasant rawnwin surion, ac ar ddannedd y plant y bydd y dincod." Dyna mae Duw dial John Williams yn ei haeru, yntê?'

Nid oedd yn fodlon cymryd ei threchu chwaith. Drannoeth, roedd ar ei ffordd i Gae'r-berllan a'r un mor benderfynol â John Williams o gael y maen i'r wal. Cafodd groeso mawr gan Hannah, ond golwg digon surbwch oedd arno fo. Dyn a ŵyr pam ac yntau wedi cael ei ffordd ei hun, fel bob amser.

'Tawal iawn ydi hi'n y pentra dyddia yma, Grace.'

'Ia. Mi fedrach saethu ar hyd y stryd fawr fin nos heb daro neb.'

'Roedd yn ddrwg gen i ddallt fod Daniel wedi gorfod gohirio mynd i'r coleg. Mi glywis i ganmol mawr iddo fo yn Gerlan nos Sul dwytha.'

'Mae'n braf clywad hynny, ond mi dw i'n siŵr y bydda bara'n fwy derbyniol na phregath.'

Bu hynny'n ddigon i gymell John Williams i roi ei big i mewn.

'"Nid ar fara'n unig y bydd byw dyn." Mae arnon ni i gyd angan y bwyd ysbrydol.'

'Ond beth am y rhai nad ydyn nhw'n cael y gynhaliaeth honno?'

'Rydw i'n cymryd mai cyfeirio at Richard Morris yr ydach chi, Grace. Mi wyddoch fod eich tad wedi awgrymu ein bod ni'n cynnal cyngerdd elusennol ar ran y teulu?'

'Ar ran Laura, John Williams. Dim ond negesydd digon anfodlon oedd Tada. Fy syniad i oedd o.'

'Chwara teg i'ch calon chi. A mi dw i'n siŵr y gwnaiff John be fedar o i'ch helpu chi.'

'Ond mae gen i gyfrifoldab mawr fel pen-blaenor, Hannah.'

'Wrth gwrs fod ganddoch chi. A dydach chi ddim yn un i osgoi'ch cyfrifoldab.'

Roedd John Williams wedi'i daro'n fud. Ni chafodd Grace fawr o flas ar y teisennau cri a'r sgwrs efo Hannah. Nid oedd fymryn gwell o fod wedi galw; gwaeth, os rhywbeth, a hithau wedi creu anghydfod rhwng y ddau. Cafodd gyfle i ymddiheuro i Hannah pan ddaeth i'w danfon i geg y ffordd bost, ond ni wnaeth y wên gynnes na'r, 'Mae John a finna'n dallt ein gilydd yn o dda', ddim i leddfu'r euogrwydd na'r teimlad ei bod wedi siomi Laura unwaith yn rhagor.

9

Bu John Wiliams yn oedi'n hir cyn ysgwyddo'r cyfrifoldeb a orfododd Hannah arno. Cytunodd yn rwgnachlyd i ganiatáu cynnal y cyngerdd elusennol ar yr amod fod Edward Ellis yn gwneud y trefniadau. Ni fu i Grace sôn gair am ei hymweliad â Chae'r-berllan. Câi Tada'r clod o gael y llaw uchaf am unwaith. Ond ni roddodd hynny unrhyw foddhad i Edward. Ofnai y byddai'r ffyddloniaid, yn eu hanwybodaeth o'r amgylchiadau, yn gweld bai arno. Pan geisiodd egluro i Grace na fyddai'n taro'n dda iddo ef lywyddu'r cyngerdd oherwydd y cysylltiad a fu rhwng

Daniel a Laura ni wnaeth ond awgrymu, yn ddigon diamynedd, ei fod yn gofyn i un o'r blaenoriaid. Ond roedd y ffaith nad oedd yr un ohonynt wedi cynnig help llaw efo'r trefniadau yn gwneud hynny'n amhosibl.

Fel y nesâi'r cyngerdd, roedd meddwl am orfod wynebu'r gynulleidfa yn troi'n hunllef. Yna, un prynhawn, ac yntau ym mhen ei dennyn wedi nosweithiau o droi a throsi, cafodd fflach o weledigaeth pan alwodd W.J. Parry heibio i'r siop. Ar gychwyn i'r Blaenau i annerch cyfarfod ar ran y Gronfa Gynorthwyol yr oedd o ac yn teimlo'n hyderus y byddai'r cyfraniadau yr un mor hael ag arfer. Gwelodd Edward ei gyfle. Os gallai unrhyw un gael perswâd ar aelodau Jerusalem, W.J. Parry oedd hwnnw.

'Mi glywsoch ein bod ni'n bwriadu cynnal cyngerdd nos Fawrth er budd Richard Morris mae'n siŵr?'

'Do, Edward Ellis, ac mae'n rhaid i mi gyfadda fy mod i'n synnu braidd fod y brodyr wedi cytuno i hynny.'

'Dipyn o ddafad ddu ydi o wedi bod, mae arna i ofn, ond falla y bydd hyn yn foddion i ddod â fo'n ôl i'r gorlan. A meddwl o'n i, tybad fyddach chi'n fodlon llywyddu'r cyngerdd? Fydda fo ddim yn briodol i mi wneud hynny gan fod Daniel a'r enath fach 'na wedi bod yn eitha clòs ar un adag.'

'Laura, yntê? Dydw i ddim wedi'i chlywad hi'n canu ers tro byd.'

'A rheswm da am hynny. Hi sydd wedi bod yn cynnal y teulu ers misoedd gan nad oedd Richard Morris wedi ymaelodi â'r Undab.'

'Tewch â deud. Dydi o'n biti gweld y fath dalent yn mynd yn ofar? Mi gymra i'r llywyddiaeth, Edward Ellis, er nad ydi hwn mo'r amsar gora i gynnal budd gyngerdd.'

'Ond mae golwg fod petha ar wella.'

'A be sy'n gneud i chi feddwl hynny?'

'Deud maen nhw fod y chwaral i gael ei hailagor a bod tua mil a hannar wedi rhoi 'u henwa.'

'Dyna mae Mr Young yn ei haeru, ond fyddwn i ddim yn rhoi gormod o goel arno fo.'

Ofnai Edward ei fod wedi dweud gormod. Ac yntau wedi cael ei arbed, ni allai fforddio codi gwrychyn ei gymwynaswr.

'Does gan Daniel ddim bwriad mynd yn ôl, beth bynnag. Ond roedd o'n siomedig iawn ei fod o wedi colli'r cyfla i fynd i'r Bala.'

'Ia, mae'n resyn am hynny.'

'Mi fydda Gwen yn torri'i chalon. Roedd hi wedi rhoi'i bryd ar ei weld o'n mynd i'r Weinidogaeth.'

'Ond fe ddaw cyfla eto. Mi wyddoch chi, gystal â finna, fod gofyn i ni ymdrechu'n galad i geisio gorchfygu'r rhwystra sy'n cael eu gosod ar ein ffordd ni.'

'Go brin fod 'na neb wedi gneud mwy o ymdrach na Daniel. Mi fydda wrth ei lyfra hyd berfeddion nos, a gorfod codi i gychwyn i'r chwaral ben bora wedyn.'

'Mae o i'w edmygu'n fawr, Edward Ellis.'

'Ro'n i wedi gobeithio, cyn y cloi allan, y medrwn i fforddio'i helpu o, ond dydi hynny ddim yn bosib bellach.'

'Falla y galla i fod o ryw help. Mi alwa i heibio am sgwrs efo fo un o'r dyddia nesa 'ma.'

Daeth yr addewid dwbl â rhyddhad mawr i Edward Ellis. Byddai'n bleser cael dweud wrth Daniel a Grace fod W.J. Parry wedi cytuno i lywyddu'r cyngerdd ond câi'r addewid arall aros yn gyfrinach am y tro.

* * *

Byddai Ifan wedi rhoi'r byd am gael rhannu ei gyfrinach o. Teimlai ei fod ar fygu weithiau wrth i'r surni godi'n gyfog gwag i'w lwnc. Wrth lwc, roedd ei fam yn rhy brysur yn dwndran ei dad i dalu fawr o sylw iddo ond doedd hi ddim mor hawdd osgoi Tom. Daethai o hyd iddo'n swatio'n y cwt yng ngwaelod yr ardd un Sadwrn.

'Be w't ti'n neud yn fan'ma?' holodd.

'Dim byd.'

'Tyd, mi awn i am dro at Lyn Ŵan Ddol.'

''Sgen i'm awydd.'

'Pam? Be sy'n bod arnat ti?'

'Wedi blino dw i.'

'Yn gneud dim, ia? Tyd 'laen.'

Rhoddodd Ifan gynnig arall arni.

'Mi fydd hi'n amsar swpar toc.'

'Mae 'na oria tan hynny. Chest ti ddim cinio heddiw?'

'Dim ond brechdan, a mi rois i hannar honno i Joni.'

Wedi methu ei bwyta hi yr oedd o, ond petai'n cyfaddef hynny byddai Tom yn ei holi'n dwll.

'Mi fasa'n well i Lisi Mos forol am fwyd i'w theulu na cherddad tai.'

'Mae o am roi un i mi yn 'i lle hi pan fydd 'i dad o wedi dechra gweithio, medda fo.'

'Lle mae o am fynd felly? I'r Sowth?'

Ysgydwodd Ifan ei ben. Gafaelodd Tom yn ei ysgwydd a'i droi i'w wynebu.

'Mae o am roi'i enw'n y chwaral, dydi, y cythral dau wynebog!'

Tynnodd Ifan ei hun yn rhydd o afael Tom, ei stumog yn corddi a'i ben yn troi. Roedd o wedi'i gwneud hi rŵan. Ni fyddai Joni byth yn maddau iddo.

‘Mi ’nes i addo peidio deud.’

‘A ’nest ti ddim. Fi ddaru ddyfalu ’te. Joni ddeudodd wrthat ti fod Dei am fynd yn ôl?’

‘Ia, a does gen neb hawl i’w rwystro fo medda fo.’

‘A be ddeudist ti?’

‘Y bydda’n well iddo fo aros adra os nad ydi o isio cythral o gweir.’

‘Go dda chdi.’

Estynnodd Tom ddarn o daffi o’i boced.

‘Hwda, mi dw i’n meddwl dy fod ti’n haeddu hwn am fod mor driw i dy fêt. W’t ti’n barod i ddŵad am dro rŵan?’

Erbyn iddynt gyrraedd y llyn, roedd y surni a’r taffi wedi diflannu ac Ifan wedi penderfynu na fyddai’n addo dim i neb byth eto. Penderfynodd Tom, yntau, gadw’r wybodaeth iddo’i hun am sbel yn y gobaith na fyddai i Dei Mos weithredu ar ei fygythiad.

* * *

Bu ond y dim iddo â gollwng y gath o’r cwd y noson honno yn y King’s Head pan haerodd Now,

‘Yr Young ’na sy’n palu clwydda eto ’te. Fydda’r un o’r dynion yn barod i fynd yn ôl ar ’i delera fo.’

‘Does ’na ddim mwg heb dân, Now.’

‘Ac mae hwnnw wedi’i gynna ar un aelwyd yn Llwybrmain, ydi o?’

Ei dad oedd ’dani eto, wrth gwrs, ond doedd Now fawr feddwl pa mor agos oedd o at daro’r hoelen. Rhag ildio i’r demtasiwn o arbed ei dad ar draul Dei Mos, prysurodd i droi’r stori.

‘Ddarllenist ti’r llythyr yn y *Clarion* yn gwahodd pob

sosialydd i gyfrannu i'r Gronfa fel modd o ymladd trais bwli Castall Penrhyn?'

'Efo 'nyrna y bydda i'n ymladd, Tom.'

'Tasat ti 'di gweld yr hen Sholto'n 'i lordio hi ar y llwyfan ym Mangor. Roedd o'n ddigon i neud i waed rhywun ferwi.'

Ond nid oedd hynny wrth fodd Now chwaith.

'Be oeddat ti isio yn fan'no?'

Gweld y sioe 'te. Ond mi o'n i'n difaru mynd.'

'Oeddat, gobeithio. A be sydd ganddo fo i florio'n 'i gylch? Mi gafodd gic yn 'i din allan o'r Senadd, yn do?'

'Dydi o rioed wedi madda i etholwyr Sir Gaernarfon am roi Watkin Williams i mewn yn 'i le fo.'

'Fedar y diawl ddim madda. Mi ddeudodd yr hen ddyn 'i dad hynny'n do.'

Roedd un o'r criw wedi mynnu'r llawr ac yn canu ei ffarwél i chwarel Cae Braich Cafn:

'Ffarwél i'r mân stiwardiaid,
Ffarwél i'r stiward mawr;
Nid wyf i'r un o'r giwaid
Am roi fy nghap i lawr.

Ffarwél, ffarwél i'r cyfan,
Ni chana i ddim yn hwy;
Os yw fy nghân yn ysgafn –
Mae nghalon bron yn ddwy.'

Gwaeddodd Now arno i gau ei geg a'i heglu hi am y Sowth, fel yr oedd wedi bwriadu, cyn iddo ef wneud yn siŵr nad ei galon yn unig oedd wedi torri'n ddwy.

Diolchodd Tom ei fod wedi goresgyn y demtasiwn. Nid oedd y troi cefn a'r gadael yn ddim o'i gymharu â bwriad yr adar duon o fradychu eu cydweithwyr, yma ar eu tomen eu hunain. Gobeithio'r nefoedd y byddai Dei Mos yn ailfeddwl cyn iddo ddangos ei liw, er ei les ei hun a'i deulu a chymdeithas glòs Llwybrmain.

* * *

Daeth pumed mis y cloi allan â rhai cysuron i'w ganlyn. Derbyniodd pob pen teulu a weithiai'n y chwarel ddeg swllt o'r gronfa, a chafodd Richard Morris fesur o ryddid yn sgil y goes bren. Drannoeth y cyngerdd, mynnodd Grace fynd efo'i thad i fyny i Stryd Ucha i ddanfon yr arian. Swm digon tila oedd o, ar waethaf ymdrech W.J. Parry, ond roedd hi am wneud yn siŵr ei fod yn ateb ei bwrpas. Er iddi allu cythru am yr arian ar y blaen i Richard, llwyddodd Catrin i ddal ei thafod pan ddwedodd Grace y byddai hyn yn ysgafnu rywfaint ar faich Laura. Daeth yr haelioni annisgwyl â dagrau i lygaid Richard. Parodd ei addewid na fyddai'n cyffwrdd â'r un dafn o ddiod feddwol o hyn allan i Edward anghofio anghysur noson y cyngerdd ac absenoldeb amlwg John Williams. Ni fyddai'r pen-blaenor mor barod i farnu pan ddwedai wrtho fod yr estyn llaw wedi bod yn gyfrwng i ddod ag un pechadur yn ôl i'r gorlan.

Cafodd Arglwydd Penrhyn y llwyfan iddo'i hun yng nghinio Gŵyl Ddewi masnachwyr Bangor. Diolchodd, fel un oedd â diddordeb yn lles a chynnydd y genedl Gymreig, am y fraint o gael ymuno i ddathlu dydd y nawdd sant. Cyfeirodd at y ffaith fod nifer helaeth o ddynion yn dymuno dychwelyd i'r chwarel ond na feiddient wneud hynny oherwydd eu hofn, nid ohono ef na'i oruchwyliaeth, ond o'r gormes anweledig a fodolai yn eu mysg. Yr oedd ef, meddai, wedi anrhydeddu ei addewid ac ni allai wneud rhagor. Y gweithwyr oedd piau'r dewis. Ar gais meistr y ddefod, yfwyd llwnc destun i George Sholto Douglas-Pennant, ail Farwn Llandygai, a'r arglwyddes, a chanwyd 'For he's a jolly good fellow' gydag arddeliad.

Bu angen cryn berswâd ar Laura cyn iddi gytuno i wario peth o'i chyflog yn siop Huws Drepar. Mynnai mai ei lle hi oedd bod yn gefn i'w theulu ac nad oedd yn deg mynd ar ofyn pobl eraill. Go brin y byddai Grace wedi llwyddo i'w hargyhoeddi petai heb ddweud mewn ateb i'w chwestiwn, 'Dy syniad di oedd y consart 'na 'te?', mai Daniel oedd wedi rhoi'r syniad hwnnw ar waith.

Roedd hi'n hwyr y noson honno arni'n agor y parsel y bu'n ei warchod mor ofalus yr holl ffordd i'r Castell. Taenodd y sgert resog ddu a'r flows wen efo'r goler les, oedd yr un ffunud â'r un y bu'n dotio ati drwy wydr, ar gefn cadair fel y gallai eu gweld pan fyddai'n deffro'n y bore. Ni fyddai'n rhaid iddi oddef rhagor o grechwen y morynion. Ond er y rhyddhad a'r llawenydd a roddai hynny iddi, roedd bod Daniel wedi meddwl amdani yn golygu llawer mwy i Laura na phetai wedi cael cynnig holl gynnwys siop Huws drepar.

* * *

Wrthi'n ceisio paratoi pregeth at y Sul yr oedd Daniel, ond ni allai'n ei fyw gael pen llinyn arni. Camgymeriad mawr oedd mynd i'r neuadd neithiwr. Be ddaeth drosto, mewn difri, ac yntau wedi llwyddo i gadw'i bellter hyd yma?

Suddodd ei galon pan glywodd sŵn traed yn y cyntedd a Grace yn dweud,

'Dowch drwodd i'r parlwr, Mr Parry. Mi a' i i alw ar Tada.'

'Am gael gair efo Daniel yr ydw i, a dweud y gwir.'

Parodd clywed hynny iddo deimlo'n fwy anesmwyth. A be oedd W.J. Parry, Llys Coetmor, ei eisiau efo fo, tybed? Mae'n rhaid ei fod yn rhywbeth o bwys i beri iddo alw'n unswydd.

'Dydw i ddim yn aflonyddu arnoch chi, gobeithio, Daniel?'

'Na, ddim o gwbwl. Mae arna i ofn fy mod i wedi llaesu dwylo'n ddiweddar. Rydw i'n ama weithia os oes yna unrhyw ddiban dal ymlaen.'

'Dowch rŵan, mae'n rhaid dal yn gadarn. Roeddach chi yn y cyfarfod neithiwr, on'd oeddach?'

Roedd Parry wedi sylwi felly, er ei fod yn hwyr yn cyrraedd y neuadd ac wedi gadael ar y blaen i bawb. Mae'n rhaid fod gan y dyn lygaid barcud. Ni ddylai fod wedi mynd yn agos i'r lle.

'Ac mi glywsoch chi Ben Tillett yn dweud y dyla'r dynion fod â mwy o dân ynddyn nhw?'

'Mwy o'r diafol ddeudodd o, Mr Parry.'

'Dydw i ddim yn credu 'i fod o'n bwriadu 'u cymall nhw i ddilyn esiampl yr hen elyn hwnnw. Am i'r chwarelwyr ddangos i Arglwydd Penrhyn na chymran nhw mo'u trin fel caethion yr oedd o, yntê.'

'Ofn sydd gen i nad ydi Mr Tillett ond arf yn llaw'r Blaid Lafur Annibynnol a'i fod o'n defnyddio'r chwarelwyr i'w bwrpas 'i hun. Mi ddeudodd rai petha annoeth iawn.'

'Am yr hen "Kruger Penrhyn", ia? 'I fod o'n groes rhwng

Ffaro a Nero, yn ecsploitio'r dynion ac yn anwybyddu pob hawl moesol. Ac rydach chi'n anghytuno â hynny?'

Teimlai Daniel mor ddiymadferth â gwybedyn wedi cael ei ddal mewn gwe. Pa obaith oedd ganddo ef o ddal ei dir efo dyn nad oedd ganddo ofn herio'r Lord ei hun? Ond, a'r geiriau chwerwon a glywsai neithiwr yn bygwth ei ddyfodol, nid oedd am gymryd ei orfodi i gytuno.

'Mi a'th yn rhy bell . . . dinistrio unrhyw obaith setlo'r anghydfod.'

'Brwydr ydi hon, Daniel, nid anghydfod, ac mae gofyn i bob un ohonon ni benderfynu i ba ochr y mae o'n perthyn.'

'Mae ceisio ymladd fy mrwydr fy hun yn gymaint ag y medra i neud ar hyn o bryd.'

'Rydw i'n sylweddoli hynny. Mi ge's i sgwrs efo'ch tad. Pitïo yr oedd o na all o mo'ch helpu chi'n ariannol fel yr oedd o wedi gobeithio. Ac ro'n i am i chi wybod fy mod i'n fwy na pharod i sgafnu dipyn ar y baich. Mi ro i fenthyg yr arian i chi, a fydd dim gofyn i chi dalu'n ôl nes y cewch chi'ch cefn atoch.'

A dyna pam yr oedd o yma. Sut y gallai ei dad fod wedi ymostwng i ofyn cardod? Llwybr garw oedd yr un y bu iddo ef ei ddewis, yn dyllog a charegog. Nid oedd wedi treulio'i dyddiau'n ymlafnio ar Bonc Twll Dwndwr a'i nosau yma'n y parlwr yn llosgi'r gannwyll yn ei deupen i gael teimlo glaswellt meddal o dan ei draed. Byddai baich dyled yn pwyso'n drymach nag un pererin Bunyan hyd yn oed ac yn ei amddifadu o'r hawl i allu dweud, "mi a ymdrechais ymdrech deg, mi a orffennais fy ngyrfa.".

Diolchodd am y cynnig, gan ychwanegu'n glir a phendant, 'Os ydw i i lwyddo, mi wna i hynny drwy fy ymdrach fy hun.'

Petai Grace heb fynnu cael gwybod beth oedd pwrpas

ymweliad W.J. Parry byddai'r frawddeg honno wedi bod yn glo ar y mater.

'Ac mi wrthodist ti'r cynnig?' holodd yn bigog.

'Do.'

Mygodd Edward Ellis ochenaid fach.

'Biti garw, a Mr Parry mor awyddus i dy helpu di.'

'Ofynnis i ddim am 'i help o. A ddylach chitha ddim fod wedi gneud hynny chwaith . . . pledio tlodi.'

'Dim ond digwydd sôn 'nes i.'

'A be oedd o'i le ar hynny?'

'Fasat ti'n fodlon derbyn cardod, Grace?'

'Ond nid cardod mo'no fo.'

Roedd gwaed Grace yn berwi. Mor falch fyddai hi o fod wedi cael cyfle fel hwn. Gallu profi iddi ei hun mai Grace Ellis oedd hi, ac nid efelychiad gwael o fam na allai byth bythoedd gymryd ei lle.

'Dydw i ddim isio gorfod dibynnu ar neb.'

'A be arall w't ti wedi bod yn neud yn ystod y misoedd dwytha 'ma? Cymryd yn ganiataol fod dy ddillad di'n barod at y Sul, dy bryda bwyd di ar y bwrdd yn 'u hamsar. Dydi hwnnw ddim yn disgyn fel manna o'r nefoedd 'sti.'

'Dyna ddigon rŵan, Grace.'

Be oedd yn bod ar yr enath? Ni fu na dannod na thynnu'n groes ar yr aelwyd tra oedd Gwen yn fyw. Roedd hi eisoes wedi digio Robat Jôs ac wedi codi gwrychyn sawl cwsmer drwy wrthod rhoi nwyddau ar lab. A rŵan roedd hi'n troi tu min ar ei brawd ei hun.

'Mae'n bwysig fod Daniel yn cael siawns i ddal ymlaen efo'i 'studio nes daw petha'n ôl i drefn.'

'Rydach chi'n byw mewn paradwys ffŵl os ydach chi'n credu hynny.'

‘Ond mae ’na obaith y bydd y busnas yn gwella rŵan fod y chwaral i gael ’i hailagor.’

‘Ac mi fyddach chi’n barod i dderbyn arian gan rai sy’n dewis troi cefn ar ’u cydweithwyr?’

‘Fedrwn ni ddim gadal i’r busnas fynd â’i ben iddo, Grace.’

Ond ni wnaeth sylw digon rhesymol Daniel ond cynhyrfu rhagor arni.

‘Ni? A pa gyfraniad w’t ti wedi’i neud? Diflannu i’r parlwr neu i’r ddarllenfa a gadal y cwbwl i Tada a fi, heb falio dim be sy’n dŵad ohono fo.’

Ni ddaeth tawelwch wedi’r storm i’r un o aelodau teulu Bristol House. Treuliodd Daniel weddill y min nos yn meddwl am bopeth ond ei bregeth. Wrth iddi fynd ati i gyflawni’r holl orchwylion nosweithiol, teimlai Grace yn gwbwl ddiedifar ac ni fyddai wedi diolch i’w thad am ofyn maddeuant ei Dduw trugarog ar ei rhan.

* * *

Ers rhai wythnosau bellach, bu’r gwanwyn yn cripian yn araf i fyny’r dyffryn gan droi’r tir crintach yn borfa. Crwydrodd yn slei bach efo glannau Afon Ogwen ac oedi i wisgo’r coed â dail wrth fynd heibio i Dŷ’n y Maes a Phont y Tŵr. Yr un mor slei, chwyddodd nifer y rhai a bleidleisiodd dros dderbyn telerau Augustus Emilius Young. Siom iddo ef, fodd bynnag, oedd na fu iddo gael ond tri chant saith deg pump o geisiadau am waith. Ym marn Arglwydd Penrhyn, pwysau o du’r streicwyr oedd i gyfrif am hynny. Roedd y peth yn warth – pwyllgor yr Undeb yn meiddio amau ei hawl i redeg ei chwarel ei hun fel y mynnai, ac yntau wedi gwneud cymaint ar ran ei weithwyr. Aeth ar ofyn y Cyrnol Ruck a chael sicrwydd y byddai'r heddlu'n gwneud popeth o fewn eu gallu i warchod y swyddogion a'r dynion rhag y gwrthryfelwyr oedd yn benderfynol o danseilio'i awdurdod.

Er mor awyddus oedd Young i ychwanegu at y nifer, ni chafodd pob cais ei dderbyn. Gadawyd rhai Ymneilltuwyr selog ar y clwt gyda'r esgus o reswm fod trefniadau eraill wedi eu gwneud ac nad oedd angen eu gwasanaeth mwyach. A thocynnau'r ailfynediad yn eu meddiant, casglai aelodau'r blaid fain ynghyd liw nos gerllaw eglwys St Ann, dan gysgod yr annwyl Fam, a chludodd amryw ohonynt eu harfau'n ôl i'r chwarel dan lenni'r gwyll.

Mewn cyfarfod yn y neuadd, tystiodd Griffith Davies twrna i garedigrwydd a haelioni Arglwydd Penrhyn. Roedd ef wedi gofyn am ei gymorth ar sawl achlysur yn ystod yr helynt presennol ac ni chawsai ei wrthod gymaint ag unwaith. Ar ddechrau cyfnod o ddrwgdeimlad a diffyg ymddiriedaeth rhwng y gweithwyr a'i gilydd, ei obaith ef oedd y byddai i'r arglwydd weld ei ffordd yn glir i ddwyn y pleidiau at ei gilydd ac adfer heddwch. Cytunwyd yn unfrydol eu bod yn gwrthdystio yn y modd cryfaf yn erbyn y weithred ddianghenraid o ddwyn heddgeidwaid ychwanegol i Fethesda a'u bod yn gofyn i'r awdurdodau eu galw'n ôl yn ddioed.

Yng nghapel Jerusalem, apeliodd John Williams ar y gynulleidfa i ddangos eu teyrngarwch i amgenach Arglwydd, un oedd bob amser yn barod i wrando cwyn a rhoi'i ysgwydd dan y baich. Ni welwyd yr un bwlch ym myddin y dynion yn ystod y streic ddiwethaf a llwyddwyd i gadw anrhydedd a theimladau da heb eu niweidio. Ac er nad oedd hynny'n wir heddiw, lle i ddiolch oedd ganddynt fod y frwydr hon wedi magu dynion ym Methesda na fyddai iddynt byth eto blygu i Baal. Yr oeddynt, meddai, wedi anadlu awyr iach rhyddid ac fe ddeuai muriau gormes i lawr ryw ddiwrnod. Y noson honno, a dydd barn chwarelwyr Bethesda yn agosáu, rhoddodd geriau Pedr Fardd hyder a nerth iddynt wynebu'r yfory:

'Mae'r utgorn mawr yn seinio'n awr i ni
Ollyngdod llawn trwy'r Iawn ar Galfari:
Mawl ym mhob iaith trwy'r ddaear faith a fydd,
Am angau'r groes, a'r gwaed a'n rhoes yn rhydd.'

10

Ysai Grace am weld ei thad yn gorffen ei frecwast, ond nid oedd osgo symud arno. Ni fu fawr o Gymraeg rhyngddynt er pan fu iddi hi droi ar Daniel. Disgwyl iddi dynnu'i geiriau'n ôl yr oedd o, mae'n debyg. Nid oedd ganddi unrhyw fwriad o wneud y fath beth. Ymateb digon surbwch a gafodd pan ddwedodd wrtho fod Daniel wedi mynd i agor y siop a'i fod am gymryd drosodd am y bore. Ei hedliwiad hi oedd wedi achosi hynny hefyd, wrth gwrs.

Roedd o wedi clirio'i lwnc fwy nag unwaith, fel pe bai ar fin dweud rhywbeth, a hithau wedi ei pharatoi ei hun. Ond rhoddodd ei glywed yn dweud ei fod wedi ymddiheuro i W.J. Parry ysgytwad iddi.

'Am be, mewn difri?' holodd yn frathog.

'Ddylwn i ddim fod wedi crybwyll y peth. Wn i ddim be

fydda dy fam yn 'i feddwl ohona i. "Tlawd a balch", dyna fydda hi'n 'i ddeud bob amsar.'

'Ond mi fedar balchdar fod yn faen tramgwydd weithia.'

'O, medar. Ac mi fydda'n well i'r streicwyr 'ma lyncu'u balchdar er mwyn 'u gwragadd a'u plant.'

'Roedd John Williams yn 'i deud hi'n arw am y bradwyr nos Sul.'

'Nid yn y capal mae gneud hynny.'

'Ond roeddach chi'n canmol pregath William Lloyd ar y deg darn ar hugian rai Sulia'n ôl.'

'Bradychu'i Grist ddaru Judas, Grace.'

'Ac mae bradychu cyd-ddyn yn llawn cymaint o bechod.'

'Pwy ydan ni i farnu, yntê? Doedd Mr Parry ddim mymryn dicach er ei fod o'n pitïo'n arw fod Daniel wedi gorfod gwrthod.'

'Nid yn amal mae rhywun yn ca'l cystal cynnig.'

'Ac mi fydda'n dda gen i 'tasat titha wedi ca'l cyfla i fynd yn dy flaen. Rydw i'n cofio Mr Edwards y prifathro'n dŵad yma'n un swydd i erfyn arna i beidio dy dynnu di o'r ysgol. Ond pa ddewis oedd gen i?'

'Waeth heb â sôn am hynny bellach.'

'A dwyt ti rioed wedi dannod colli'r cyfla hwnnw, chwara teg i ti. Mae Daniel a finna'n ddigon cyndyn o ddiolch, ond wn i ddim be fydda wedi dŵad ohonon ni'n dau a'r busnas hebddat ti.'

Tada druan. Roedd o'n credu fod yr ychydig eiriau o werthfawrogiad yn gwneud iawn am ei cholled. Gallai uniaethu â siom Daniel, ond nid oedd ganddo unrhyw amgyffred o'i gwewyr hi. Gwenodd arni, yn ei ryddhad o gael clirio'r awyr. Ers talwm, byddai'r wên honno fel haul ar fryn, ond heddiw ni allai wneud dim i ddadmer ei mynydd rhew o galon.

* * *

Wrthi'n rhoi trefn ar y nwyddau y tu allan i'r siop yr oedd Daniel pan glywodd lais a fu'n fwrn arno sawl tro yn ei gyfarch yn goeglyd,

'Rydw i'n falch o weld dy fod ti'n sylweddoli fod angan bwydo'r corff yn ogystal â'r ysbryd, Dan.'

Trodd i weld Now Morgan yn crechwenu arno.

'Dydw i ddim yn cofio i mi erioed wadu hynny. A lle w't ti'n cychwyn yr adag yma o'r bora?'

'At Bont Tŵr, i roi croeso i'r bradwyr. Waeth i mi heb â gofyn i ti ddŵad, mae'n siŵr.'

'Rydw i wedi addo gofalu am y siop.'

'Ia, g'na di hynny. Dydi o mo'r lle i chdi.'

Cythrodd Now yn ei flaen a'r alwad i ryfel yn diasbedain yn ei ben. Wrth Bont y Tŵr, roedd tyrfa fawr o ddynion a merched yn disgwyl yn eiddgar am yr adar duon. Byddent yn gadael eu nythod heddiw ac yn datgelu eu lliw yng ngolau dydd. Sawl un o aelodau caban Ponc Twll Dwndwr, a dyngodd lw adeg y cloi allan nad aent yn ôl am bris yn y byd, fyddai yn eu mysg tybed? Cofiodd fel y bu i Tom ddweud na ellid rhoi coel ar bobl, ac yntau'n mynnu na fyddai neb yn ei lawn bwyll yn cytuno i dderbyn y telerau. A lle oedd y cachwr bach hwnnw? Wedi aros adra i gysuro ei dad, debyg. Er ei fod wedi gwneud ati i blagio Tom, ni fu iddo amau teyrngarwch Robert Evans am eiliad. Roedd hyn yn siŵr o fod yn ergyd iddo, ac yntau wastad yn meddwl y gorau o bawb. Ta waeth am hynny, yma yr oedd lle Tom. Doedd rhyw geiliog gwynt na allai ddibynnu arno yn da i ddim.

Y munud nesaf, fe'i gwelodd yn gwthio'i ffordd tuag ato.

'Lle gythral w't ti 'di bod?' holodd yn chwyrn.

'Fedrwn i ddim gadal Mam. Mi fuo nhad allan am oria neithiwr. Roedd hi'n berfeddion arno fo'n dŵad i'r tŷ, yn wlyb at 'i groen.'

'Heddiw oedd yn pwyso ar 'i feddwl o, mae'n siŵr, methu credu y galla petha fod wedi troi allan fel hyn, mwy na fedra inna, ran'ny.'

Cododd cri o Goed y Parc, 'Mae'r diawliad ar 'u ffordd!'

I gyfeiliant yr hwtio, y chwythu cregyn, a'r bloeddiadau o, 'Bradwyr! Cynffonwyr! Judasys!', gorymdeithiodd tua deugant o chwarelwyr am Chwarel Braich y Cafn o dan ofal yr heddgeidwaid. Torsythai rhai yn dalog, gwyrai eraill eu pennau, a'r dewis a wnaed yn eu huno ar y daith ddi-droi'n-ôl.

* * *

'Mi roesoch chi fraw i mi neithiwr, Robat.'

Nid oedd Elen wedi bwriadu cyfeirio at hynny. Ei fod wedi dod adra'n saff, dyna oedd yn bwysig. Ond siawns nad oedd hi'n haeddu rhyw eglurhad wedi oriau o boen meddwl a noson ddi-gwsg.

'Mae'n ddrwg gen i. Do'n i ddim wedi bwriadu mynd cyn bellad.'

'Lle buoch chi felly?'

'I fyny am Fryn Llwyd. A wyddoch chi be welis i . . . rhai o 'nghydweithwyr i'n cludo'u harfa'n ôl i'r chwaral.'

'Isio osgoi helynt oeddan nhw debyg. Fyddach chi'n ystyriad mynd yn ôl, Robat?'

Roedd hi wedi mentro gofyn y cwestiwn, o'r diwedd.

'Fyddwn i byth wedi gadal o 'newis fy hun.'

'Cael eich gorfodi ddaru chi 'te. Ond chi pia'r hawl i benderfynu, waeth be mae Tom na neb arall yn 'i ddeud.'

'Ac mi fyddach chi'n fodlon i mi roi fy enw?'

'Os mai dyna'ch dymuniad chi.'

'Mi fydda'n dda calon gen i petai hynny'n bosib, Elen.'

Ac yn dda ganddi hithau hefyd. Tybed oedd Robert wedi clywed cnul un pâr o esgidiau hoelion mawr ben bore? Yn ôl Tom, roedd y Joni bach 'na wedi bod yn brolio wrth Ifan nad oedd gan neb hawl i rwystro'i dad rhag mynd yn ôl.

'Wedi mynd am Bont Tŵr mae Tom?'

'Ia, debyg. Be maen nhw'n bwriadu'i neud . . . taflu cerrig a mosod, fel ddaru nhw ar Richard Hughes a'r lleill adag y cloi allan?'

'Mi fydd yno ddigon o blismyn i gadw trefn.'

'Dda gen i mo'u gweld nhw o gwmpas y pentra. Mae Pesda 'ma wedi bod yn lle heddychlon rioed.'

'Mi fuo 'na amball ffrwgwd yn ystod y streic ddwytha.'

'Ond dim byd tebyg i hyn, Robat.'

Tawodd y ddau pan glywsant Ifan yn dod i lawr y grisiau, ond yn rhy hwyr. Roedd y clustiau bach wedi clywed y cyfan.

* * *

Aeth Grace ati i dwtio'r gegin, er na fyddai ots ganddi ar y munud petai'r lle fel tŷ Jeroboam. Gallodd berswadio ei thad i fynd am dro. Nid oedd angen dau yn y siop ac fe wnâi les i Daniel brofi'r dirywiad drosto'i hun.

'Grace.'

Cododd ei phen i weld Daniel yn sefyll yn y drws. Cwta ddwyawr, dyna fesur ei gyfraniad o, ia? Roedd hyd yn oed un bore yn ormod i'w ofyn.

'Ydi Tada o gwmpas?'

'Na, mae o wedi mynd allan.'

'Diolch am hynny. Mi fedri ddŵad trwodd rŵan, Tom.'

Sleifiodd Tom i mewn a golwg ci wedi cael cweir arno, un llygad ynghau a'r gwaed yn llifo o'i dalcen.

'Y nefoedd a'n gwaredo! Wedi bod yn cwffio w't ti?'

'Rhywun daflodd garrag a finna'n sefyll yn 'i ffordd hi.'

Syllodd Daniel yn gyhuddgar ar ei gyn-bartner.

'Ro'n i'n ama mai helynt fydda 'na.'

'Dos di'n ôl i'r siop, Daniel. Mi ofala i am Tom.'

Wedi iddi gael cefn Daniel, estynnodd Grace gadach glân o ddrôr.

'Dal hwn yn erbyn y briw tra bydd y teciall yn berwi.'

'Dydw i ddim isio gneud traffarth i chdi, ond fedrwn i ddim gadal i Mam 'y ngweld i fel hyn. Dydi o ddim cynddrwg â'i olwg 'sti.'

'Gawn ni weld am hynny wedi i mi ga'l gwarad â'r gwaed 'ma. Mi a'th petha'n flêr felly?'

'Ddim rhy ddrwg. Mwy o sŵn na dim arall.'

'Nest ti ddim byd gwirion, gobeithio?'

'Naddo, ond wn i ddim sut medris i ddal.'

'Mae'n rhaid i ti ystyriad dy fam, Tom.'

'Dydi hi ddim yn deall 'sti.'

'Rydw i'n credu 'i bod hi. Ofn sydd arni hi 'te, fel sawl un arall . . . gweld 'u byd yn chwalu'n deilchion o'u cwmpas nhw.'

'Ond mae o i fyny i ni adeiladu gwell byd.'

'W't ti'n credu fod hynny'n bosib?'

'Pa ddiban arall sydd i'r frwydr 'ma?'

'Gobeithio dy fod ti'n iawn. W't ti'n barod? A tria beidio gwingo gormod.'

'Iawn, Miss.'

Cewciodd arni drwy'r llygad iach.

'Ydi hynna'n brifo?'

'Yn sobor, ond mae o 'i werth o bob tamad.'

Roedd cudyn o'i gwallt wedi dod yn rhydd ac yn cosi ei foch wrth iddi blygu drosto. Gafaelodd hithau ynddo rhwng bys a bawd a'i wthio y tu ôl i'w chlust.

'Dyna ti, mi gei fyw i weld dwrnod arall.'

Roedd hi'n symud oddi wrtho. Damio unwaith, pam na fyddai wedi manteisio ar y cyfle i gyffwrdd â'r cnawd llyfn, cynnes, syllu i eigion y llygaid tywyll, a dweud wrthi gymaint o feddwl oedd ganddo ohoni?

'Mae dipyn gwell golwg arnat ti rŵan.'

'Diolch i *ti*.'

'I be arall mae ffrindia'n da 'te.'

Ffrindiau, a dyna'r cwbwl. Byddai'n rhaid iddo fodloni ar hynny. Nid oedd, ac ni fyddai ganddo byth, ddim i'w gynnig iddi.

Gadawodd Tom Bristol House heb wybod y byddai un cyffyrddiad wedi bod yn ddigon i doddi'r galon rew ac i gydio'r ers talwm, a gadwyd o hyd braich, wrth yr heddiw ofer.

* * *

Y bore Mawrth hwnnw ar Bonc Red Leion, cafodd y rhai a hwtiwyd ac a wawdiwyd wrth Bont y Tŵr eu croesawu gan neb llai na'r arglwydd ei hun. O'i lwyfan ar ei geffyl cydnerth, diolchodd iddynt ar ran ei fab ac yntau. Yr oeddynt, meddai, wedi profi fod ganddynt y gwroldeb i weithio fel dynion rhydd ar waethaf pob gwrthwynebiad ac wedi ymddwyn ag urddas yn wyneb trais a bygythiadau. Yn dâl am eu teyrngarwch, roedd pob un ohonynt i dderbyn sofren felen yn ogystal â phump y cant o godiad cyflog. Bu'r gymeradwyaeth a'r hwrê mawr yn ddigon i'w argyhoeddi mai ei eiddo ef oedd y fuddugoliaeth.

I'r cannoedd a orymdeithiodd o Bont y Tŵr hyd at 'Rallt Isa ac yn ôl i'r neuadd, nid oedd y frwydr ond megis dechrau. Dywedwyd pethau hallt am y pendefig gwaedlas a gadwodd oddi wrth ei weithwyr yn ystod y cload allan fel pe baent yn wahanglwyfion, ond na wastraffodd eiliad cyn mynd i'r chwarel at y rhai drodd eu cefnau ar eu cydweithwyr. Yn ôl y Parchedig J.T. Job, Carneddi, roedd pobl Deheudir Cymru, lle bu ef yn weinidog cyn dod i Fethesda, yn anadlu awyr rydd, heb unrhyw gastell i ddychryn neb.

Teimlai W.H. Williams, ysgrifennydd cyllidol Undeb y Chwarelwyr, fod y bradwyr, drwy dderbyn pump y cant o ychwanegiad cyflog a sofren felen punt y gynffon, wedi eu gwneud eu hunain yn fwy o gaethion nag erioed o'r blaen. Ni allent byth mwyach wneud yr un gwyn o ba natur bynnag yn erbyn yr oruchwyliaeth. O hyn allan, byddai pob ochenaid, pob dymuniad o eiddo Arglwydd Penrhyn, yn ddeddf amhlygadwy iddynt. Cododd eraill ar eu traed i dystio y byddai'n well ganddynt lwgu na dychwelyd heb yr oll o'r gweithwyr. Ond go brin bod neb wedi ei siomi'n fwy na Henry Jones, Gerlan. Crynai'r llais cadarn wrth iddo ddisgrifio sut y bu iddo weld rhai a gymerai arnynt yr enw 'dynion' yn cael eu hebrwng gan heddgeidwaid o

Chwarel Braich y Cafn ac yn cerdded yn dalog yn wyneb haul a llygad goleuni. Gwyddai fod amryw o'r gynulleidfa wedi clywed am Lyfr Du Caerfyrddin. Byddai Llyfr Du Bethesda yn cael ei gyhoeddi yn y man ac iddo'r cas duaf y gellid ei gael. Ond gallai disgynyddion y rhai oedd yno, wrth edrych ar enwau'r bradwyr yn y llyfr hwnnw, ddweud gyda balchder na fu i'w tad na'u taid fradychu ei gyd-chwarelwyr yn y flwyddyn 1901.

Roedd nerth mewn undeb y noson honno wrth iddynt ymuno i ganu emyn y sefyll allan, eu hemyn hwy:

'O! Arglwydd Dduw rhagluniaeth,
  Ac iechydwriaeth dyn,
Tydi sy'n llywodraethu
  Y byd a'r nef dy hun;
Yn wyneb pob caledi
  Y sydd neu eto ddaw,
Dod gadarn gymorth imi
  I lechu yn dy law.'

* * *

Er syndod i Tom, ni thalodd ei fam fawr o sylw i'r briw ar ei dalcen, dim ond dweud yn ddigon ffwr-bwt, 'Dyna sydd i'w ga'l'. Drannoeth, pan gyrhaeddodd adref yn gynt nag arfer, wedi cael llond bol ar glywed Now yn chwythu bygythion, nid oedd hanes ohoni. Gadawodd ei dad yn pendwmpian wrth y tân ac aeth i eistedd ar wal yr ardd.

'A be w't ti'n 'i neud, myfyrio anrhaith, ia?'

Daethai ar ei warthaf heb iddo sylwi.

'Aros amdanoch chi.'

'Fedri di ddim byw hebdda i am bum munud, d'wad?'

'Lle dach chi wedi bod tan rŵan?'

'Yn helpu Lisi Mos efo'r golchi. Dydi'r gryduras ddim hannar da.'

''I chydwybod yn 'i phoeni hi. Faswn i'm yn codi bys bach i'w helpu hi 'taswn i chi, na thorri gair efo hi na'r un o'r teulu chwaith.'

'Mi siarada i efo pwy mynna i, Tom. A paid ti â gwgu arna i fel'na.'

'Mi wyddoch fod y Dei Mos 'na wedi mynd yn ôl i'r chwaral.'

'Gwn. Does wnelo hynny ddim byd â fi.'

'Mae o wnelo â phob un ohonon ni, Mam. Un allan, pawb allan, dyna oedd y cytundab.'

'Ca'l 'i orfodi i gytuno yn erbyn 'i ewyllys 'nath dy dad.'

'A dyna pam yr ydach chi wedi bod yn 'i annog o i gynnig 'i enw?'

'Wnes i ddim ffasiwn beth.'

'Ond mi ddeudoch chi y byddach chi'n fodlon iddo fo neud hynny, yn do?'

'Os mai dyna'i ddymuniad o, dyna ddeudis i. Ifan sydd wedi bod yn prepian, debyg. On'd ydi o'n stelcian o gwmpas, yn gwrando bob dim.'

'Poeni mae o 'te. Dydi o ddim am weld 'i dad yn troi'n fradwr.'

*   *   *

Er i Elen Evans dyngu iddi ei hun na roddai hi byth dafod i'r gair 'bradwr', bu'n rhaid iddi dderbyn fel pawb arall nad oedd modd ei osgoi. Daethai'r geiriau sarhaus a glywyd yn diasbedain o Goed y Parc yn rhan o eirfa bob dydd. Erfyniodd Lisi Mos arni i gadw draw rhag creu anghydfod, ond ni allai feddwl am droi ei chefn ar un fu mor dda wrthi pan ddaeth yma i Lwybrmain.

Ar ei thaith wythnosol i lawr i'r pentref, sylwodd fel yr oedd pobl yn osgoi edrych i lygaid ei gilydd, yn troi eu cefnau, yn mwmian dan eu hanadl. Roedd y stryd fawr yn wacach nag y gwelsai hi erioed. Daeth wyneb yn wyneb â hen gymdoges iddi yn Bristol House. Er iddi ei chyfarch yr un mor siriol ag arfer, y cyfan o ymateb a gafodd oedd, 'Mae'n ddrwg gen i fod Dafydd ni wedi methu dal, Elen Evans.' Roedd ar fynd i'w dilyn a manteisio ar y cyfle i'w sicrhau ei bod yn deall pam, ond bu'r edrychiad faswn-i-ddim-yn-gneud-hynna-taswn-i-chi a gafodd gan y wraig a safai wrth y cownter yn ddigon i'w rhewi'n ei hunfan. Nid oedd gan Grace fawr i'w ddweud ac nid oedd ganddi hithau awydd dal pen rheswm efo Edward Ellis. Cwyno ynglŷn â'r busnes yr oedd o. Pawb â'i boen, debyg.

Er ei bod yn ysu am gael cyrraedd ei haelwyd ei hun, bu'n rhaid iddi oedi fwy nag unwaith i geisio bwrw'i blinder, ond i ddim pwrpas. Wrth iddi nesáu at ei chartref, gwelodd Ifan a Joni yn sefyll ar ganol y lôn a'u dyrnau i fyny. Roedd y ddau'n ysgyrnygu ar ei gilydd, fel pe baen nhw wedi colli arnynt eu hunain yn llwyr. Nid oedd Robert erioed wedi codi'i ddyrnau at neb. Tom oedd i'w feio am hyn, yn annog yr hogyn i gwffio.

Er ei blinder, cyflymodd ei chamau. Drwy gil ei llygad, gwelodd Lisi Mos yn hofran yn y cysgodion. Ychydig wythnosau'n ôl, ni fyddai Lisi wedi bod fawr o dro yn setlo'r ddau, ond roedd yr hen helynt 'ma wedi ei llethu hi, gorff ac ysbryd.

Heb betruso eiliad, camodd rhyngddynt, ac meddai'n chwyrn,

'Sawl tro ydw i wedi deud wrthat ti am roi'r gora i'r hen chwara cwffio gwirion 'ma, Ifan?'

Trodd Ifan ati a'i lygaid yn fflachio.

'Nid chwara ydan ni tro yma, Mam.'

'Fo ddechreuodd, Elen Ifans. Galw enwa ar 'nhad.'

'A be ddeudist ti am 'y nhad i? Nad ydi o'm hannar call 'te?'

Teimlai Elen fel gafael yn Joni gerfydd ei wallt a'i ysgwyd nes bod ei ddannedd yn rhincian. Ond nid oedd ganddi ronyn o nerth yn weddill. Â chryndod yn ei llais, meddai,

'Rhag cwilydd i chdi'r hen gena bach yn deud y fath beth. Cer o 'ngolwg i'r munud 'ma.'

Sleifiodd Joni i ffwrdd fel ci lladd defaid, a'r peth olaf a glywodd Elen wrth iddi gau'r drws o'i hôl oedd Ifan yn gweiddi nerth esgyrn ei ben,

'Mi ca i di am hynna eto, Joni Mos.'

* * *

Cafodd Ifan ei hysio i'w wely'r noson honno cyn iddo gael cyfle i dreulio'i swper, a'i siarsio nad oedd ar boen ei fywyd i grybwyll yr helynt wrth ei dad. Aeth Elen ati i dwtio lle nad oedd angen twtio gan glustfeinio am sŵn traed Robert. Roedd hi wedi gobeithio y byddai Tom yn cynnig mynd i chwilio amdano, ond roedd hwnnw'n ysu am gael hel ei draed am Pesda. Pa well oeddan nhw o orymdeithio drwy'r pentref i'r neuadd Sadwrn ar ôl Sadwrn? Clochdar a churo cefna'i gilydd heb fod mymryn nes i'r lan, a dynion o sa' fel

Henry Jones a John Williams yn eu hannog i herio awdurdod un na fu gofyn iddo erioed blygu i neb.

Roedd Elen yn llygad ei lle. Ac yntau'n derbyn pentwr o lythyrau bob dydd yn ei longyfarch ar ei fuddugoliaeth a'i safiad cadarn, nid oedd bygythiadau ei gyn-weithwyr yn mennu dim ar Arglwydd Penrhyn. Ond parodd y llythyr herfeiddiol a ymddangosodd yn y *Clarion* dan y teitl, *'A check to Labour'*, iddo gysylltu â'i gyfreithiwr i fynnu ymddiheuriad. Yn hytrach na thynnu'i eiriau'n ôl, anfonodd W.J. Parry lythyr arall, mwy egr na'r cyntaf, yn cyhuddo Penrhyn o ddefnyddio cyfoeth, safle, yr heddlu a hyd yn oed milwyr a gwasg wasaidd i wasgu ar y dynion, a'u gorfodi i ymostwng iddo.

Ni lwyddodd y gweision bach yn eu lifrai swyddogol i ddychryn y dyrfa a orymdeithiai drwy'r pentref i ddilyn y band y noson honno. Byddai Ifan Llwybrmain wedi rhoi'r byd am gael bod yno'n llafar ganu efo'r plant,

'Mae'r ffordd yn rhydd i bawb,
Mae'r ffordd yn rhydd i bawb;
Hidiwch befo'r plismyn,
Mae'r ffordd yn rhydd i bawb.'

Cafodd y Lord lonydd am unwaith. Y bradwyr oedd 'dani, yr adar duon, cachwrs punt y gynffon, y rêl down blagards. Yno, ar flaen y gad, ymunodd Now a Tom i dystio ar ucha'u lleisiau nad oedd bradwr yn y dorf honno ac mai gwell angau na chywilydd.

Yn y neuadd, yr un oedd anogaeth Henry Jones. Cytunwyd eu bod wedi colli pob ymddiriedaeth yn Mr Young a'u bod yn condemnio yn y modd llymaf ymddygiad nifer o'u hen gydweithwyr oedd wedi llychwino eu henw da. Rhoddwyd cymeradwyaeth fyddarol i'r llywydd pan awgrymodd eu bod yn gweithredu ar awgrym D.R. Daniel, trefnydd Undeb Chwarelwyr Gogledd Cymru, ac yn cael printio cardiau a'r geiriau 'Nid oes bradwr yn y tŷ hwn' arnynt, fel eu bod yn gallu eu dangos yn ffenestri eu cartrefi.

Tra oedd nerth mewn undeb yn peri i gyn-weithwyr Chwarel y Penrhyn ddyblu a threblu 'O! Arglwydd Dduw rhagluniaeth', roedd y pendefig gwaedlas, nad oedd ganddo'r gallu i faddau, yn paratoi i ddefnyddio'i rym a'i bŵer i gynllwynio dial ar y gŵr a feiddiodd lychwino ei enw da ef.

11

Roedd y King's Head dan ei sang a'r cwrw'n llifo. Yfodd Now ei beint ar ei dalcen gan alw am un arall. Dringodd ar fainc a gweiddi uwchlaw'r dwndwr,

'Be fydd hi, hogia? Punt y gynffon, ia?'

Sylwodd Tom fod y graith ar ei dalcen yn plycio a diolchodd nad oedd ond chwarter awr cyn amser cau.

Tawodd pawb. Fel yng nghaban Ponc Twll Dwndwr, Now Morgan oedd piau'r llwyfan. Er nad oedd yn fawr o ganwr, roedd angerdd y geiriau yn gwneud iawn am hynny:

'Glywsoch chi'r ystori anfwyn –
Stori'r brad a stori'r cynllwyn?
Gwaeth na Brad y Cyllyll Hirion
Yw ystori punt y gynffon.'

Erbyn iddo gyrraedd y pennill olaf, roedd peint arall wedi diflannu i lawr y lôn goch a'r graith ar ei dalcen yn plycio mwy fyth wrth iddo boeri gwawd ar y cynffonwyr:

'O! mor werthfawr yw cymeriad!
Does â'i pryn holl aur y cread:
Deill yr hollfyd brynu dynion –
Fe eill sofren brynu cynffon.'

Cafodd Tom gryn drafferth i'w gael i lawr o'i lwyfan.

'Faint o ffenestri w't ti 'di torri'n ddiweddar, Now?' galwodd rhywun.

Rhythodd Now o'i gwmpas yn orchest i gyd.

'Dydw i'm rhy siŵr. Ond mi fydd 'na fwy yn dipia heno.'

Cythrodd Tom am ei fraich cyn iddo allu dweud rhagor, a'i arwain at y drws.

'Tyd 'laen, Now,' erfyniodd. 'Does wbod pwy sy'n gwrando.'

'Dydi o uffarn o ots gen i. Wyddat ti fod Dei Mos yn un o deulu'r gynffon?'

'Mi glywis 'i fod o wedi rhoi'i enw.'

Ysgydwodd Now ei hun yn rhydd o afael Tom a chamu allan i'r stryd.

'Pam na fasat ti 'di deud wrtha i?'

'Fedrwn i ddim credu'r peth. Ac ynta wedi honni wrth 'nhad nad âi o ddim yn ôl am bris yn y byd.'

'Mi dw i'n meddwl 'i bod hi'n bryd dysgu gwers i'r c'lwyddgi cythral. Be 'tasan ni'n galw heibio iddo fo ar y ffordd adra?'

Teimlodd Tom ei waed yn fferru. Un peth oedd bwrw ei

lid ar lafar; peth arall oedd troi'r bygwth yn weithred a'r geiriau'n gerrig. Ond ni allai fentro tynnu'n groes i Now. Ni fyddai hwnnw ond yn rhy falch o gael dannod ei lwfrdra iddo.

'Yr hwn sy'n ddieuog, tafled y garreg gyntaf.' Dyna oedd testun Mathew Jones, y gweinidog, yn Hermon rai Suliau'n ôl. Ni chawsai ef fawr o afael ar y bregeth, ond roedd ei fam wedi'i phlesio'n arw a bu'n ailadrodd rhannau ohoni hyd at syrffed. Er pan yn bwt o hogyn, bu gofyn iddo ef dderbyn fod pechod yn dwyn ei gosb. Onid oedd y cynffonwyr, drwy droi eu cefnau ar eu cyd-ddynion a chowtowio i'r meistr, yn euog o fradychu eu Duw hefyd, ac onid oedd yn bryd iddynt hwythau wynebu'r canlyniadau? Erbyn iddynt gyrraedd Llwybrmain, roedd Tom wedi llwyddo i'w argyhoeddi ei hun fod ganddo ef, fel un o'r rhai dieuog, yr hawl moesol i daflu'r garreg gyntaf.

* * *

Lloyd George oedd piau'r llwyfan yn Clapham y noson honno. Diolchodd i'w gydwladwyr am ddod ynghyd i ddangos eu cefnogaeth i chwarelwyr dewr y Penrhyn, a ymladdai am yr hawl lleiaf o gyfuniad gyda holl wydnwch cenedl fechan.

'Wyddoch chi,' holodd, 'mai'r chwarelwyr eu hunain a gododd dros hanner y mil a chant o dai sydd ar ystâd Arglwydd Penrhyn? Roeddan nhw felly'n rhoi'n ôl i'r arglwydd y cyflog yr oeddan nhw wedi llafurio amdano, yn ogystal ag ychwanegu'n sylweddol at werth ei eiddo a'i restr rhent.'

Oedodd, ei lygaid treiddgar yn gwanu i bob cwr o'r

neuadd gan hoelio sylw'r gynulleidfa a gorfodi pob aelod ohoni i chwilio ei galon a'i feddwl. Heb godi'i lais, meddai,

'Ond agwedd y Barwn ydi – Wedi i ti adeiladu'r tŷ nid ti sy'n berchen arno. Mae rhan ohono'n perthyn i mi a bydd y rhan hwnnw'n tyfu fesul blwyddyn. Mi ga i ychydig o gerrig eleni, ychydig yn rhagor y flwyddyn nesaf, ac mi gymera i dy dŷ di drosodd garreg wrth garreg. Pan fyddi di'n hen ddyn mi fydd ei hanner yn eiddo i mi, a phan fyddi di farw fy mab i fydd yn ei etifeddu ac nid dy fab di.'

Roedd y gynulleidfa'n fud. Yna torrwyd ar y tawelwch gan lais yn gweiddi, 'Cywilydd!' I gyfeiliant y gymeradwyaeth frwd a'i dilynodd, ildiodd Lloyd George ei le i gynrychiolwyr y dewrion a wynebai galedi oedd y tu hwnt i eiriau. Er bod dipyn gwell graen ar ddehongliad y côr o ymdeithgan 'Milwyr y Groes' na'r canu a gaed ym mar y King's Head, yr un oedd yr angerdd a'r ymroddiad:

'Ddewrion filwyr croes yr Iesu,
Mynnwn arfau'r nefoedd
Yna medrwn lwyr orchfygu'r
Gelyn cas a chry.
Ymlaen, ymlaen.'

* * *

Yr un oedd y drefn fel pob Sul arall – oedfa'r bore, Ysgol Sul, oedfa'r nos a seiat. Cadwodd teulu rhif ugain Llwybrmain yr un mor driw ag arfer i'r gorchymyn, 'Y seithfed dydd yw Sabath yr Arglwydd dy Dduw: na wna ynddo ddim gwaith.' I Elen Evans, hwn oedd uchafbwynt yr wythnos. Gwnâi'n siŵr fod popeth wedi ei baratoi yn ystod y Sadwrn, pob dilledyn yn lân a thwt a dim llygedyn o lwch i'w weld yn unman. Diwrnod i'r teulu oedd o, i gydgerdded y lôn i Hermon, i gydaddoli a chyd-ddiolch. Ond y Sul hwnnw, a sŵn gwydr yn torri'n deilchion yn atsain yn ei chlustiau, ychydig o sylw a roddodd Elen i'r ddwy bregeth a phynciau'r Ysgol Sul a'r seiat. Am y tro cyntaf erioed, roedd yn falch o weld y diwrnod yn tynnu i'w derfyn. Aeth i glwydo'n gynnar gan ddiolch na fu iddi ildio i'r demtasiwn o ddinistrio'r un diwrnod a roddai nerth iddi ddal ymlaen.

Fore trannoeth, wedi i Ifan a Robert adael y tŷ, cafodd gyfle i roi tafod i'r cwestiwn a fu'n mud gorddi'n ei meddwl drwy gydol y nos hir, ddi-gwsg.

'Chdi sy'n gyfrifol, yntê, Tom?'

'Am be 'lly?'

'Y llanast 'na nos Sadwrn.'

'Wn i'm am be dach chi'n sôn. Pa lanast?'

'Paid ti â trio taflu llwch i'm llygid i. Be ddoth dros dy ben di, mewn difri? Mi dan ni wedi byw'n gymdogol erioed.'

'Mi fedrwn ni neud heb gymdogion fel rheina. Gora bo gynta iddyn nhw hel 'u traed odd'ma. Maen nhw'n warth ar y lle.'

Roedd hi wedi gobeithio y byddai ganddo o leia'r gras i ddangos peth cywilydd, ond nid oedd unrhyw arwydd o hynny yn ei lais na'i osgo.

'Oedd y Now 'na efo chdi?'

'Oedd.'

'Ro'n i'n ama y bydda hwnnw'n ca'l dylanwad drwg arnat ti.'

'Fy mhenderfyniad i oedd o, Mam.'

Gyrrodd yr un frawddeg honno ias drwyddi. Nid ffenestr Dei Mos yn unig a dorrwyd nos Sadwrn. Yn gymysg â'r darnau gwydr, roedd ysgyrion y gorchmynion a ysgrifenwyd ar lech calon Tom er pan oedd o'n ddim o beth. A'i llais yn drwm gan siom, meddai,

'Duw a dy helpo di, 'ngwas i.'

* * *

Tyfodd y cardiau yn ffenestri'r tai fel madarch dros nos. Testun balchder oedd geiriad y cerdyn i John Williams, ond unig ymateb Hannah oedd ochenaid fach a 'biti 'i bod hi wedi dŵad i hyn.'.

Bu Catrin Morris yn dili-dalio am sbel cyn penderfynu y byddai gwrthod dangos y cerdyn yn gyfystyr â chyfaddef euogrwydd. Nid oedd ganddi hi ddim i gywilyddio'n ei gylch. Cafodd Jini Maud lond ei chetyn pan ddwedodd, 'Mi o'n i'n meddwl dy fod ti a'r Lord yn llawia garw', a'i hatgoffa fel yr oedd Richard, y creadur, wedi aberthu aelod o'i gorff yng ngwasanaeth y Lord – a Laura, bendith arni, yn rhoi o'i hamser a'i hegni i ofalu am ei gysuron ef a'i deulu.

Roedd y cerdyn yn ffenestr Bristol House yn ddolur llygad i Edward Ellis. Daniel oedd wedi ei roi yno, heb hyd yn oed ymgynghori ag ef, ond gwyddai mai Grace, a'i chrêd ei fod yn ddyletswydd moesol arnynt ddangos lle'r oedden nhw'n sefyll, oedd tu cefn i hynny. Yn un yn erbyn dau, nid oedd ganddo ddewis ond ildio, ond rhoddodd ei droed i lawr pan ddwedodd Grace fod Mr Daniel yn mynnu y dylent wrthod gwerthu dim i'r cynffonwyr o hyn allan. Pob parch i Mr Daniel, ond ganddo ef, fel masnachwr, yr oedd yr hawl i dderbyn neu wrthod.

I fyny yn Llwybrmain, ni allai Elen osgoi'r gair oedd yn stwmp ar ei stumog a hwnnw bellach ar ddu a gwyn. Er nad oedd y cerdyn fawr o faint, roedd fel petai'n llenwi'r ffenestr fach ac yn taflu'i gysgod dros y gegin. Prawf o'u teyrngarwch oedd o, yn ôl Tom. Ond onid oedd Crist wedi dweud, "Gochelwch rhag gwneuthur eich elusen yng ngŵydd dynion, er mwyn cael eich gweld ganddynt."? Ac onid oedd bod yn hunangyfiawn yn bechod yng ngolwg Duw?

A'r cywilydd yn gwasgu arni, bu'n oedi cyn mynd draw i weld Lisi Mos. Erbyn hynny, roedd hi'n rhy hwyr. Mor falch oedd Tom o gael dweud mai wedi dianc i nythu efo'r adar duon yn Nhregarth yr oedden nhw. Ei hogyn hi yn ymfalchïo yn y ffaith iddo fod yn gyfrwng i droi teulu allan o'u cartref! Be oedd Lisi yn ei feddwl ohoni hi, tybed? Mae'n debyg mai'r peth olaf welodd hi wrth adael Llwybrmain oedd y cerdyn yn y ffenestr a'i eiriad yn glo ar gyfeillgarwch blynyddoedd.

* * *

Er iddo gerdded y stryd fawr ddegau o weithiau yn ystod yr wythnosau diwethaf, ni allai Tom yn ei fyw fagu plwc i alw yn Bristol House. Ceisiodd ei berswadio ei hun nad oedd unrhyw ddiben. Dylai fod wedi dal ar y cyfle y noson honno wrth Bont y Tŵr i ddweud wrth Grace gymaint o feddwl oedd ganddo ohoni. Cawsai ail gyfle, a gwneud stomp o hwnnw hefyd. Ac onid oedd Grace wedi gwneud yn berffaith glir y diwrnod y bu iddi drin ei friwiau na allen nhw byth fod yn ddim ond ffrindiau? Ond dal i gerdded y stryd yr oedd o, yn y gobaith y byddai iddo daro arni.

Digwyddodd hynny yn gwbl ddirybudd un prynhawn

Mercher. Er yr holl aros a'r byw mewn gobaith, byddai wedi rhoi'r byd, ar y munud, am allu ei heglu hi oddi yno nerth ei draed. Roedd ei gwên a'i chyfarchiad yr un mor gynnes ag arfer.

'Mi w't ti wedi bod yn ddiarth iawn, Tom.'

'Ofn oedd gen i na fydda 'na fawr o groeso i mi acw.'

'Waeth i ti befo Dan. Mi fydda Tada a finna wedi bod yn falch o dy weld di.'

Go brin fod hynny'n wir, meddyliodd.

'Ar fy ffordd i Ben Bryn yr ydw i.'

'I weld Laura, ia?'

'Na. Dydw i ddim wedi clywad oddi wrthi ers hydoedd. Ro'n i wedi 'nhwyllo fy hun i feddwl fod pob dim yn iawn rhyngddan ni, ond fyddan nhw byth.'

Ni fyddai waeth iddi fod wedi ychwanegu 'mwy na fyddan nhw rhyngon ni'n dau'; dweud yr hyn oedd ar ei meddwl yn blwmp ac yn blaen a'i orfodi yntau i dderbyn y gwir, un waith ac am byth. Gallent wedyn gytuno i droi eu cefnau ar yr ers talwm a ffarwelio yma, yn rhydd ohono.

'Am alw i weld Catrin Morris yr ydw i.'

'Pa well fyddi di ar hynny?'

'Dim gwell, falla, ond mae'n rhaid i mi.'

Roedd colled arno'n meddwl am eiliad fod modd torri'n rhydd. Onid oedd yr un gair 'rhaid' yn dweud y cwbwl? Ac onid yr un gair hwnnw a'i gyrrodd ef i gerdded y stryd fawr ddiwrnod ar ôl diwrnod? Roedd Grace yn barod i oddef tafod mileinig Catrin Morris er mwyn ceisio dal gafael ar yr ers talwm, a'r peth lleiaf y gallai ef ei wneud oedd bod yno'n gefn iddi.

'Mi ddo i efo chdi, os ca i.'

'Diolch, Tom.'

'I be arall mae ffrindia'n da 'te?'

Daeth adlais y geiriau â'r wên yn ôl i'w hwyneb. Cafodd ei demtio i gynnig ei fraich iddi, yno yng ngolau dydd ac yng ngŵydd pawb, ond hyfdra fyddai hynny ac nid oedd am i ddim amharu ar fwynhad y cydgerdded.

A hwythau ar fin cyrraedd y tro am Ben Bryn, daeth Now Morgan ar eu gwarthaf.

'A lle dach chi'ch dau'n cychwyn?' holodd yn awgrymog.

Mygodd Tom yr awydd i ddweud wrtho nad oedd hynny'n ddim o'i fusnes ac meddai'n swta,

'Dim ond am ryw dro bach.'

'Falla y bydda'n well i mi ddŵad efo chi i warchod Miss Ellis rhag yr adar sglyfaethus sy'n hofran o gwmpas y lle 'ma.'

'Fydd dim angan hynny, Now.'

'Gofala fod gen ti garrag neu ddwy yn barod, rhag ofn. Mi glywist, debyg, fod Dei Mos a'r teulu wedi symud i Dregarth at y bradwyr er'ill sy'n diodda o glefyd y Castall?'

'Do, mi glywis.'

'Mi ddeudis i y byddan ni'n 'i setlo fo'n do. Fyddi di ar gael heno?'

'Gawn ni weld.'

'Petha gwell i neud, ia? Hwyl i chi'ch dau.'

Ni fu Tom erioed cyn falched o weld cefn Now. Roedd y cythral wedi gwneud ati'n fwriadol i darfu ar Grace. Cenfigen, dyna oedd yn ei gorddi. Er ei fod a'i lach ar deulu Bristol House, byddai wedi rhoi'r byd am gael bod yn ei sgidiau o heddiw.

'Mae'n ddrwg gen i am hynna, Grace.'

'Yn ddrwg gen inna hefyd. A dyna sut w't ti'n bwriadu adeiladu gwell byd, ia . . . drwy ymosod ar gartrefi pobol?'

'Mi fedra i egluro.'

'Waeth i ti heb â gwastraffu d'anadl. A paid â disgwyl i mi drin dy friwia di'r tro nesa, Tom.'

Roedd hi'n mynd a'i adael, heb gymaint â ffarwél, ac yntau mor glwm ag erioed wrth yr ers talwm. Aethai'r cyfle olaf yn ofer, diolch i Now Morgan a'i hen geg fawr. Ni chawsai siawns i'w amddiffyn ei hun hyd yn oed. Wrth iddo gerdded yn ddiamcan i lawr y stryd fawr nid oedd yr argyhoeddiad fod ganddo, fel un o'r rhai dieuog, yr hawl moesol i daflu'r garreg gyntaf o gysur yn y byd iddo.

* * *

Cafodd Catrin Morris foddhad mawr y prynhawn hwnnw o adael Grace Ellis yn sefyll ar y rhiniog, a mwy o foddhad fyth o gael dweud wrthi fod gan Laura gariad newydd. Roedd y ffaith ei bod wedi cael ei thrin mor egar wedi achosi loes calon iddi hi a Richard, meddai, ac ni wyddai beth fyddai wedi dod ohoni oni bai amdanyn nhw. Ond roedd hi wedi mendio drwyddi bellach, diolch i William. Un o Sir Fôn oedd o, wedi'i gyflogi'n ostler yn y Castell, ac yn feistr ar ei waith. Hogyn a'i draed yn soled ar y ddaear.

Gwyddai Grace ei bod yn tynnu arni'n fwriadol, yn ei herio i ymateb. Gwyddai hefyd fod llygaid yn ei gwylio o bob cyfeiriad a chlustiau'n agored i bob gair a ddywedai. Ceisiodd osgoi edrych ar y dwylo geirwon y gwelsai eu hôl ar y corff bach eiddil. Byddai, wrth roi tafod i'r geiriau oedd yn berwi o'i mewn, yn mentro colli'r urddas a'r hunan-barch yr oedd Tada'n rhoi cymaint o bwyslais arnynt, a hynny heb fod ronyn elwach. Roedd Laura wedi cilio am byth a gorau po gyntaf iddi dderbyn hynny. Gadawodd Stryd Ucha a'i phen yn uchel.

Bu'r glep a roddodd Catrin ar y drws yn ddigon i ddeffro Richard o'i gyntun.

'Pwy oedd 'na?' holodd yn swrth.

'Merch Bristol House.'

'Pam na fasat ti'n gofyn iddi ddŵad i mewn?'

'Mae ots gen i pwy i'w gynnwys i 'nghartra.'

'Be oedd hi'n i neud yma 'lly?'

'Holi am Laura. Ond dydi honno isio dim i neud efo hi.'

'Biti. A nhwtha'n arfar bod yn gymint o ffrindia.'

'Dw't ti rioed 'di anghofio be 'nath y brawd 'na sydd gynni hi i dy hogan di?'

Na, nid oedd wedi anghofio, nac yn debygol o wneud. Oni bai am y ddamwain, byddai wedi setlo'r shinach bach.

'Ond mi ddaru Edward Ellis a Grace neud ymdrach i'n help ni'n do?'

''U cydwybod oedd yn 'u pigo nhw 'te. A faswn i ddim wedi cyffwrdd yr un geiniog o'u hen bres nhw, o ddewis.'

Catrin oedd yn iawn, mae'n siŵr. Câi teulu Bristol House fynd i'r diawl. Dim ond gobeithio y byddai'r cariad newydd yn ffeind wrth Laura a'r hen hiraeth creulon yn cilio fesul tipyn. Ond gofid mwyaf Richard ar y funud oedd fod Catrin wedi ei ddeffro o'i gwsg, yr unig ddihangfa oedd ganddo ef bellach rhag yr hiraeth hwnnw.

* * *

Wedi rhai oriau o grwydro wysg ei drwyn, dychwelodd Tom i Lwybrmain yn ei ffieiddio ei hun. Wrth fynd i ganlyn Now a mynnu'r hawl i ddial roedd o wedi sarhau ei dad, clwyfo'i fam a siomi Grace. Ac i be? Er mwyn profi i

Now nad oedd ganddo yntau ofn na Duw na dyn. Roedd o'n llawn gorchest pan daflodd y garreg drwy ffenestr Dei Mos ac yn fwy na pharod i dderbyn ei gosb. Ond cawsai ei sigo gan y boen yn llygaid ei fam a'r dirmyg yn llais Grace. Nid oedd ganddo unrhyw obaith ailennyn y cyfeillgarwch, ond efallai y gallai esmwytho peth ar y boen drwy syrthio ar ei fai a chyfaddef ei gywilydd.

Aeth ei holl fwriadau da efo'r gwynt pan ddwedodd ei fam yr eiliad y cerddodd i mewn,

'Diolch byth dy fod ti wedi cyrradd cyn i dy dad ddŵad yn 'i ôl. Mae'r dyn Trench 'na newydd fod yma.'

Ni fyddai ymweliad hwnnw'n mennu dim ar ei fam, fel rheol, a hithau'n talu'r rhent yn gydwybodol bob mis.

'Fuo fo'n gas efo chi?'

'Mae o'n bygwth ein troi ni allan os na thalwn ni'r pedwar swllt sydd arnon ni. Ond dydi'r pres ddim gen i.'

'Ro'n i'n meddwl eich bod chi'n arfar cadw rheiny naill du.'

'Mi dw i wedi rhoi'r rhan fwya ohonyn nhw'n do.'

'I bwy, Mam?'

'Judith John Jeri. Mi alwis i heibio wsnos dwytha. Un dorth, dyna'r cwbwl oedd ganddi hi'n y tŷ, wedi'i phobi hi 'i hun efo'r blawd gafodd hi gen bwyllgor y gronfa, a rhyw chydig o ddail te oedd wedi ca'l 'u defnyddio drosodd a throsodd. Fedrwn i ddim edrych ar y plant bach 'na'n llwgu, Tom. Maen nhw wedi diodda digon fel mae hi.'

Nid oedd ond ychydig wythnosau er pan ddaeth un ohonynt o hyd i'w dad yn y cwt yng ngwaelod yr ardd, wedi torri'i wddw â chyllell. Llwfrgi oedd o yn ôl Now, yn osgoi ei gyfrifoldeb yn hytrach na sefyll fel dyn. Ond be wyddai un fel Now am wewyr meddwl a baich anobaith?

‘Mi fydd yn galw eto ddechra’r wsnos, medda fo, i nôl ’i bres.’

Gwthiodd Tom ei law i’w boced a thynnu dyrnaid o arian allan.

‘Ylwch, mi dw i wedi cadw rhain wrth gefn.’

Nid oedd angen iddo eu cyfri. Onid oedd wedi gwneud hynny bob nos ers misoedd lawer? Dyma’r cyfan oedd ganddo ar ei elw, wedi eu celcio fesul ceiniog. Roedd eu pwysau’n ei boced a’r tincial wrth iddynt daro yn erbyn ei gilydd wedi rhoi ryw gymaint o sicrwydd iddo.

‘Siawns na fydd o’n fodlon ar hynna.’

A’r boced wedi’i gwagio, teimlai’n gwbl ddiamddiffyn. Ond roedd y cynhesrwydd yn llais ei fam wrth iddi ddweud, ‘Diolch i ti, ’ngwas i’, yn gwneud iawn am hynny. Deuai cyfle i ymddiheuro eto. Ar hyn o bryd roedd y gwneud yn bwysicach na’r dweud.

‘A dim gair am hyn wrth dy dad, cofia. Mi fydda’n ddigon amdano fo petai o’n gwbod ’i fod o mewn peryg o golli’i gartra, ar ben bob dim arall.’

Eisteddodd y ddau o boptu’r tân i aros am Robert ac Ifan, a’r gyfrinach yn eu cydio’n dynn. Ac er yr euogrwydd a’r hunanedliwiad gwyddai Tom yn ei galon y byddai’r cwlwm rhyngddynt yn ddigon cryf i wrthsefyll pawb a phopeth.

12

Cododd Grace y cadach o’r fwced a’i wasgu’n ffyrnig. Roedd ganddi ddigon ar ei phlât heb orfod ymroi i lanhau’r ffenestri. Ni fyddai Tada byth wedi caniatáu i’w mam wneud y fath orchwyl. Ond nid oedd angen i’r un ohonynt faeddu eu dwylo bryd hynny, o ran hynny, a Nansi yno at alwad pawb. Doedd hi fawr o damaid i gyd a golwg fel petai'n bwyta gwellt ei gwely arni. Cofiai ei chael yn cysgu ar y grisiau fwy nag unwaith, wedi blino gormod i ddringo i'w llofft yn yr atig. Ond roedd Nansi o leiaf yn derbyn ryw gymaint o dâl am ei llafur.

Yn fyddar i'r symud a'r siarad y tu cefn iddi, bwriodd ei llid ar y ffenestr. O'r diwrnod y gorfodwyd hi i adael yr ysgol, roedd hi wedi llwyddo i lenwi'r bwlch a adawodd Nansi, heb unwaith haeddu'r hawl i eistedd yng nghadair ei mam. A phetai'n gweithio'i bysedd i'r bôn ni allai byth ennill yr hawl hwnnw.

Yn sydyn, torrodd haul drwy'r cymylau a thrywannu'r gwydr, nes ei dallu. Wrth iddi gamu'n ôl, trawodd yn erbyn y fwced haearn.

'W't ti 'di brifo, Grace?'

Pan ddychwelodd o Stryd Ucha, roedd hi wedi mynd ar ei llw na fyddai'n ceisio cysylltu â Laura byth eto ac wedi addo iddi ei hun y byddai'n gwneud ati i gadw hyd braich petai'n digwydd taro arni. Roedd Laura wedi gwneud yn berffaith glir, trwy ei dieithrwch, nad oedd y doe a'i gyfeillgarwch yn golygu dim iddi bellach. Teimlodd Grace y dagrau'n procio a brwydrodd i'w cadw'n ôl. Rŵan ei bod wyneb yn wyneb â hi byddai gofyn iddi sefyll yn gadarn a dal ei gafael ar yr hunan-barch a'r urddas a roddodd y nerth iddi allu gwrthsefyll Catrin Morris.

'Taro fy migwrn 'nes i,' meddai'n siort.

'Ddylat ti ddim rhoi pwysa arno fo. Tyd, mi helpa i chdi at y drws.'

'Mi dw i'n iawn. Dos di. Mi fydda'n biti i ti gadw'r cariad newydd i aros.'

Cafodd ei geiriau a thôn ddirmygus ei llais yr effaith a ddymunai. Llifodd y gwrid i wyneb Laura.

'Pwy ddeudodd wrthat ti?' holodd yn betrus.

'Dy fam. Mi es i draw yno i holi'n dy gylch di, fel o'n i wiriona.'

'Mae'n ddrwg gen i, Grace. Ro'n i isio deud wrthat ti, ond fedrwn i ddim.'

'Mi w't ti'n rhydd i ganlyn pwy fynni di.'

'Do'n i ddim am i Dan wbod.'

'Wela i ddim pam. Mi ddeudodd 'i fod o am roi'r cyfla i ti gyfarfod rhywun arall, yn do.'

Er cynddrwg y boen yn ei migwrn nid oedd i'w gymharu â'r gwewyr o wybod fod ffrind yr oedd ganddi'r fath feddwl ohoni wedi troi cefn arni. Ni allodd ei hatal ei hun rhag gofyn yn goeglyd,

'A sut un ydi'r cariad 'ma, felly?'

'Mae o'n un da 'i waith. Fo sy'n gofalu am y ceffyla.'

'Ac yn un clên, yn ôl dy fam.'

'Ydi. Ond dim byd tebyg i Dan.'

Pa mor glên bynnag oedd y William 'ma ni fyddai byth yn ddim ond ail-orau. Druan ohono. Pa obaith oedd ganddo o ennill calon Laura? Roedd hi wedi rhoi honno i Daniel i'w chadw flynyddoedd yn ôl pan gredai pedwar plentyn diniwed fod modd gwireddu breuddwydion.

Gadwodd Laura yn sefyll yno a hercian am y siop, ei phen yr un mor uchel ag ydoedd pan adawodd Stryd Ucha. Roedd hi wedi dal at ei phenderfyniad ac wedi cadw'i hurddas. Pan holodd ei thad beth oedd yn bod, rhyddhad oedd cael rhoi'r bai ar yr haul a'r fwced.

*　　　*　　　*

Bu'r haul hwnnw'n hael ei wenau yn ystod Gorffennaf ac Awst, ond ni lwyddodd ei wres a'i olau i gynhesu calonnau na dileu'r ofnau.

Yng Nghae'r-berllan, a'r tawelwch yn pwyso'n drwm arni, hiraethai Hannah am yr hafau a fu pan ddeuai atsain lleisiau a chwerthin plant efo'r awel o Bont y Tŵr.

Câi Elen, hithau, y tawelwch a fu unwaith yn falm i'w hysbryd yn faich. Roedd Robert a Tom yr un mor fud â'i gilydd, y naill a'r llall yn diflannu am oriau bwygilydd, ac Ifan yn llusgo o gwmpas fel pe bai'n cario'r byd ar ei ysgwyddau. Sawl gwaith yn y gorffennol yr oedd hi wedi ei geryddu am fod yn rhy llac ei dafod? Mor falch fyddai hi o'i fwrlwm siarad heddiw.

Yn ei hystafell yn y Castell, a chwys diwrnod gwaith yn oeri ar gnawd, ceisiai Laura orfodi'r hiraeth i nesu at yr erchwyn. Bob tro y galwai ym Mhen Bryn, byddai ei mam yn ei hatgoffa mor lwcus oedd hi wedi bod. Roedd yn hen bryd iddi ddechrau cyfri'i bendithion a gwneud yn fawr o'r ail gyfle. Ond ni allai gael gwared â'r teimlad ei bod wedi gwneud tro gwael â Dan. Onid oedd hi wedi dweud wrtho nad oedd hi eisiau neb arall? Nid âi noson heibio heb iddi ofyn i Dduw ofalu amdano a maddau iddi hithau am dorri'i gair.

Ni fu gan Edward Ellis ddim i'w ddweud wrth yr haf ar ôl colli Gwen. Bob prynhawn Mercher braf, byddai'n ei gymell i anghofio'r siop a'r busnes a'r ddau yn mynd i grwydro wysg eu trwynau. Blodyn oedd blodyn iddo ef, ond i Gwen roedd pob un yn wyrth. Gallodd yntau rannu'r rhyfeddodau o'u gweld drwy'i llygaid hi. Yn ystod y prynhawniau hynny, roedd ei holl synhwyrau'n effro i'r byd o'i gwmpas. Un haf, pan oedd y gwacter yn gwasgu arno, aeth i ddilyn eu llwybrau yn y gobaith o allu ailennyn peth o'r rhyfeddod. Ond hebddi hi nid oedd na lliw nac arogl ar ddim. Y tu ôl i'w gownter, a'r haul yn treiddio drwy'r ffenestr y bu Grace yn ei glanhau, ysai Edward am yr hydref. Siawns na fyddai'r streic drosodd erbyn hynny a'r busnes yn cael ei draed 'dano unwaith eto. O leiaf, roedd Daniel yn cael llonydd efo'i lyfrau rŵan nad oedd angen ei help yn y siop, er nad oedd fymryn nes at wireddu'i ddymuniad o fynd i'r coleg. Biti garw na allodd dderbyn cynnig Mr Parry, ond roedd y bachgen wedi etifeddu balchder ei fam, a phob clod iddo am hynny,

Ym mharlwr Bristol House, gresynai Daniel ei fod wedi gwrthod. Petai heb fod mor benstiff byddai wrthi'n paratoi ar gyfer mynd i'r Bala. Yn hytrach na bwrw'r llyfrau o'r neilltu mewn diflastod byddai'n eu darllen yn awchus. Pa ddiben ymlafnio i gerdded y llwybr pan nad oedd ganddo obaith cyrraedd pen ei siwrnai? Bwrn bellach oedd paratoi pregethau at y Sul ac nid oedd i'r traddodi na fflach nac argyhoeddiad. Ambell ddiwrnod, byddai wedi rhoi'r cyfan am y cysur o gael clywed Laura yn dweud, 'Mi ddoi di drwyddi 'sti'. Ond eiddo rhywun arall oedd y wên fach a'r cyffyrddiad swil erbyn hyn ac nid oedd ganddo ef hawl mynd ar ei gofyn am ddim. A'r haul yn mwytho'i war mor dyner â bysedd Laura, ceisiodd Daniel fagu plwc i gerdded allan a chau'r drws, a fu unwaith yn agoriad i wlad yr addewid, yn dynn o'i ôl.

*　　　*　　　*

Wrth iddo nesáu at Bristol House, hoeliodd Tom ei lygaid ar y siopau gyferbyn. Ni fyddai rhagor o sbecian drwy gil llygad na llusgo traed rhag ofn.

‘Lle w’t ti’n mynd ar gymint o frys, Tom?’

Safai Dan yn ei lwybr ac nid oedd ganddo ddewis ond oedi. Hwn oedd y tro cyntaf iddo’i weld wedi’r helbul wrth Bont y Tŵr ac roedd yn difaru’i enaid iddo fynd ar ei ofyn ef a Grace y diwrnod hwnnw.

‘Ar fy ffordd i’r stesion yr ydw i, i roi croeso adra i rai o’r hogia. A lle w’t ti’n cychwyn? I’r Leibri, ia?’

‘Na, am ryw dro bach, i ga’l awyr iach.’

‘Does ’na fawr o hwnnw i’w ga’l yn Pesda’r dyddia ’ma. Glywist ti fod ’na gant ac ugian o filwyr wedi’u gyrru yma?’

‘Taw â deud. Pam, felly?’

‘Ofn helynt ar ôl y cwarfod Nos Sadwrn. Mae Keir Hardie wedi’i wahodd i siarad dydi.’

Roedd yn amlwg na wyddai Dan ddim am hynny. Lle’r oedd o’n byw, mewn difri? Yn y parlwr ’na, o ran hynny, wedi’i ynysu’i hun oddi wrth bawb a phob dim. Ond nid oedd ganddo na’r awydd na’r nerth i dynnu’n groes iddo heddiw.

‘Pwy ydi rheina sy’n sefyll tu allan i’r Douglas Arms, d’wad?’

‘Cyrnol Ruck a’r ynadon ’te. Yli sgwario maen nhw. Y diawliad yna sydd wedi mynnu dŵad â’r milwyr i mewn, ar waetha pawb.’

Ni thalodd Dan unrhyw sylw i’r rheg. Hanner gwrando, yn ôl ei arfer, debyg. Roedd ar fin ailgychwyn i’w siwrnai pan glywodd Dan yn myngial rhwng ei ddannedd,

‘I amddiffyn brad. Mae’r peth yn sarhad arnon ni, Tom.’

Ni allai gredu ei glustiau. Ni feddyliodd erioed y clywai Dan, o bawb, yn arfer y fath eiriau. Syllodd yn galed arno. Er nad oedd yr wyneb main, gwelw yn datgelu dim, roedd aflonyddwch y llygaid a rythai ar y criw wrth y Douglas Arms yn gyrru ias drwyddo. Cofiai i un o'u cymdogion ddweud unwaith wrth i'w fam sôn am ei gobaith o weld Ifan yn cael ei dderbyn i'r Ysgol Ganolraddol, 'Faswn i'm yn gyrru arno fo ormod 'taswn i chi, Elen Evans. Mae gormod o hen ddarllan wedi gyrru sawl un i'r seilam.' Roedd bod â'i drwyn mewn llyfr bob awr o'r dydd yn siŵr o effeithio ar unrhyw un. Ni wyddai beth i'w ddweud wrtho. Câi ei sodro'n syth, fel y cawsai sawl tro o'r blaen, petai'n ei rybuddio i beidio gweithio'n rhy galed. Deud dim, dyna oedd galla.

'Yli, mae'n rhaid i mi fynd. Cym' bwyll, Dan.'

Cyn iddo allu troi ar ei sawdl, roedd llaw Daniel wedi cau'n feis am ei arddwrn.

'Fyddi di'n y cyfarfod nos Sadwrn, Tom?' holodd.

'Bydda, fel pob tro arall.'

'Ydi ots gent ti os do i efo chdi?'

'Mae 'na groeso i bawb.'

Er bod Dan wedi llacio'i afael, gallai Tom ddal i deimlo pwysau'r bysedd ar ei arddwrn. Go brin y byddai Now yn croesawu cwmni Daniel Ellis, ond ta waeth am hwnnw. Aeth ymlaen â'i siwrnai gan alw dros ei ysgwydd,

'Mi arhosa i amdanat ti wrth y drws.'

* * *

Cyflwr truenus Huw bach a barodd fod Laura yn hwyr yn dychwelyd y prynhawn hwnnw. Ceisiodd ei gymell, rhwng hyrddiadau o grio, i ddweud beth oedd yn bod. Wedi syrthio yr oedd o, meddai, ond gwyddai hi o brofiad nad olion codwm mo'r cleisiau ar ei gorff. Teimlai'n gwbl ddiymadferth. Petai'n meiddio troi tu min ar ei mam, Huw fyddai'n dioddef, ac nid oedd unrhyw bwrpas mynd ar ofyn ei thad. On'd oedd o wedi troi llygad dall ar hyd y blynyddoedd? Roedd hynny'n gwneud bywyd gymaint haws. Ond pa hawl oedd ganddi hi i weld bai arno a hithau'r un mor euog?

Pan adawodd y tŷ, a'r dagrau'n cymylu'i llygaid, bu ond y dim iddi â baglu dros draed Jini Maud. Eisteddai honno ar y rhiniog a'i choesau ar led.

'A sut mae'r cariad newydd?' holodd.

'Iawn, diolch.'

'Mi fydd yn o chwith i dy fam pan briodi di.'

'Does 'na'm sôn am hynny.'

'Dal di ar dy gyfla, Laura. Fedri di ddim cario dy deulu am byth.'

Bu cynhesrwydd y llais a'r cydymdeimlad ar yr wyneb lleuad lawn yn ddigon i Laura allu mentro gofyn,

'Newch chi rwbath i mi, Jini Maud?'

'Be 'lly?'

'Cadw llygad ar Huw bach. Mae o wedi ca'l hen godwm gas.'

'Felly o'n i'n dallt. Mi wna i be fedra i, 'mach i.'

Ni lwyddodd addewid Jini Maud i leddfu dim ar y cydwybod fu'n plagio Laura ar hyd y ffordd i'r Castell. Ni allai hyd yn oed fforddio cymryd ei hoe arferol ar y clwt gwair a fyddai'n eiddo iddi hi a Dan am byth.

Er ei bod wedi ymlâdd yn llwyr ac yn ysu am gael rhoi ei chlun i lawr, anelodd yn syth am y stablau. Safai William a'i bwys ar y wal a golwg guchiog arno.

'Lle w't ti 'di bod tan rŵan?' arthiodd. 'Mi ddeudist ti y byddat ti'n ôl erbyn pedwar.'

'Wn i.'

'A finna 'di trefnu i gymryd awr i ffwrdd, yn un swydd.'

'Dydi Huw bach ddim hannar da.'

'Adra buost ti 'lly?'

'Ia, siŵr.'

'A lle arall?'

'Nunlla. Dydi hi ddim rhy hwyr i fynd am dro bach, yn nag'di.'

'Prin mae hi'n werth cychwyn. Dda gen i'm ca'l 'y nghadw i aros, Laura.'

'Mae'n ddrwg gen i.'

'Mi gei di faddeuant am y tro. Ond gna'n siŵr nad ydi hyn ddim yn digwydd eto.'

Eisteddodd Laura ar garreg i dynnu ei hesgidiau. Roedd ei thraed wedi chwyddo, rhwng y gwres a'r cerdded. Gwyddai y dylai fynd i newid i'r hen fflachod a wisgai wrth ei gwaith ond nid oedd ganddi nerth yn weddill i ddringo'r grisiau i'w llofft. 'Dal di ar dy gyfla,' dyna ddwedodd Jini Maud. Ond ni allodd ddal ei gafael ar ddim erioed. Roedd hi wedi colli Dan drwy ofyn gormod ganddo ac wedi bod mor hunanol â disgwyl i William aberthu ei awr rydd yn aros amdani. Bod ar ei phen ei hun am byth, dyna oedd ei haeddiant. Ymlafnio yn y fan hyn o fore gwyn tan nos a chario'i thipyn cyflog i Ben Bryn heb allu gwneud dim i arbed Huw bach nac ailgynnau'r gân a fu'n eli calon i'w thad a hithau.

* * *

Torrodd Now Morgan lwybr drwy'r dyrfa gan roi ambell hemiad i hwn a'r llall a Tom yn ei ddilyn fel ci bach wrth sawdl ei feistr. Roedden nhw ar gyrraedd y neuadd pan oedodd Now i gymryd y pwff olaf ar ei Wdbein. Er bod ei stumog yn corddi, ceisiodd Tom ei reoli ei hun ac meddai, mor ddidaro ag oedd modd,

'Dos di i mewn, Now. Mi dw i am aros am Dan.'

'Be mae hwnnw isio yma?'

''Run peth â phawb arall, debyg.'

'Pam dylat ti aros amdano fo?'

'Mi dw i wedi addo.'

Trodd Now ato a'r graith eisoes yn dechrau plycio.

'Yn y gobaith y cei di 'i fendith o, ia? Sut hwyl ge'st ti ar Miss Ellis y noson y gwelis i chi?'

'Dim, diolch i ti.'

'A diolch i mi ddylat ti. Mae honna'n meddwl fod yr haul yn codi o'i thwll tin hi. A dydi'r Dan 'na ddim gwell nag un o'r coesa duon.'

Brathodd Tom ei dafod. Roedd herio Now trwy aros am Dan yn ddigon o ymdrech am un noson.

'Wela i di nes 'mlaen, ia?'

'Dim ffiars o berig. I'r diawl â'r ddau ohonoch chi.'

Roedd Now wedi hen ddiflannu pan gyrhaeddodd Daniel. Bu'n oedi'n fwriadol ar y cyrion nes i'r dyrfa wasgaru. Gyda lwc, byddai'n rhaid iddynt sefyll yng nghefn y neuadd, lle'r oedd llwybr dihangfa petai angen.

Yn wahanol i'r noson pan na allai oddef rhagor o chwip tafod Ben Tillet, ni fu'n rhaid i Daniel gymryd y llwybr hwnnw. Ni welodd Now yn rhythu arno o'i sêt ac nid oedd yn ymwybodol o anghysur Tom. Safodd yno hyd at y munud olaf, a'r geiriau a glywsai yn dal i atseinio'n ei ben wedi i'r siaradwyr dewi.

Ofnai Tom y byddai Dan yn ei wahodd draw am baned a cheisiodd fod yn barod â'i esgus. Ond ni fu iddo ddiolch iddo am ei gwmni hyd yn oed. Ysu am gael mynd yn ôl at ei lyfrau yr oedd o, mae'n siŵr. Go brin ei fod wedi clywed yr un gair o'r cyfarfod. Ni chawsai yntau flas ar wrando chwaith. Roedd o wedi'i gwneud hi'r tro yma. A pha well oedd o o fod wedi cynddeiriogi Now?

Cychwynnodd Tom ar ei daith unig am Lwybrmain. Byddai Dan wedi cyrraedd Bristol House bellach. Deuai Grace â phaned iddo i'r parlwr ac âi'r holl fin nos yn angof wrth iddo ailgydio'n ei waith. Mae'n rhaid fod colled arno'n ildio i aflonyddwch y llygaid a phwysau'r bysedd ar ei arddwrn. Nid oedd modd pontio'r gagendor rhyngddo ef a Dan ac nid oedd dim y gallai ei wneud i'w arbed bellach.

* * *

Eistedd ar y rhiniog yr oedd Jini Maud y prynhawn hwnnw, fel pob prynhawn braf arall, pan syrthiodd cysgod rhyngddi a'r haul.

'Tyn dy draed atat, Jini Maud.'

Roedd gan y Catrin 'ma lais fel llafn rasal, meddyliodd. Cewciodd i fyny arni ac meddai'n gwbl ddigyffro,

'Pam dylwn i?'

'I neud lle i bobol basio. 'Sgen ti ddim cwilydd, d'wad, yn diogi yn fan'ma drwy'r dydd?'

'Cadw llygad dw i 'te.'

'Ar bwy 'lly?'

'Huw chi. Laura ddaru ofyn i mi. Mae hi'n poeni'n 'i gylch o. Ddylat ti ddim 'sti.'

'Ddylwn i'm be?'

''I drin o fel w't ti. Difaru nei di ryw ddwrnod.'

'Chdi fydd yn difaru, yr hen bitsh fusneslyd.'

Gwthiodd Catrin heibio gan roi cic egar i un o goesau nobl Jini Maud. Er iddo glywed sŵn y ffrwgwd a'r sgrechiadau a'i dilynodd, arhosodd Richard yn ei gadair. Cadw allan ohoni oedd y peth calla.

Roedd Catrin wedi dechrau tantro cyn iddi gyrraedd y gegin.

'Glywist ti honna'n sgrechian fel mochyn?' holodd.

'Be nest ti iddi hi 'lly?'

'Mi wn i be liciwn i 'i neud. Ac i'r Laura 'na.'

'Pa ddrwg mae Laura wedi'i neud?'

'Achwyn amdana i wrth Jini Maud. Deud mod i'n frwnt wrth Huw bach a gofyn iddi gadw llygad arno fo.'

'Ddyla hi ddim fod wedi gneud hynny.'

'Mi fedrwn ddiolch nad ydi'r Laura 'na'n byw yma ragor neu mi fydda'n rhaid i ni dynnu'r cerdyn o'r ffenast. Ond mi setla i'r Jiwdas fach tro nesa gwela i hi.'

Diolchodd Richard na fyddai hynny am rai wythnosau. Parodd i Catrin eistedd i ddod ati ei hun ac arhosodd yn amyneddgar i'r storm dawelu cyn gofyn,

''Sgen ti'm chydig o bres i sbario, Catrin? Does gen i'm llychyn o faco a mae o'n help i esmwytho dipyn ar yr hen boen 'ma.'

Ni allai gredu ei lwc pan estynnodd Catrin rai ceiniogau o boced ei ffedog. Roedd atal rhag tynnu'n groes wedi ateb ei bwrpas.

'Dw't ti ddim yn disgwyl i mi 'i nol o i chdi hefyd, siawns?'

'Na, mi a' i. Dydw i ddim wedi bod i lawr yn y pentra ers hydodd. Ond taith go ara fydd hi, mae arna i ofn.'

'Paid ti â meiddio mynd yn agos i'r King's Head.'

'Mi dw i ar y wagan dydw.'

'A gofala di na welith y Grace Ellis 'na mo'nat ti'n y pentra a chditha 'di deud 'i bod hi'n rhy bell i ti fentro lawr i'r Cwarfod Dirwast.'

'Mi fydda'n well gen i farw o sychad na gorfod yfad dŵr rhyw ffrydia dwyfol oedd John Williams yn sôn amdanyn nhw, er 'i fod o i'w ga'l yn rhad ac am ddim.'

Caeodd Catrin y drws yn dynn ar ei ôl. Câi loetran faint a fynnai. Torrodd frechdan iddi ei hun a'i chnoi'n hamddenol. Mor braf oedd cael y lle iddi ei hun heb orfod gwrando ar y cwyno a'r tuchan. Roedd hi wedi cael y gorau ar Jini Maud. Go brin y byddai'n meiddio ymestyn ei choesau ar draws ei llwybr byth eto. Ac unwaith y câi afael ar Laura byddai'n setlo honno hefyd. I feddwl ei bod hi wedi gwneud y fath ymdrech i'w chysuro pan adawodd y cyw-pregethwr hi ar y clwt ac wedi ymhyfrydu mewn cael dweud wrth bawb fod ganddi gariad newydd. Dyn a ŵyr be welodd y William 'na ynddi hi. Ond doedd hi ddim mor ddiniwed â'i golwg, o nag oedd. Dim ond gobeithio ei fod o'n ddigon o ddyn i allu rhoi ei droed i lawr o'r dechrau.

Tra oedd Catrin yn gwneud yn fawr o'r heddwch, llwyddodd Richard i gyrraedd y stryd fawr heb unrhyw anhap. Bu ei weld yn ceisio stryffaglio at y cownter yn ddigon i doddi calon Miss Pritchard Siop Fach a chafodd ei faco ar lab.

Penderfynodd na fyddai'n deg iddo adael heb ddweud helô wrth yr hen hogiau. Cafodd groeso tywysogaidd yn y King's Head. Daeth Now ato yn wên o glust i glust a'i arwain at fainc gan ddweud,

'Dew, mae'n braf dy ga'l di'n ôl, Dic Morris! Doedd y lle 'ma ddim run fath hebddat ti. Be gymi di?'

'Hannar, ia?'

'Gna fo'n beint. Mi tretia i di.'

Roedd dagrau yn llygaid Richard wrth iddo estyn am y peint cyntaf a gawsai ers misoedd. Gafaelodd ym mraich Now a'i gwasgu, ac meddai,

'Mi dw i isio i chdi wbod, Now bach, y byddwn i 'di sefyll efo chi taswn i'n medru. Wyddost ti be faswn i'n 'i neud efo'r coesa duon? 'U rhoi nhw wrth geg canon a'u saethu nhw'n ddarna i'r diawl!'

13

Roedd misoedd o esgeulustod wedi troi'r ardd y bu Robert Evans yn ei gwarchod mor ofalus unwaith yn anialwch. Cawsai'r chwyn ryddid i epilio nes hawlio pob modfedd ohoni. Methiant fu ymdrech Elen i geisio cael Tom i fynd i'r afael â hi cyn iddi fynd â'i phen iddi. Tiriogaeth ei dad oedd yr ardd wedi bod erioed ac nid oedd yno fawr o groeso i hogyn trwsgwl nad oedd ganddo unrhyw amcan beth i'w wneud a llai fyth o awydd dysgu.

Pan edrychodd allan drwy ffenestr y groglofft un bore, gwelodd Tom ei fam yn bustachu am y cwt a'r drain yn cydio wrth odre'i sgert. Erbyn iddo ef wisgo'i esgidiau a mynd i'w dilyn roedd hi wedi llwyddo i agor y drws ac wrthi'n ymestyn am y cryman oddi ar hoel.

'Lle mae'r garrag hogi, d'wad?' holodd.

'Be dach chi'n drio'i neud, Mam?'

'Mynd i dacluso rywfaint ar yr ardd 'ma yr ydw i 'te. Mae hi'n ddolur llygad.'

'Dowch â'r cryman 'na i mi, bendith tad i chi.'

Roedd ei llygaid yn pefrio wrth iddi ei estyn iddo.

'Mi dach chi'n dipyn o hen wag, dydach,' meddai'n edmygus.

'Yn gallu bod, weithia.'

'Doeddach chi ddim yn bwriadu gneud fath beth, yn nag oeddach?'

'Mi faswn i wedi gneud, 'tasa raid.'

Dychwelodd Elen i'r tŷ yn ysu am gael torri'r newydd i Robert. Unwaith y byddai'r ardd wedi'i chlirio efallai y gallai gael perswâd arno i ailgydio ynddi. Ond aeth y 'waeth heb â boddran', swta â'r gwynt o'i hwyliau'n llwyr.

Petai Tom wedi clywed y geiriau byddai wedi cytuno â'i dad. Roedd y frwydr eisoes wedi'i cholli. O dan y pridd, roedd y gwreiddiau estron yn ymledu i bob cyfeiriad, yn cymryd meddiant o'r tir. Bu ond y dim iddo â rhoi'r cryman i gadw, yn rhwd drosto. Nid oedd mymryn o ots gan ei dad beth ddeuai o'r ardd, mwy na dim arall. Ond roedd ei fam yn malio, ac o'i herwydd hi yr aeth ati i roi awch arno.

Nid oedd y frwydr ofer ond prin wedi dechrau pan welodd Daniel yn stelcian wrth dalcen y tŷ.

'Be w't ti'n 'i neud yma?' galwodd.

Cododd Dan ei fys at ei wefus ac amneidio arno. Wrth iddo gerdded tuag ato, teimlodd Tom yr un ias oer yn rhedeg drwyddo.

'Be sy'n bod, Dan?' holodd yn dawel.

'Dydw i ddim am iddyn nhw wbod 'y mod i yma. Tyd.'

Roedd Dan eisoes wedi troi ar ei sawdl ac nid oedd ganddo ddewis ond mynd i'w ganlyn. Pa hawl oedd ganddo i ddod ar ei ofyn fel hyn wedi misoedd o gadw pellter? Nid oedd erioed wedi rhoi clust iddo fo na derbyn unrhyw gyngor.

Roedden nhw wedi gadael y tai o'u hôl pan ddwedodd Dan,

'Mi w't ti'n meddwl 'y mod i'n dechra colli arna'n hun dwyt?'

'Nag ydw, ond . . .'

'Ond be, Tom?'

'Dydi gormod o studio o ddim lles i neb.'

'Fydd 'na ddim rhagor o hynny.'

Safodd Tom yn stond. Byddai'n haws ganddo gredu fod Now wedi derbyn punt y gynffon na bod Dan yn rhoi'r gorau i'w lyfrau. Er mwyn ceisio ysgafnu pethau, meddai'n chwareus,

''Di dysgu bob dim sydd 'na i'w ddysgu, ia?'

'Dydi'r dysg yr ydw i 'i angan ddim i'w ga'l mewn esboniada.'

'Ond dydw i'm yn dallt. Fedri di ddim rhoi'r gora iddi rŵan.'

'O, medra. Dim ond gobeithio nad ydi hi'n rhy hwyr.'

'Rhy hwyr i be?'

Ond ni chafodd ateb i'w gwestiwn. Roedd Dan yn moedro ymlaen am y cyfarfod nos Sadwrn.

'Be oeddat ti'n 'i feddwl o'r hyn ddeudodd Keir Hardie am y ddeiseb?' holodd.

'Yr un oddi wrth y bradwyr?'

'Ia, honno. Yn honni 'u bod nhw ofn am 'u bywyda.'

'A dyna pam mae'r milwyr yma.'

'Nid y gweithwyr oedd wedi gyrru'r ddeiseb.'

'Pwy 'lly?'

'Tasat ti wedi gwrando'n iawn mi fasat wedi'i glywad o'n deud y bydda costa'i hanfon hi i'w weld ym mil cyfreithwyr Arglwydd Penrhyn. Lle oedd dy feddwl di, d'wad?'

Mygodd Tom yr awydd i ddweud – arnat ti, Dan, ac ar yr wyneb bygythiol oedd yn rhythu arnon ni. Roedd Dan wedi tawelu ac yn syllu ar dyrrau Castell Penrhyn yn y pellter.

'Mi all y dyn yna fforddio unrhyw beth,' meddai. 'Ond all *o* hyd yn oed ddim prynu eneidia.'

Y pregethwr oedd yn siarad, meddyliodd Tom. Rhyw chwiw o syrffed dros dro oedd hyn, dyna i gyd. Ni wnâi Dan ond dilyn ei fympwy ei hun, fel erioed. Gwastraff amser fyddai ceisio cael perswâd arno. Ond cyn iddynt wahanu ar gwr Llwybrmain roedd wedi cytuno i'w gyfarfod brynhawn Mercher.

'Fel byddan ni'n arfar,' haerodd Dan.

Rhywbeth dros dro fyddai hynny hefyd. Ni allai fforddio ei dwyllo ei hun i gredu bod modd ailgynnau'r hen gyfeillgarwch. Byddai Dan yn ôl yn ei barlwr cyn pen dim a'r gagendor rhyngddynt cyn lleted ag erioed.

*   *   *

Daeth yr haf i'w ben a throi'n hydref heb i fawr neb sylwi. Dychwelodd y plant i'w hysgolion yn ddirwgnach. Rhyddhad oedd gallu chwerthin a chadw reiat amser chwarae heb deimlo'n euog. Roedd amryw o ddesgiau gweigion yn nosbarth Ifan ac enwau Joni Mos a'r lleill wedi eu dileu o'r gofrestr. Un dieithr oedd yr athro newydd, yn siarad Saesneg crand, a byth yn gwenu a thynnu coes fel y byddai'r hen syr.

Er pan ddwedodd Joni nad oedd ei dad yn hanner call, roedd Ifan wedi methu byw yn ei groen, ofn iddo gael ei yrru i'r seilam. Un noson, pan oedd yr ofn yn gwasgu arno ac yntau'n troi a throsi yn ei wely, ni allodd ymatal rhag ei rannu efo Tom. Roedd yntau wedi ei ddwrdio am gymryd sylw o ryw dwpsyn fel Joni Mos. Teimlo'n ddigalon yr oedd ei dad, meddai. Doedd o fawr hŷn nag oedd o, Ifan, pan ddechreuodd yn y chwarel ac roedd ganddo feddwl y byd o'r lle.

Wrth ei ddesg yn ysgol Bodfeurig a'r Mr Owen newydd yn eu hannog i ganolbwyntio ar eu dyfodol, roedd Ifan yn fwy penderfynol nag erioed o ddilyn ei dad a Tom i'r chwarel. Er mai ef oedd y gorau drwy'r ysgol am wneud syms a'i fod yn gallu darllen Saesneg fel y boi, be oedd rhyw hen bethau felly'n da iddo? Roedd wedi addo i Tom y byddai'n ceisio dal ati, er mwyn plesio'i fam, ond dim ond nes byddai'r streic drosodd. Â llygad ei ddychymyg gallai Ifan weld tri phâr o esgidiau hoelion mawr ar lawr wrth y drws a thair siaced liain ar fachyn. Byddai pawb yn hapus unwaith eto a'i fam, wedi iddi dros ei siom, yn rhoi brechdan ychwanegol yn ei dun bwyd am ei bod mor falch ohono.

Tra oedd gobaith ofer yn gymorth i Ifan Llwybrmain ddal ati, roedd mwy o ddyrnau'n cau wrth i'r cynffonnau ysgwyd. Yn *Y Genedl Gymreig*, dan y pennawd, 'O berffeithrwydd gwaseidd-dra', datgelwyd fod y rhai a drodd eu cefnau ar eu cydweithwyr wedi cynnal cyfarfod yn y chwarel ac wedi penderfynu ymuno ag Undeb Llafur Rhydd, nad oedd ond enw arall ar Undeb y Meistri, a'u bod hefyd wedi anfon i ddiolch i Arglwydd Penrhyn am ei garedigrwydd cyson.

Newydd drwg oedd gan Emilius Young i'w arglwydd pan alwodd heibio i Borth Penrhyn. Roedd y fasnach lechi'n gwaethygu bob dydd a chwmnïau tramor yn bygwth ei dyfodol. Parodd ymateb ei feistr iddo wingo. Ai awgrymu yr oedd, holodd, eu bod yn ildio i'r streicwyr? Prysurodd i'w sicrhau nad oedd dim ymhellach o'i feddwl ac nad oedd ganddo unrhyw amheuaeth y byddai'r chwe chant yn parhau'n ffyddlon. Ei unig ofid oedd fod Cyrnol Ruck yn haeru nad oedd dim mwy y gallai ef ei wneud ar ran y gweithwyr. Rhythodd yr arglwydd yn ddirmygus arno. Er na fu iddo ei gyhuddo o ddangos gwendid, roedd y cerydd deifiol yn ei lais yn ddigon. Os felly, meddai, byddai'n rhaid iddynt orfodi Ruck i anfon rhagor o filwyr i mewn. Ni fynnai ef weld ei ddynion yn byw mewn ofn. Roedd eu brwydr hwy am ryddid, ac ni ddylid anghofio hynny am foment.

Gadawodd y meistr Borth Penrhyn yn gwbl sicr ei feddwl mai ganddo ef yr oedd yr allwedd i'r rhyddid hwnnw, a dychwelodd y gwas bach at ei lyfrau cownt a'i grib wedi'i dorri.

*   *   *

Ym Mhen y Bryn efo Huw bach yr oedd meddwl Laura y prynhawn hwnnw wrth i William a hithau gerdded law yn llaw drwy'r coed. Roedd wythnosau er pan fu yno. Pan soniodd wrtho ei bod yn bwriadu galw draw heddiw roedd o wedi troi'n gas a dweud fod ganddi fwy o feddwl o'i theulu nag ohono fo, a bu'n rhaid iddi ohirio mynd.

Torrodd y llais cras na fyddai byth yn tewi ar draws ei meddyliau.

'Fydda waeth i mi siarad efo'r gwynt ddim.'

'Mae'n ddrwg gen i. Meddwl o'n i . . .'

'Am y blydi teulu 'na sy gen ti eto, debyg.'

'Na. Meddwl mor dlws ydi'r coed 'radag yma o'r flwyddyn.'

'Ia, tlws iawn. Deud o'n i y byddwn i'n rhoi'r byd am ga'l gweld y soldiwrs yn cyrradd.'

'Dydi pobol Pesda ddim isio nhw yma.'

'Pwy sy'n deud?'

'Pawb . . . rhan fwya, beth bynnag.'

'A be am y dynion sy 'di mynd yn ôl i'r chwaral?'

'Fyddwn ni'm yn siarad efo rheiny.'

'Pam?'

'Bradwyr ydyn nhw 'te. Mae Mam yn deud y bydda 'nhad wedi mynd yn 'i ôl 'tai o'n gallu, ond fydda fo ddim.'

'Ofn i'r lleill mosod arno fo, ia, malu'r tŷ'n racs?'

'Na. Am 'i fod o'n gwbod.'

'Gwbod be?'

'Na ddyla fo ddim.'

'Ond mi o'n i'n meddwl i ti ddeud fod y Lord 'di bod yn ffeind iawn wrtho fo.'

'Ydi, mae o. Yn ffeind wrth bawb, medda Mam, ac yn fistar da.'

'A fel hyn mae'i weithwyr yn diolch iddo fo!'

'Ond fyddan nhw ddim yn codi twrw heb reswm.'

'Wedi ca'l gormod o'u ffordd 'u hunan maen nhw. Mae hi'n dda burion arnyn nhw o gymharu â gweision ffermydd yn Sir Fôn 'cw.'

'Dydw i'm yn dallt pam fod raid ffraeo fel'ma. Isio i ni fod yn ffrindia fel roeddan ni sydd.'

'Anghofia amdanyn nhw. Mi dw i gen ti rŵan. Dw't ti ddim angan neb arall.'

Ond roedd yna sawl peth yr oedd hi angen eu gwybod. Sut oedd Huw bach bellach? Oedd Jini Maud wedi cadw'i haddewid? Oedd Dan wedi gadael am y coleg? Oedd Grace wedi digio wrthi am byth? A sut oedd pobol yn gallu anghofio a symud ymlaen fel 'tasa ddoe erioed wedi bod?

Gwibiai'r cwestiynau drwy'i phen wrth i William lapio'i frechiau amdani. Roedd ei gusan yn brifo'i gwefusau, mor wahanol i'r ieir bach yr ha' o gusanau y bu Dan a hithau'n eu rhannu. Mae'n siŵr fod Grace wedi sôn wrtho am William. Be oedd o'n ei feddwl ohoni, mewn difri? Ychydig wythnosau'n ôl roedd hi wedi meddwl mai ar ei phen ei hun y byddai am byth. Biti nad oedd hi wedi bod yn ddigon dewr i wynebu hynny, fel na fyddai'n rhaid iddi geisio anghofio.

* * *

Wedi iddi glirio'r llestri brecwast, aeth Grace drwodd i'r siop. Safai ei thad a'i bwys ar y cownter yn syllu ar y silffoedd gweigion.

'Wn i ddim be fydda dy fam yn 'i feddwl o'r lle 'ma,' meddai.

Brathodd Grace ei thafod. Roedd hi eisoes wedi tynnu gwg Tada drwy ddweud na allent fforddio rhagor o stoc.

'Mi a' i 'ta. Does dim angan dau yma.'

Ni fynnai dreulio munud yn rhagor yn ei chwmni. A pha ryfedd? Onid hi oedd i'w beio am adael i'r busnes fynd â'i ben iddo? Hi oedd wedi mynnu rhoi'r cerdyn yn y ffenestr a gweithredu ar awgrym Mr Daniel yn groes i'w ddymuniad ef.

Aeth Grace ati i olchi'r silffoedd ac aildrefnu eu cynnwys fel nad oedd y bylchau'n rhy amlwg. Ond roedd y drwg wedi'i wneud. Roedd hi wedi dadlau ei fod yn ddyletswydd moesol arnynt ddangos lle'r oedden nhw'n sefyll. Ond pam y dylent orfod dioddef oherwydd anghydfod nad oedd a wnelo dim â nhw?

Croesodd at y ffenestr. Sut y gallai ganiatáu i un cerdyn bach ddinistrio popeth? Fel yr oedd hi'n estyn amdano, agorodd drws y siop a daeth Jane Williams, Stryd Ogwen, i mewn yn ffrwcs i gyd. Deuai sŵn cecru o'r stryd ac adnabu Grace un o'r lleisiau. Er na ddangosodd unrhyw ddiddordeb, roedd Jane yn dân am gael dweud.

'Catrin Morris sydd wrthi eto . . . deud fod Jini Maud drws nesa wedi dwyn 'i lle hi'n y ciw wrth y baracs.'

Cofiodd Grace mai heddiw yr oedd Byddin yr Iachawdwriaeth yn rhannu blawd a the a dillad i dlodion yr ardal. I fyny'n y llofft roedd yna lond wardrob o ddillad. Ond yno y bydden nhw'n aros, a'r peli bach camffor yn eu gwarchod rhag gwyfyn. Y fath wastraff!

Tra oedd hi'n estyn y tipyn neges, gwibiai Jane yn ôl a blaen rhwng y cownter a'r ffenestr gan roi sylwadau ar yr hyn oedd yn digwydd y tu allan.

'Mae Jones plismon ar 'i ffordd,' cyhoeddodd. 'Mi setlith o hi.'

Cyn pen dim roedd heddwch yn teyrnasu a Catrin wedi ei gorfodi i ildio i Jini Maud.

'Ydach chi am i mi sythu hwn i chi?' holodd Jane.

'Be, felly?'

'Y cerdyn. Fi ddaro daro'n 'i erbyn o mae'n rhaid.'

Gafaelodd ynddo rhwng bys a bawd a'i osod yn ei le'n ofalus.

'Mi dw i wedi diolch ganwaith fod gen i'r hawl i'w ddangos o,' meddai. 'Peth sobor fydda bod yn euog o frad, yntê, 'mechan i?'

*   *   *

Roedd pregethwr y Sul wedi ledio'r emyn a'r aelodau'n ymuno i ganu:

'Enynnaist ynof dân –
  Perffeithiaf dân y nef,
Ni all y moroedd mawr
  Ddiffoddi mono ef;
Dy lais, dy wedd, a gweld dy waed
Sy'n troi 'ngelynion dan fy nhraed.'

Yn y sêt fawr, canodd John Williams y geiriau gydag arddeliad. Ond tawodd yn sydyn pan welodd y drws yn agor a theulu Bryn Llwyd yn cerdded i mewn. Clywyd un o'r gynulleidfa yn hisian y gair 'bradwr' a dechreuodd un arall hwtian. Pylodd y canu'n raddol wrth i eraill adleisio'r hisian a'r hwtian. Camodd Edward Ellis ymlaen ac meddai,

'Frodyr a chwiorydd, rydw i'n erfyn arnoch chi. Nid dyma'r ffordd i ymddwyn yn nhŷ Dduw.'

Ond roedd amryw eisoes wedi gadael eu seddau ac yn paratoi i adael.

Gafaelodd Edward ym mraich y pen-blaenor.

'Fedrwch chi ga'l gair efo nhw, John Williams?' holodd yn daer.

'A deud be?'

'Eu hatgoffa o'u dyletswydd fel aelodau o Eglwys Crist.'

'Ond gneud 'u dyletswydd y maen nhw. Does yna'r un dyn sydd wedi bradychu'i gydweithwyr a gwerthu'i enaid 'i hun yn deilwng o fod yn aelod o'r Eglwys na pherthyn i grefydd Crist.'

O un i un, cododd eraill i ddilyn y rhai a gerddodd allan.

Chwyddodd y nifer fel nad oedd ond llond dwrn yn aros, yn cynnwys y teulu a achosodd yr helynt.

'Ond fedrwn ni ddim caniatáu peth fel hyn.'

'Gnewch chi fel y mynnwch chi, Edward Ellis.'

Prysurodd Edward at ddrws y capel. Roedd yr aelodau wedi ymgynnull y tu allan.

'Os ca i'ch sylw chi am funud.'

Arhosodd nes bod y lleisiau'n tawelu ac meddai a chryndod yn ei lais,

'Mae'r hyn ddigwyddodd heno yn achosi prydar mawr i mi. Rydach chi i gyd yn gyfarwydd â geiria Paul yn 'i lythyr at y Rhufeiniaid, geiria sy'n peri i ni fod yn garedig i'n gilydd mewn cariad brawdol, i fendithio ac nid melltithio, i ymatal rhag talu i neb ddrwg am ddrwg a bod yn ddoethion yn ein tyb ein hunain. Gawn ni ddychwelyd i'r Tŷ i addoli efo'n gilydd yn y modd priodol.'

Cododd llais o'r dyrfa,

'Os bydd i chi droi'r bradwr a'i deulu allan, mi ddown ni!'

'Nid fy lle i ydi gneud hynny.'

'Does ganddon ni ddim dewis, felly.'

Gwasgarodd yr aelodau heb air yn rhagor. Clywodd Edward sŵn plentyn yn crio y tu cefn iddo. Elin fach Bryn Llwyd, a'r dagrau'n powlio i lawr ei hwyneb gwelw. Ceisiai ei mam ei chysuro orau y medrai er ei bod hithau'n gorfod brwydro i gadw'i dagrau'n ôl. 'Wedi dychryn mae hi,' meddai ei thad. 'Ddylan ni ddim fod wedi dŵad. Mae'n ddrwg gen i, Edward Ellis.'

'Yn ddrwg gen inna hefyd, Samuel.'

Roedd Grace yn aros amdano yn y cyntedd.

'Ydach chi am ddŵad adra, Tada?' holodd.

'Na, dos di. Mi dw i angan chydig o awyr iach.'

'Cofiwch wisgo'ch côt. Mae'r gwynt braidd yn fain heno.'

Ond roedd y gôt yn ystafell y blaenoriaid, a byddai'n ddoethach iddo gadw draw o'r fan honno.

Nid oedd wedi bwriadu cerdded cyn belled a bu'n rhaid iddo gymryd hoe bob hyn a hyn ar y ffordd yn ôl. Roedd ar gyrraedd Bristol House pan ddaeth Daniel i'w gyfarfod.

'Sut a'th petha yn Hermon?' holodd.

'Purion, am wn i. Rydach chi wedi ca'l daliad hir heno.'

'Wedi bod am dro yr ydw i. Fuo 'na fawr o wasanaeth. Rydw i'n gobeithio na wela i noson fel hon byth eto.'

'Be ddigwyddodd, felly?'

'Yr hyn na ddyla fod wedi digwydd yn y cysegr o bob man. Mi adawodd y rhan fwya o'r gynulleidfa a gwrthod dŵad yn ôl os na fyddwn i'n cytuno i droi Samuel Davies a'i deulu allan o'r capal. Ond fedrwn i ddim gneud hynny. Mae Tŷ'r Arglwydd yn agorad i bawb.'

'Hyd yn oed i fradwyr?'

'Dda gen i mo'r gair yna.'

'Ond dyna'r unig air i'w disgrifio nhw.'

'Sut medri di ddeud y fath beth a chditha newydd fod yn pregethu'r Efengyl?'

'Nhw sydd wedi troi 'u cefna, Tada.'

'Ac mi w't ti'n credu, fel John Williams, nad ydyn nhw'n deilwng o fod yn aeloda o'r Eglwys?'

'Mae'n rhaid i ni sefyll efo'n gilydd dros yr hyn sy'n gyfiawn.'

'A pwy sydd i ddeud be sy'n gyfiawn? Nid chdi, na fi, na neb arall. Be wyddon ni be sydd wedi cymall y dynion i fynd yn ôl i'r chwaral? Does ganddon ni mo'r gallu i ddarllan meddylia. Dim ond gan Dduw mae'r gallu hwnnw . . . a'r hawl i farnu.'

Aeth Edward ar ei union i'w lofft heb gyffwrdd â'i swper, ond llowciodd Daniel y cyfan fel petai ar ei gythlwng.

'Awyr Douglas Hill sydd wedi rhoi stumog i ti, ia? holodd Grace.

'Balch o ga'l heddiw drosodd yr ydw i.'

'Ddeudist ti mo hynny wrth Tada?'

'Naddo. Wedi cynhyrfu mae o am na chafodd o 'i ffordd 'i hun.'

'Mi 'nath 'i ora i drio tawelu petha.'

'Pam dyla fo? Ddylan nhw ddim wedi dŵad yn agos i'r lle. Gerddist *ti* allan?'

'Sut medrwn i?'

'Mi fydd raid i titha neud dy ddewis, Grace, fel pawb ohonon ni.'

'Pa ddewis?'

'Ni neu nhw 'te. Wel, mi dw i'n meddwl yr a' inna am ryw dro bach i ysgwyd llwch heddiw oddi ar fy sgidia.'

Arhosodd Grace yn ei hunfan wedi i Daniel ei gadael, yn ceisio rhoi trefn ar ei nyth cacwn o feddyliau. Pwy oedd o i weld bai arni hi am beidio cerdded allan? Ac ers pryd yr oedd o'n un o'r 'ni', mewn difri? Dilyn ei lwybr ei hun yn ddi-hid o bawb a phopeth, dyna oedd Dan wedi'i wneud erioed. Ni chawsai hi unrhyw ddewis, a'r unig dro iddi wneud safiad roedd hi wedi digio Tada a pheryglu'r busnes. Ni allai adael i'r aberth o orfod troi cefn ar ei dyfodol fynd yn ofer. Byddai'n rhaid iddi dynnu'r cerdyn o'r ffenestr a gadael i'w thad werthu i bwy bynnag y mynnai.

14

Gwnaeth y cryman a bôn braich eu gwaith o droi'r anialwch yn rhyw lun o ardd unwaith eto. Tybiai Elen y byddai'r gweddnewidiad yn rhoi modd i fyw iddi, ond daeth gweld olion y rhesi taclus, bellach yn un llanast o chwyn, â dagrau i'w llygaid. Sychodd y dagrau'n frysiog â chwr ei ffedog pan welodd Tom yn dod am y tŷ.

'Dyna be ydi gwelliant,' meddai'n siriol.

'Ar yr wynab, falla.'

'Mi ddaw pob dim i drefn yn 'i amsar.'

'Ydach chi'n credu hynny, o ddifri?'

'Mae'n rhaid i mi.'

Eisteddodd Tom wrth y llygedyn tân a'i ysgwyddau'n grwm. Ond gwyddai Elen nad blinder corfforol oedd yn peri'r blinder.

'Mae gen ti waed ar dy foch.'

'Ôl brwydro efo'r mieri 'na.'

Cofiodd Tom na fu iddi dalu fawr o sylw i'r briw ar ei dalcen wedi'r ysgarmes wrth Bont y Tŵr. Sawl gwaith y bu iddi ei geryddu am ddefnyddio'r gair 'brwydro'? Ond brwydr gyfiawn oedd hon, waeth pa mor ofer oedd hi.

'Lle mae 'nhad?' holodd.

'Mae'n rhaid 'i fod o wedi sleifio allan tra o'n i'n y gegin.'

'Mi dw i wedi cynnig mynd efo fo lawar gwaith.'

'Wn i. Ond 'i hun mae o isio bod. Ca'l llonydd i feddwl, cofio petha fel roeddan nhw.'

'Falla fod hynny o ryw gysur iddo fo.'

'Tra medar o ddal 'i afa'l arnyn nhw 'te.'

Roedd yr hogyn yn siomedig, wrth gwrs ei fod o. Ni fu

Robert ar gyfyl yr ardd. Am y tro cyntaf erioed, teimlai Elen yn ddig tuag at ei gŵr. Gallai o leiaf fod wedi dangos peth diddordeb. Ond nid oedd dim yn cyfri iddo ond ei golled ei hun. Oedd yr hen chwarel 'na wedi cael cymaint o afael arno fel nad oedd o'n malio dim beth ddeuai o'i deulu? Efallai fod bai arni'n cadw pethau rhagddo er mwyn ei arbed. Byddai Trench yn galw cyn pen y mis ac nid oedd ganddi obaith talu iddo. Testun Daniel, Bristol House, nos Sul oedd, 'Dygwch feichiau'ch gilydd'. Ond am ba hyd y gallai Tom a hithau ysgwyddo'r beichiau, ac o ble y deuai eu cysur hwy?

'Be oeddat ti'n 'i feddwl o bregath Daniel?' gofynnodd yn betrus.

'Che's i fawr o flas arni hi, 'tasa'n weddus deud.'

'Doedd 'i galon o ddim ynddi, yn nag oedd? Wedi'i siomi mae o, mae'n siŵr.'

'Mae o'n dannod rhoi'r gora iddi.'

Ymateb Now i hynny oedd ei fod wedi bod yn hir ar y naw yn sylweddoli nad oedd gweddïo'n ateb dim. Ond y cyfan a wnaeth ei fam oedd ysgwyd ei phen a dweud,

'Choelia i fawr! Y pulpud ydi 'i chwaral o 'te.'

* * *

Bu'n rhaid i Catrin Morris aros wythnosau cyn cael cyfle i fwrw'i llid ar Laura. Roedd bod Jini Maud wedi cael y gorau arni yn y ffrwgwd ar y stryd fawr wedi miniogi ei dicter. Câi ei dial ar honno hefyd am ei gwneud hi'n gyff gwawd i bawb wrth i Jones Plismon ei thywys i ben draw'r ciw. Erbyn iddi hi gyrraedd drws y Baracs, roedd popeth wedi'i rannu a bu'n rhaid iddi adael yn waglaw. Ac i feddwl fod y Laura 'na wedi mynd ar ofyn rhyw dorllwyth ddiog fel'na, y tu cefn i'w mam ei hun.

Ni cheisiodd Laura ei hamddiffyn ei hun. Camgymeriad oedd ymddiried yn Jini Maud. Dylai fod wedi meddwl na allai honno ddal ei thafod. Gadawodd i'w mam refru ymlaen. O leiaf, ni allai fentro codi ei llaw ati fel y gwnâi ers talwm, ac er bod y geiriau'n brifo ni fyddai'r cleisiau'n amlwg i neb arall.

'A pryd ydan ni am gal gweld y cariad 'ma gen ti?' holodd. 'Does dim isio i ti fod cwilydd dŵad â fo yma. Dydi o ddim yn debygol o droi'i drwyn arnon ni fel y Daniel Ellis 'na.'

'Ddeudodd Dan rioed air cas amdanoch chi.'

'Wn i'm pam w't ti'n cadw arno fo a fynta 'di gneud tro mor sâl efo chdi.'

'Meddwl amdana i oedd o.'

'Os w't ti'n credu hynny mi gredi rwbath. Be fydda rhyw dwpsan fel chdi'n da fel gwraig gweinidog?'

'Mi faswn i wedi bod yn fodlon dysgu.'

'Ddysgi di byth. Gwbod dim . . . dallt dim. Oes gen y William 'ma dipyn o feddwl ohonat ti?'

'Oes, am wn i. Mae o am 'y mhriodi i, medda fo.'

'Gobeithio y byddi di'n fwy triw iddo fo nag w't ti i dy deulu dy hun.'

Arweiniodd hynny i ragor o bigo beiau. Derbyniodd Laura y cyfan fel ei haeddiant. Roedd hi wedi eu hesgeuluso ers wythnosau. Nid oedd wedi sôn gair wrth William ei bod yn bwriadu galw heddiw, ond roedd o'n siŵr o ddod i wybod.

'Wn i ddim pryd medra i alw eto,' meddai. 'Mi dan ni'n sobor o brysur . . . lot o bobol ddiarth yn aros yn y Castall.'

'Roeddat ti yma rownd y rîl pan oeddat ti'n canlyn y cyw-pregethwr.'

Ac nid oedd Dan erioed wedi edliw hynny iddi, chwarae teg iddo, erioed wedi ceisio ei rhwystro rhag eu gweld. Roedd hi wedi bwriadu aros nes cael gwneud yn siŵr fod Huw yn iawn, ond ni fyddai hynny ond yn cythruddo rhagor ar ei mam. Cyn gadael, rhoddodd yr arian arferol ar y bwrdd er bod William wedi dweud y byddai gofyn iddynt gadw pob ceiniog wrth gefn rŵan eu bod nhw'n bwriadu priodi. Roedd hi'n falch na roddodd gyfle iddi dderbyn na gwrthod. Nid ei phenderfyniad hi mohono ac roedd hynny'n lleddfu ryw gymaint ar ei heuogrwydd.

Roedd ganddi awr i'w sbario cyn cychwyn yn ôl. Mor braf fyddai gallu galw i weld Grace a chael peth o hanes Dan, ond nid oedd ganddi'r hawl i hynny bellach. Wrth iddi fynd heibio i'r King's Head, clywodd sŵn canu ac adnabu lais ei thad. Rhoddodd gwybod ei fod yn gallu canu unwaith eto hwb iddi fynd ymlaen â'i siwrnai. Efallai y byddai hithau'n rhydd i wneud hynny, ryw ddiwrnod. Ond erbyn iddi gyrraedd ei llecyn hi a Dan, gwyddai na allai'r un gân byth wella'r briwiau.

* * *

Ni fu Grace erioed yn un am agor ei chalon i neb. Elen Evans oedd yr unig un y cawsai ei themtio i rannu'i chyfrinachau â hi. Bellach, roedd yr ymweliadau â Llwybrmain wedi peidio'n llwyr, a dim ond sgwrs crafu'r wyneb a gaent pan alwai Elen yn y siop.

Angen clust a chyngor a'i gyrrodd i Gae'r-berllan y prynhawn hwnnw. Rhyddhad iddi oedd cael Hannah Williams ar ei phen ei hun. Roedd gorfod cyfaddef gwendid mor groes i'r graen ac ni allai byth fod wedi gwneud hynny yng ngŵydd John Williams.

Sylwodd Hannah fod rhywbeth yn bod cyn iddi orfod dweud gair.

'Mae golwg wedi blino arnoch chi, Grace,' meddai'n bryderus. 'Synnwn i damad nad ydach chi'n hel am y ffliw. Mae o'n rhemp o gwmpas y lle 'ma.'

'Does 'na ddim yn bod ar 'y nghorff i, Hannah Williams. Fyny fan'ma mae'r drwg . . . poen meddwl.'

'Tewch â deud! Mae petha ddrwg tua'r siop, ydyn?'

'A fi sy'n gyfrifol.'

Syllodd Hannah yn ddi-ddeall arni. Os oedd gan rywun ben busnas, Grace oedd honno. Byddai'r hwch wedi mynd drwy'r siop flynyddoedd yn ôl oni bai amdani hi.

'Fi ddaru fynnu rhoi'r cerdyn 'na'n y ffenast.'

'Mi fydda'n well gen inna hebddo fo, ond pa ddewis sydd ganddon ni 'te.'

'Gorfodaeth ydi o, nid dewis. Gorfod gadael yr ysgol wnes i, gorfod cymryd gofal o'r tŷ a'r siop.'

'Mi fydda'n o chwith i'ch tad a Daniel hebddach chi.'

'Merch a chwaer, dyna'r cwbwl ydw i 'te? Ond mi oedd gen inna freuddwydion a gobeithion ar un adag, Hannah Williams.'

'Wrth gwrs fod ganddoch chi, fel pawb ohonon ni. Roedd John a finna wedi gobeithio ca'l magu teulu, ond mi gollodd yr un bach y dydd cyn iddo weld gola dydd.'

'Mae'n ddrwg gen i. Wyddwn i ddim.'

'Ein gofid ni oedd o, ond falla y bydda medru deud wedi esmwytho peth arno fo. Mae amsar yn gwella pob clwy, meddan nhw, ond fedar hwnnw chwaith ddim llenwi'r gwactar.'

Tawodd Hannah yn sydyn. Be oedd ar ei phen hi yn dweud y fath beth? Cysur, dyna oedd ar yr eneth ei angen. A'r cyfan oedd ganddi hi i'w gynnig iddi oedd paned a theisennau cri.

'Teimlo ar goll yr ydw i. Ro'n i'n arfar bod mor siŵr ohona'n hun ers talwm, ond does 'na fawr o'r hogan honno'n weddill bellach. Ofn sydd gen i y bydd hi'n diflannu'n llwyr.'

'Mi ddaw 'na ryw oleuni o rwla.'

'Yr arweiniad oddi uchod, fel bydd John Williams yn 'i ddeud?'

'Fi sy'n siarad rŵan, nid John. Mae'n rhaid i chi ddal gafa'l, Grace. Peidiwch byth â chladdu'ch breuddwydion fel y gnes i.'

'Ydach chi'n credu y dylwn i dynnu'r cerdyn o'r ffenast?'

'Chi fydd yn rhaid penderfynu hynny, 'mach i, ond o ddewis nid o orfodaeth.'

Wedi iddi adael Cae'r-berllan, crwydrodd Grace draw at Bont y Tŵr. Yma y bu'r pedwar yn chwarae'r gêm, 'pan fydda i'n fawr'. Laura oedd yr unig un na chymerai ran yn y chwarae. Ysgwyd ei phen a wnâi hi, a chymryd arni nad oedd hi'n gwybod. Ond roedd hi mor sicr â'r un ohonynt. Cael bod efo Dan, dyna'r cyfan yr oedd arni hi ei eisiau. Fe âi'r chwarelwr yn ôl at ei waith a'r pregethwr ymlaen i'r coleg. Byddai Laura'n setlo ar yr ail-orau a hithau'n gorfod derbyn, ar waethaf anogaeth Hannah Williams, mai pethau brau oedd breuddwydion ac nad oedd unrhyw ddiben ceisio dal gafael arnynt.

* * *

Taflodd Laura gipolwg nerfus i gyfeiriad y stablau. Dim ond ychydig gamau eto a byddai'n ddiogel. Ond wrth iddi droi i mewn i'r cwrt bach wrth ystlys y gegin saethodd llaw allan a chythru am ei braich.

'Dyna fi wedi dy ddal di!'

Roedd hi'n crynu drwyddi a phwysau ei fysedd yn brathu i'w braich.

'Mi wnes i dy ddychryn di, do? 'Di gobeithio gallu sleifio heibio heb i mi dy weld di oeddat ti, ia? Wel, be sydd gen ti i'w ddeud?'

Glynai'r geiriau'n ei llwnc. Be oedd yna i'w ddweud, p'un bynnag? Roedd hi wedi ei herio, wedi mynd yn wrthgefn iddo.

'Mi ge'st groeso mawr adra eto 'lly.'

'Naddo.'

'Be ddeudist ti? Chlywis i mohonat ti.'

'Mi fuo Mam yn gas efo fi.'

Ni chymerodd unrhyw sylw o hynny, dim ond gofyn yn haerllug,

'Lle buost ti'n hel dy draed tan rŵan . . . yn gweld y ffrind 'na sydd gen ti?'

'Pa ffrind?'

'Grace rwbath neu'i gilydd. Cadw siop maen nhw 'te, y hi a'i thad . . . a'i brawd.'

'Studio i fynd yn bregethwr mae Dan.'

'Felly o'n i'n dallt. Mi oeddat ti ac ynta'n o glòs ar un adag, doeddach?'

'Mae hynny drosodd ers sbel.'

'Gobeithio'i fod o. Dydw i ddim yn bwriadu dy rannu di efo neb. Ca'l ffrae ddaru chi?'

'Na. Ddaru ni rioed ffraeo.'

‘Ydi o’n gwbod amdana i?’

‘Wn im. Falla fod Grace ’di deud wrtho fo.’

‘Gna di’n siŵr ’i bod hi yn deud. Fi pia chdi rŵan.’

Roedd wedi gollwng ei afael ar ei braich ac yn gwyro drosti, ei anadlu cras yn llosgi’i boch. Trodd ei phen draw i osgoi’r gusan flysiog ac meddai,

‘Mae’n rhaid i mi fynd, neu mi fydd Miss Johnson ’di cloi’r drws.’

‘Os ydi hi, mi gei rannu’r llofft stabal efo fi. A fydd dim rhaid i ti ddeud dy badar cyn mynd i’r gwely chwaith.’

Bu’n rhaid iddi guro ar y drws a dioddef cerydd yr howscipar am fod bum munud yn hwyr. Ond wrth iddi ymroi i’w gwaith, diolchodd na fyddai’n rhaid iddi noswylio a blas gwaed cusan William ar ei gwefusau. Yno’n ei llofft, ni ddeuai dim i darfu ar frifo braf y cofio a’i allu i ddileu pob poen arall.

* * *

Cymerodd Henry Jones ei le ar lwyfan Neuadd y Farchnad fel y gwnaeth bob nos Sadwrn ers y cloi allan. Roedd y ffyddloniaid yno’n un fflyd, dynion y gallai ymddiried ynddynt gant y cant. Yn ystod y misoedd diwethaf, bu sawl un arall yn gwrando yr un mor astud, yn porthi yr un mor eiddgar ac yn addo bod yn ffyddlon hyd angau. Rhoesai yntau ei ffydd ynddynt, dim ond i gael ei ddadrithio. Ond nid oedd arlliw o hynny yn yr wyneb cadarn wrth iddo atgoffa ei gydweithwyr mai brwydr gyfiawn oedd hon. Roedd chwarelwyr Braich y Cafn yn ddosbarth o weithwyr y dylai unrhyw feistr fod yn falch ohonynt ac yn teilyngu gwell triniaeth ganwaith nag eiddo’r meistr a edrychai ar ei gysylltiad â hwy drwy wydr-ddrychau pŵl a thywyll y

Canol Oesoedd. Onid oeddynt hwy wedi bod yn berffaith barod i drafod o'r dechrau, ac onid dyletswydd y pwerus oedd bod yn deg a thrugarog? Pwysodd arnynt i brofi gwirionedd yr hen ddihareb mai 'mewn undeb y mae nerth' ac i lynu wrth eu hegwyddorion yn wyneb pob caledi.

Bu'r ymateb yn ddigon i yrru'r siomedigaethau a ddeuai i'w blagio ganol nos ar ffo. Arhosodd nes bod y banllefau a'r curo dwylo'n tawelu cyn galw ar y Parchedig W.W. Lloyd, Brynteg, i ddarllen cerdd o waith Dulyn a ysgrifennwyd yn ystod y cload allan yn 1896, pan safodd pawb fel un yn erbyn trais. Er nad oedd Lloyd yn un i ddyrnu'r pulpud na bygwth wylofain a rhincian dannedd, roedd yr anogaeth yn y llais mwyn yr un mor gadarn, ddiwyro:

'Beth yw'r cynnwrf sydd i'w glywed
   Trwy ardaloedd llechi'r wlad?
Meibion dewrion, glewion llafur
   Sydd ym mhoethder gwres y gad;
Nid heb achos y mae'r frwydr,
   Brwydr am iawnderau yw;
Daliwch ati, peidiwch ildio,
   Dowch o'r frwydr eto'n fyw.

Buoch, do, mewn brwydrau eraill,
   Enillasoch, do, y dydd;
Mynnwch ennill eto'r goncwest,
   Mynnwch fod yn ddynion rhydd,
Rhydd i farnu pris eich llafur,
   Rhydd i ddadlau gwerth eich gwaith,
Fe'ch bendithir gan dyrfaoedd
   Ar eich ôl am amser maith.'

Gadawodd y meibion dewrion y neuadd yn fwy penderfynol nag erioed o lynu wrth eu hegwyddorion. Taflodd Now gip ddirmygus ar Tom a Daniel wrth fynd heibio. Roedd wedi bwriadu gofyn i Tom fynd draw i Dregarth efo fo un o'r nosweithiau 'ma, ond be fyddai ryw gadach di-asgwrn-cefn fel hwnna'n da iddo? Siawns nad oedd Elen Evans wrth ei bodd rŵan ei fod o'n llawia efo'r pregethwr bach.

Cafodd Tom ei demtio i fynd i ddilyn Now. Nid oedd y geiriau a gafodd eu dweud o'r llwyfan yn ateb dim. Doedden nhw ddim mymryn nes i'r lan nag oedden nhw flwyddyn yn ôl. Efallai mai Now oedd yn iawn wedi'r cyfan ac mai trwy'r gwneud yn unig yr oedd modd cyrraedd y nod. Ac yntau'n dal mewn cyfyng-gyngor, clywodd Dan yn sibrwd,

'Tyd. Dydw i ddim mewn hwyl i ddal pen rheswm efo'r hen J.W. heno.'

Ond roedd John Williams ar eu gwarthaf cyn iddynt allu gwthio'u ffordd drwy'r dyrfa, ac yn eu cyfarch yn wresog.

'Rydw i'n falch eich bod chi wedi troi i mewn aton ni eto heno, Daniel,' meddai.

'Mae arna i ofn 'y mod i wedi cadw draw yn rhy hir.'

'Gwell hwyr na hwyrach. A sut mae'ch tad y dyddia yma, Tom?'

'Braidd yn isal 'i ysbryd, John Williams.'

'Gweld isio'r chwaral, fel pawb ohonon ni, yntê? Ro'n i'n dallt fod Ifan yn dipyn o sgolor.'

'Ydi, yn wahanol iawn i'w frawd.'

'Falla y gwelwn ni o'n dilyn yr un llwybr â chi un o'r dyddia 'ma, Daniel.'

'Heb unrhyw hawl i'w gerddad o.'

'On'd ydi Duw wedi rhoi'r hawl hwnnw i chi drwy'ch dewis chi i wasanaethu ar 'i ran O?'

'Ond pam y dylwn i ddisgwyl i bobol er'ill ymladd ar fy rhan i? Fedar geiria o bulpud leddfu dim ar yr holl ddiodda 'ma.'

'Rydw i'n synnu'ch clywad chi'n deud hynna, Daniel. Pa ffisig gwell allwch chi 'i gynnig iddyn nhw nag un y meddyg mawr 'i hun? Rydach chi'n fawr eich braint, 'machgan i. "Canys llawer sydd wedi eu galw, ond ychydig wedi eu dewis.".'

Sylwodd Tom fod Dan wedi cynhyrfu trwyddo, ond er mawr ryddhad iddo bu'r adnod yn glo ar y sgwrs ac aeth y pen-blaenor i'w hynt.

'Mae'n well i mi 'i chychwyn hi,' meddai. 'Mi wnes i addo i Mam y byddwn i'n mynd adra ar f'union.'

Nid oedd osio symud ar Dan.

'Adra ydi'r lle gora i chditha.'

'A be sydd 'na i mi yn fan'no? Sawl gwaith ddeudist ti wrtha i y g'nâi o les i mi ada'l y llyfra, a rŵan fedra i ddim diodda mynd yn agos atyn nhw. Be wna i, Tom?'

'Waeth i ti heb â gofyn i mi. Chdi ydi'r un peniog i fod. Be ddoth drostat ti i droi ar John Williams fel'na? Ro'n i'n meddwl fod gen ti barch i'r dyn.'

'Mae gen i. Ond doedd yr hyn ddeudis i'n mennu dim arno fo. Mae o'n benderfynol o ga'l y gair ola bob tro.'

'Mi dw i'n mynd, Dan. A dyna 'ngair ola inna am heno.'

'Ydi o ots gen ti os do i i dy ddanfon di beth o'r ffordd?'

'Ddim os gnei di addo peidio crybwyll na llyfra na hawlia na dim arall.'

Cadwodd Daniel at ei addewid. Erbyn iddynt gyrraedd Grisiau Cochion, roedd Tom yn difaru iddo fod mor ddiamynedd. Er mwyn torri ar y tawelwch dechreuodd sôn am ymweliad Trench a'r bygythiad y caent eu troi allan o'r tŷ os na fyddent yn talu'r rhent. Caeodd yn glep pan na chafodd unrhyw ymateb a ffarweliodd y ddau yn fuan wedyn heb hyd yn oed y 'wela i chdi' arferol.

15

Cuchiodd Isaac Parry y codwr canu ar y twr plant a safai o'i flaen.

'Neith hynna mo'r tro,' meddai'n chwyrn. 'Un waith eto.'

Syllodd Ifan yn bryderus ar y cloc mawr. Er bod yr Ysgol Sul wedi ei thorri'n fyr er mwyn iddynt gael ymarfer canu, roedd bysedd hwnnw'n beryglus o agos at dri o'r gloch.

'Gnewch sioe dda ohoni tro 'ma,' sibrydodd. 'Neu yma byddwn ni.'

Trawodd Isaac ei fforch diwnio ar bren traws y sêt fawr a'i dal wrth ei glust.

'Un . . . dau . . . tri . . .

'Plant bach Iesu Grist ydym ni bob un,
Ef sydd yn ein cadw yn ei law ei hun;
Ef sydd yn ein gwylio'n dirion ym mhob man,
Y mae'n frawd i'r lleiaf, yn ffrind i'r gwan.'

Daeth gwên lydan i ymlid y cuwch oddi ar wyneb y codwr canu.

'Mi oedd hynna lawar gwell. Ond does dim angan gweiddi, Ifan. Mae dy lais di i'w glywad drwy bawb.'

'Teimlo'n hapus ydw i o ga'l deud 'mod i'n un o blant bach Iesu Grist, Isaac Parry.'

'Chwara teg i chdi, wir. Ffwrdd â chi, a chofiwch am yr ymarfar nos Fawrth.'

Yr eiliad yr cafodd ei ryddid, rhedodd Ifan nerth ei draed i lawr Ffordd Lloyd a chriw o fechgyn yn dilyn yn rheng o'i ôl. Pan ddaeth o fewn cyrraedd i eglwys St Ann gwelodd fod drws y festri ar gau. Roedd o'n rhy hwyr wedi'r cyfan. Ond pan oedd ar fin gadael clywodd leisiau plant yn llafarganu, *'Our father'*.

'Mi dan ni 'di gneud hi, Ifan,' broliodd Ned Tanybwlch. 'Dal ati'n hir maen nhw 'te.'

'Mae gen blant Eglwyswrs gymint mwy o bechoda i gyfadda, does. Mi guddiwn ni tu ôl i'r clawdd yn fan'ma. A dim smic gen 'run ohonoch chi . . . dallt?'

Trwy agen yn y clawdd, gwelodd Ifan ddrws y festri'n agor a Joni a'i frawd bach, Beni, yn rhuthro allan ar y blaen i bawb.

'Rŵan hogia!' gwaeddodd.

Sgrialodd y bechgyn dros y cerrig a chau'n gylch am Joni a Beni. Gan sgwario'i ysgwyddau, camodd Ifan i ganol y cylch.

'A lle w't ti'n mynd ar gymint o hast, Joni Mos?' holodd yn herfeiddiol.

'Adra.'

'At y coesa duon er'ill, ia?'

'Cau dy hen geg fawr, y cythral.'

'Ddylat ti ddim rhegi fel'na a chditha newydd fod yn 'Rysgol Sul. Ond dydach chi'ch dau ddim yn blant bach Iesu Grist, yn nag ydach? Plant y diafol, dyna ydach chi. W't ti'n gwbod lle mae rheiny'n mynd, Beni Mos?'

Ysgydwodd y bychan ei ben a dechreuodd igian crio.

'I'r tân mawr 'te. Ca'l 'u rhostio'n fyw.'

'Gad lonydd iddo fo neu mi waldia i di.'

Cododd Ifan ei ddyrnau.

'Tyd 'laen. Mi w't ti'n gofyn amdani tro 'ma. Ddeudis i y byddwn i'n dy ga'l di'n do'r cachwr bach.'

Ni chafodd Ifan ei ddial wedi'r cyfan. Chwarter awr yn ddiweddarach, roedd clochydd St Ann yn hwffian a phwffian i fyny'r allt a chriw o fechgyn siomedig wrth ei gwt. Roedd ei anadl yn fyr a'i dymer yn fyrrach fyth erbyn iddo gyrraedd Llwybrmain. Gwrthododd fynd ymhellach na rhiniog rhif ugain, ac adroddodd ei neges yn fyr ac i bwrpas gan daflu golwg ddirmygus ar y cerdyn yn y ffenestr.

Wedi iddo adael, trodd Elen at Ifan ac meddai a chryndod yn ei llais,

'Sut medrat ti? Cwffio ar y Sul, o bob dwrnod. Mi fydd raid i ti ymddiheuro i Joni.'

'Dim ffiars o beryg.'

'Dw't ti ddim i siarad fel'na efo dy fam,' rhybuddiodd Tom.

'Ti ddeudodd fod yn rhaid i ni sefyll efo'n gilydd 'te. A mi faswn i 'di darn-ladd Joni Mos oni bai fod yr hen blant Eglwyswrs 'na wedi achwyn arna i. Ond mi ca i o tro nesa.'

Yn ei dychryn, apeliodd Elen at ei gŵr, a eisteddai a'i gefn atynt yn syllu i'r tân.

'Glywsoch chi be ddeudodd o, Robat?' holodd.

Heb godi ei olygon, meddai yntau,

'Mae o'n sobor o beth fod hogia oedd yn gymaint o ffrindia wedi ca'l 'u gorfodi i droi'n elynion.'

* * *

Y nos Sul wedi'r cerdded allan, petrusodd Edward yn hir cyn mentro i ystafell y blaenoriaid. Daethai'r gofalwr â'i gôt a'i het draw fore Llun. Roedd yn amlwg oddi wrth ei olwg a'i ystum ei fod yn anghymeradwyo'i ymdrech ef i geisio darbwyllo'r gynulleidfa. Efallai y byddai'n well iddo adael ei het a'i gôt yn y cyntedd o hyn allan, rhag ofn. Ond go brin y gwelai ailadrodd y noson honno, o ran hynny. Roedd yr aelodau wedi gwneud eu safiad, a byddai John Williams yn ymhyfrydu yn ei fuddugoliaeth.

Ni fu i'r pen-blaenor grybwyll y mater. Roedd bod cronfa'r organ wedi cyrraedd y nod, diolch i haelioni'r rhai gwell eu byd a hatling y tlawd, wedi mynd â'i fryd yn llwyr. Barnodd Edward unwaith yn rhagor mai taw oedd piau hi, a chytunodd yn barod i'r trefniadau ar gyfer agor yr organ newydd. Gadawodd cyn gynted ag oedd modd, a gwnaeth yn siŵr mai Grace oedd yn y siop pan alwodd John William i nôl ei faco Amlwch.

'Ddeudist ti rwbath wrtho fo?' holodd yn ddiweddarach.

'Dim ond mai Samuel Davies oedd yr athro Ysgol Sul gora ge's i erioed a bod gen i barch mawr ato fo.'

'A be ddeudodd o?'

'Rhowch barch lle mae parch yn ddyledus.'

'A dyna'r cwbwl?'

'Ia, dyna'r cwbwl.'

Teimlodd Edward ollyngdod mawr. Roedd Grace wedi arfer doethineb, am unwaith, a gallai fforddio ymlacio. Ond y prynhawn hwnnw, ac yntau ar ei ben ei hun yn y siop, cafodd ysgytwad pan welodd John Williams yn cerdded i mewn. Dylai fod wedi meddwl na fyddai'n caniatáu iddo ddianc mor rhwydd. Yn ei gynnwrf, ni fu iddo sylwi fod gan John Williams gwmni nes iddo'i glywed yn dweud,

'Rydw i am i chi gyfarfod Mr Edgar Owen, Edward. Mae o wedi dod yn athro i Ysgol Bodfeurig ac yn aros efo Nel Lloyd, fy nghyfnithar.'

Llwyddodd Edward i'w sadio ei hun. Camodd o'r tu ôl i'r cownter ac estyn ei law i'r gŵr ifanc.

'Croeso i Fethesda, Mr Owen. A be ydach chi'n 'i feddwl o'r lle 'ma?'

'Mae o'n wahanol iawn. Dyma'r tro cynta i mi adael fy nghynefin.'

'A lle ydi hwnnw, os ca i fod mor hy' â gofyn?'

'Brodor o'r Bala ydi Mr Owen, a'i rieni'n fasnachwyr fel chitha.'

'Y Bala, ia? Mae Daniel y mab yn gobeithio mynd i'r coleg yno i baratoi ar gyfar y Weinidogaeth.'

'Os oes 'na rywun yn haeddu llwyddo, Daniel ydi hwnnw. Rydan ni i gyd yn hynod falch ohono fo, ydan wir.'

Daeth y clod â gwên foddhaus i wyneb Edward.

'Rydw i wedi gwahodd Mr Owen i ymuno â ni yn yr oedfa nos fory, Edward, gan 'i fod o'n ddiarth i'r ardal.'

'Mi fyddwn ni'n falch iawn o'ch cwmni chi. Rydan ni wedi colli amryw o'n haeloda'n ddiweddar.'

'Mae'n ddrwg gen i glywed hynny. Roedd Mrs Lloyd yn cwyno fod yna lawer o waeledd yn yr ardal.'

'"Yr haint a rodia yn y tywyllwch," yntê, Edward? Ond rydw i'n falch o allu deud fod y cysegr yn rhydd ohono fo.'

Gadawodd y ddau ar y nodyn hwnnw. Mae'n amlwg nad oedd 'yr haint a rodia'n y tywyllwch' yn golygu dim i'r athro dŵad, ond ni fyddai John Williams fawr o dro'n ei oleuo. Galwodd Edward ar Grace i gymryd drosodd a dringodd y grisiau i'w lofft yn ddistaw bach, rhag aflonyddu ar Daniel. Ond ni fyddai'n rhaid iddo fod wedi ffwdanu, oherwydd roedd y parlwr yn wag a'r llyfrau'n segur ar y bwrdd.

*   *   *

Yn ystod yr wythnos, cafodd Tom berswâd ar Ifan i ymddiheuro i'w fam er iddo wrthod yn lân addo cadw'i bellter oddi wrth Joni Mos. Ond erbyn y Sul roedd pryder arall wedi taflu'i gysgod dros bopeth. Aethai Elen i'r gwely cyn i Tom gyrraedd yn ôl o'r pentref ond ni chafodd yr un winc o gwsg. Roedd hi wedi codi ar y blaen i bawb ac heb ddim i'w wneud ond eistedd yn pletio'i ffedog mewn anobaith llwyr.

Pan ddaeth Tom i lawr o'r groglofft, ni chymerodd unrhyw sylw ohono.

'Be dach chi'n 'i neud i lawr mor gynnar?' holodd yntau.

'Waeth i mi yn fan'ma ddim,' yn siort.

'Methu cysgu, ia?'

'Sut medra i gysgu a finna mewn peryg o golli 'nghartra?'

'Pryd deudodd y Trench 'na y bydda fo'n galw?'

'Fory. Ein troi ni allan neith o'n siŵr i chdi.'

'Chaiff o ddim cyfla i neud hynny. Caewch eich llygaid a daliwch eich llaw allan.'

'Be w't ti'n 'i foddran, d'wad?'

'Gnewch fel dw i'n deud, am unwaith.'

Ufuddhaodd Elen, yn gyndyn. Clywodd sŵn arian yn tincial wrth iddynt daro'i chledr.

'Mi fedrwch 'u hagor nhw rŵan.'

Syllodd hithau'n fud am rai eiliadau ar y pentwr ceiniogau a'r chwecheiniogau gwynion cyn gofyn yn chwyrn,

'Lle ce'st ti'r pres 'ma?'

'Ydi o ots?'

'Mae ots gen i.'

'Ca'l 'u benthyg nhw gen Dan. Roedd o'n aros amdana i y tu allan i'r neuadd neithiwr.'

'Ddylat ti ddim fod wedi mynd ar 'i ofyn o.'

''Nes i mo'r fath beth. Dim ond digwydd sôn nos Sadwrn dwytha.'

'Mi fydda dy dad yn gwaredu 'tai o'n gwbod.'

'Does dim angan iddo fo wbod. Rhowch rheina o'r golwg am rŵan a deudwch wrth Trench fory am 'u rhoi nhw lle mae'r mwnci'n rhoi 'i gnau.'

'Tom! Rhag cwilydd i chdi.'

Er bod cerydd yn ei llais, roedd hi'n gwenu am y tro cyntaf ers wythnosau. Cofiodd yn sydyn ei bod yn ddydd Sul. Tynnodd y ffedog oedd yn grychiadau i gyd ac estyn ei ffedog orau o'r drôr. Yfory, byddai'r ddyled wedi'i chlirio a hithau wedi prynu'r hawl i aros ar ei chlwt bach am ryw hyd eto.

Ond fe ddaeth Robert i wybod. Roedd y tywydd garw wedi ei gadw'n y tŷ fore Llun a gwelodd yr arian yn cyfnewid dwylo. Cyn pen yr awr, roedd yn curo ar ddrws cefn Bristol House. Cafodd Grace fraw o'i weld a holodd yn bryderus,

'Be sy'n bod, Robert Evans? Dydi Elen ddim yn cwyno, gobeithio?'

'Na, mae hi'n dal ati'n rhyfeddol. Isio gair efo Daniel yr ydw i.'

Roedd Daniel wedi adnabod y llais a daeth at y drws. Arweiniodd Robert i'r gegin a pheri iddo dynnu ei gôt.

Roedd yn wlyb at ei groen a'i lygaid yn llosgi'n yr wyneb gwelw. Ni welsai erioed y fath newid yn neb.

'Be alla i neud i chi, Robert Evans?' holodd.

'Mi liciwn i allu deud cymryd yr arian yn ôl, ond mae hi'n rhy hwyr i hynny.'

Roedd Tom wedi dadlennu gan bwy y cawsai'r benthyciad, felly, er iddo ei rybuddio i beidio.

'Ond mi dw i am i chi wbod y talwn ni nhw'n ôl gyntad medrwn ni.'

'Does 'na ddim brys.'

'Mi fyddwch chi angan pob ceiniog. Mae'n fyd calad ar stiwdants, fel dw i'n dallt.'

'Fydd 'na ddim coleg i mi, Robert Evans. Rydw i wedi rhoi heibio'r bwriad o fynd i'r Weinidogaeth.'

Safai Grace a'i chefn ato yn paratoi'r te. Ni ddywedodd air, ond gallai weld ei chorff yn tynhau.

'Mae'n ddrwg calon gen i glywad hynny. Does gan y dyfodol fawr i'w gynnig i'r rhan fwya ohonon ni, ond mae ganddoch chi'r gallu i neud rwbath ohono fo a'r cyfla i ddianc o'r uffarn yma.'

Syllodd Robert arno a'r ddau lygad llosg yn deifio'i gnawd.

'Mae hyn yn siŵr o fod yn ergyd i'ch tad.'

Daeth Grace â'r baned i Robert ac meddai'n dawel,

'Mi fydd, pan ddaw o i wbod. Wyddwn inna ddim tan rŵan.'

Roedd llaw Robert yn crynu wrth iddo godi'r gwpan at ei wefus.

'Mae'r hen helynt 'ma'n costio'n o ddrud i ni, rhwng bob dim, on'd ydi Grace fach?'

'Ydach chi'n meddwl fod gobaith ennill y frwydr, Robert Evans?'

'Mae'n amheus gen i. Ond hyd yn oed os down ni drwyddi mi fyddwn wedi colli llawar mwy.'

*   *   *

Drwy gil drws y stabl, gwyliodd Laura y cenllysg yn dyrnu'r coblau ac yn casglu'n bentyrrau gwynion rhyngddynt. 'Marblis bach', dyna fyddai Huw yn eu galw. Roedd o wrth ei fodd yn eu codi rhwng bys a bawd a'u dal ar ei gledr. A hithau ar goll yn ei meddyliau, parodd y gweryru a'r pystylu traed sydyn iddi neidio'n ôl mewn dychryn. Gwgodd William arni.

'Bydd lonydd, da chdi. Mi w't ti 'di cynhyrfu Jet rŵan.'

'Be 'di'r matar arno fo?'

'Dim ond isio chydig bach o foetha, fel pawb ohonon ni. Fel hyn mae gneud, yli.'

Plygodd ymlaen a chwythu i ffroenau'r ceffyl. Tawelodd yntau ar ei union.

'W't ti am roi cynnig arni?'

'Well gen i beidio.'

Chwarddodd William.

'Mi gymra i 'i siâr o 'ta,' meddai'n herllyd.

Eisteddodd ar fwrn gwellt a'i thynnu hithau ar ei lin.

'Ddeudist ti wrthyn nhw adra ein bod ni'n mynd i briodi?' holodd.

'Do.'

'Mi oeddan nhw'n siŵr o fod yn siomedig na phriodist ti mo'r pregethwr.'

''Nawn i byth wraig gweinidog, medda Mam . . . dim digon yn 'y mhen i.'

'Ond mi w't ti'n ddigon da i mi?'

Ni sylwodd Laura ar y nodyn gwatwarus yn ei lais.

'Mi oedd hi i weld yn fodlon iawn.'

'Ofn oedd ganddi hi na fydda neb arall dy isio di wedi iddo fo dy wrthod di, ia?'

'Nid dyna ddigwyddodd.'

'Be 'ta?'

'Gweithio'n galad oedd o 'te, rhwng y chwaral a'r holl studio. Fedra fo ddim fforddio gadal i neb na dim sefyll yn 'i ffordd o.'

'A mi w't ti 'di madda iddo fo am dy siomi di?'

'Does 'na ddim byd i fadda.'

'Mae'n rhaid nad oedd ganddo fo fawr o feddwl ohonat ti. Ond mi oedd gen ti feddwl ohono fo, doedd . . . dal i fod. Dipyn mwy nag sydd gen ti ohona i.'

'Ond chi ydi nghariad i rŵan 'te.'

'Os w't am brofi hynny tyd ata i i'r llofft stabal heno.'

'Ond fydda hynny ddim yn iawn. Ddim nes byddwn ni wedi priodi.'

'Dydw i ddim mor siŵr ydw i isio priodi un sy'n dal cannwyll i ddyn arall. Mi fasa'n well i ti fynd rŵan.'

Aeth hithau, gan bigo'i ffordd yn ofalus rhag sathru ar y sypiau bach gwynion. Roedd Huw mor siomedig pan fydden nhw'n toddi'n ddŵr ar ei gledr. Ond byddai'n dal ati i'w casglu ac yn cau ei ddwrn amdanynt, i'w cadw'n saff medda fo, dim ond i'w agor wedyn a chael ei siomi bob tro. Cadw'i dwrn ar gau, dyna ddylai hithau fod wedi ei wneud. Ni fyddai'r un blas ar gofio Dan rŵan ei bod wedi ei rannu efo William. Ond nid âi'n agos i'r llofft stabal, roedd hynny'n siŵr. Petai'n ildio iddo byddai'n colli'r hawl i gofio, hyd yn oed, ac ni fyddai dim yn aros ond ôl gwlybaniaeth fel dagrau ar gledr wag.

*   *   *

Wedi i Robert Evans eu gadael, paratôdd Daniel ei hun ar gyfer y storm oedd yn siŵr o ddilyn. Ei unig gysur oedd na fu i'w dad fod yn dyst o'r sgwrs. Byddai gofyn iddo dorri'r newydd yn raddol, yn ei ffordd ac yn ei amser ei hun. Ond o leiaf yr oedd Grace yn gwybod, a gorau po gyntaf iddo gael hyn drosodd. Ond yn hytrach na bwrw iddo ni wnaeth ond dweud, yn ddigon di-ffrwt,

'Mi fydda Tada a finna wedi bod yn ddigon balch o'r pres 'na, faint bynnag oeddan nhw.'

A dyna'r cwbwl oedd yn ei phoeni hi, ia?

'A mi w't ti'n dannod hynny i mi rŵan?' meddai'n biwis.

'Does gen ti ddim syniad pa mor ddrwg ydi petha, yn nag oes?'

'O leia fedar neb fygwth ein troi ni allan o'n cartra am fethu talu'r rhent.'

Teimlodd Grace y cywilydd yn codi'n wrid i'w gruddiau.

'Mae'n ddrwg gen i, Dan. Ond sut o'n i i wbod? Pam na fasat ti wedi deud wrtha i?'

'Pa well fyddwn i ar hynny?

'Be sydd wedi digwydd i ni, d'wad? Roeddan ni'n arfar gallu rhannu pob dim.'

'Ers talwm, falla. Roedd petha mor syml 'r adag honno, doeddan?'

'A ninna'n gwbod yn iawn pwy oeddan ni ac i ble roeddan ni'n mynd. W't ti'n cofio'r gêm "pan fydda i'n fawr" honno fyddan ni'n arfar 'i chwara? Mi oedd yn gas gan Laura hi 'sti.'

'Does gen i'm co iddi hi rioed ddeud be oedd hi isio.'

'Methu deud oedd hi 'te. Ond chafodd hi mohono fo, mwy na che's i. Breuddwydion gwag oedd y cwbwl.'

'Ond mi ddoth breuddwyd Tom yn wir.'

'Dim ond i ga'l 'i chwalu wedyn.'

Gwyrodd Grace dros y bwrdd a chyffwrdd â'i law.

'Addo i mi na nei *di* ddim gadal i hynny ddigwydd,' meddai'n erfyniol. 'Nid er mwyn Tada'n unig, ond er 'y mwyn i, a Tom a Laura.'

16

Y nos Iau olaf o Ragfyr, 1901, daeth y ffyddloniaid ynghyd i gapel Jerusalem. Anghofiwyd y terfysg o'r tu allan wrth i bawb ryfeddu at ddehongliad Dr Roland Rogers, organydd Eglwys Gadeiriol Bangor, o'r 'Storm' ar yr organ newydd. Ni allodd John Williams gelu'i falchder pan ddywedodd y gŵr gwadd o Lundain fod y gwelliannau a wnaed, ar waetha'r amseroedd blin, yn profi fod gan bobl Bethesda ffydd gref yn y dyfodol.

Anghenion yr heddiw a wynebai gyn-weithwyr Braich y Cafn pan ddaethant adref dros y gwyliau. Nid oedd y llythyrau a dderbynient wedi dweud fawr mwy na 'rhwbath yn debyg ydi petha yma'. Rhoddodd gweld effeithiau difaol y misoedd diwethaf ysgytiad iddynt. Trodd eu pryder yn ddicter a'r dicter yn ysfa dial.

Bu'r storm yn mudferwi am rai dyddiau, a'r tawelwch

iasoer yn gorwedd fel gorchudd o niwl dros yr ardal. Yna, nos Galan, agorodd y fflodiart. Llifodd torf fygythiol i lawr stryd fawr Bethesda gan ysgubo'r heddgeidwaid o'u ffordd. Cyn pen dim, roedd ffenestri tai bradwyr a swyddogion, y Victoria Hotel a'r Waterloo Inn, yn deilchion a'r dyrfa'n bloeddio fod gwaeth i ddod.

Atebodd Cyrnol Ruck yr her. Yn oriau mân y bore ar yr ail o Ionawr, cyrhaeddodd tua chant o wŷr traed Ysgol Glanogwen, ac erbyn nos roedd gwŷr meirch o Aldershot yn bwrw'u lludded yn y Victoria a'r Douglas Arms. Drannoeth, marchogodd Arglwydd Penrhyn a Young drwy'r pentref er mwyn cael gweld maint y difrod, cyn croesi Pont Sarnau i'r chwarel. Cafodd yr anerchiad a roddodd yr arglwydd i'w weision dderbyniad gwresog. Nid oedd, meddai, wedi gwneud unrhyw gam â'i weithwyr er pan ddaeth y chwarel i'w feddiant, a sicrhaodd hwy y gofalai ef y byddai iddynt gael pob amddiffynfa bosibl yn dâl am eu ffyddlondeb.

Ni fu fawr o'r iaith fain rhwng y Lord a'r rheolwr wrth iddynt farchogaeth yn ôl ar hyd llinell y Rheilffordd Fach. Teimlai Young y dylai fod wedi derbyn peth o glod y gweithwyr. Onid arno ef y syrthiai baich y cyfrifoldeb o redeg y chwarel yn ystod absenoldeb mynych y perchennog? Pan fu iddo awgrymu y dylai'r arglwydd ddal ar y cyfle i gael gwared â rhai o denantiaid annheyrngar Douglas Hill gan fod y les ar fin dod i ben, ni wnaeth ond dweud yn geryddgar nad dyma'r amser i weithredu. Cytunodd yn ddigon grwgnachlyd i ganiatáu i Trench eu rhybuddio na allent barhau â'r denantiaeth os byddai unrhyw gythrwfl rhyngddynt a'r gweithwyr, cyn belled â'i fod yn cydnabod eu bod hwy'n rhydd i wneud y dewis o weithio neu beidio. Ei eiriau olaf oedd, *'The same message, but a gentler tone, don't you agree?'* Ac nid oedd ganddo yntau ddewis ond cytuno am nad oedd, wedi'r cyfan, ond gwas cyflog.

Er mai Ruck gafodd y llaw uchaf am y tro, rhoddwyd ffarwél teilwng i rai o arwyr nos Galan ar stesion Bethesda. Gadawsant i seiniau 'Tôn y Botel' ac addewidion y byddai'r frwydr yn parhau. Gadawodd y milwyr, hefyd, yn dawel fach un ben bore. Gallodd gŵr y Castell anadlu'n rhydd unwaith eto a chanolbwynio ar briodas ei ferch, Ina, â'r Milwriad Arthur Sandbach, Hafodunos, Llangernyw. Penderfynodd mai peth annoeth fyddai trefnu dathliadau yn yr ardal, rhag cynhyrfu rhagor ar y streicwyr, ond mynnodd ei ddeiliaid teyrngar amlygu eu parch a'u dymuniadau gorau i'r teulu. Canwyd clychau'r Ysgolion Cenedlaethol am amser maith a chlywyd ergydion na fu erioed eu gwell yn diasbedain o'r Fronllwyd a Phonc Douglas. Petai'r arglwydd gartref byddai wedi gweld fflamau'r goelcerth a daniwyd ar Bonc Ffriddoedd o'i gastell, a byddai'r dathlu yng nghymdogaeth Tregarth, lle'r oedd canhwyllau a lanterni'n addurno'r ffenestri, wedi rhoi hwb sylweddol i'w hunanhyder.

* * *

Erbyn y mis bach, roedd olion y difrod wedi diflannu a'r stryd fawr mor wag ag ydoedd cyn y gwyliau. Ni ddaethai'r un haint i darfu ar y cyfarfodydd gweddi undebol, ac anerchiad i'r cadwedig fu un W.J. Parry ar 'ein peryglon crefyddol a'r modd o'u hosgoi'. Cymerodd Daniel ran yn y cyfarfodydd gan ddethol ei eiriau'n ofalus rhag tramgwyddo neb. Roedd Grace yn dal i gynnau'r tân yn y parlwr bob bore a threuliai yntau rai oriau segur yno yn ei ffieiddio ei hun oherwydd ei lwfrdra. Ni fu i'w ffrwydrad geiriau y tu allan i'r neuadd siglo dim ar ymddiriedaeth John Williams ynddo, ac roedd Tom yn amlwg yn credu mai dim ond chwiw dros dro oedd hyn. Laura'n unig a fyddai'n fodlon derbyn mai rheidrwydd oedd gadael y llwybr, fel yr oedd hi wedi derbyn y rheidrwydd o'i gerdded. Cofiodd y rhyddhad a deimlai wrth iddo frasgamu i lawr allt Pen y Bryn y diwrnod hwnnw. Roedd o wedi gallu dweud, a'r cyfan drosodd. Ond er y gwahanu a'r geiriau creulon, gwyddai na fyddai Laura'n gadael i'r siom ei chwerwi na'i hatal rhag dweud, fel y gwnaethai sawl tro, 'mi wna i be fedra i i helpu, Dan'. Mor hawdd oedd brifo un a ofynnai cyn lleied ganddo o'i gymharu â dinistrio holl obeithion un a ddisgwyliai gymaint.

Y boreau hynny, wrth iddi wylio'r tân oer yn ffrwydro'n fflamau, ceisiodd Grace gadw fflam gobaith i gynnau yn ei chalon hithau. Er ei bod yn gallu uniaethu â'i siom, ni allai gredu y byddai Daniel yn caniatáu i hynny sefyll yn ei ffordd. Câi gysur o'i weld yn mynd am y parlwr, ac er nad oedd fawr o ôl bodio ar y llyfrau roedd gwybod ei fod yno yn rhoi tawelwch meddwl iddi.

Âi'r dyddiau heibio o un i un heb ddim i dorri ar eu hundonedd. Prin y sylwai ar y cerdyn bellach, ond cawsai achos diolch nos Galan iddi wneud ei dewis a'i adael yn y ffenestr. Bu'r geiriad a welsai'n fygythiad unwaith yn fodd i'w gwarchod ac roedd yno i aros.

Yn ei sedd ar y Sul, gadawai i'w meddwl grwydro'n ôl i'r ers talwm y bu iddi unwaith dyngu y byddai'n ei gadw o hyd braich. Gallai deimlo meddalwch y mwsog oddi tani a'r haul yn mwytho'i hwyneb. Nid llais y pregethwr a glywai, ond un Daniel o'i bulpud carreg. Roedd yn chwifio'i freichiau ac yn dyrnu'r awyr. Syllai Laura'n addolgar arno, ei phen ar un ochr a'i llygaid gleision yn disgleirio. 'Da ydi o 'te,' sibrydodd. Ond roedd Tom wedi neidio ar ei draed ac yn bloeddio, 'Haleliwia. Diolch Iddo'. Wrth i seiniau'r organ newydd eu harwain i'r emyn olaf, ni chlywai ond bwrlwm afon Ogwen a chwerthin pedwar plentyn diofal wrth iddynt lamu o garreg i garreg.

Gorfodai'r canu hi'n ôl i'r presennol. Un nos Sul, clywodd John Williams yn mynegi'i falchder o gael estyn croeso i Mr Edgar Owen i'w plith. Ni chymerodd fawr o sylw o'r Mr Owen hwnnw pan gyflwynodd ei thad ef iddi wedi'r oedfa, ond roedd yn amlwg ei fod eisoes wedi creu argraff ar ferched ifanc y capel. 'Wyddoch chi rywfaint o'i hanas o, Grace?' holodd un ohonynt. 'Na wn i wir,' meddai'n siort. Ac nid oedd am wybod chwaith. Roedd pob croeso iddyn nhw gystadlu am ei sylw.

Pan adawodd y capel y nos Sul ganlynol, roedd yn loetran y tu allan a'r merched yn ei lygadu o bellter. Arafodd hithau ei chamau, o ran cwrteisi. 'Pregeth fendithiol, Miss Ellis.' Er na chawsai hi unrhyw fendith ohoni cytunodd â'r sylw. 'Nos da, Mr Owen.' 'Nos da, Miss Ellis.' A dyna'r cyfan, nes iddo ofyn un noson a fyddai wahaniaeth ganddi pe bai'n cydgerdded am adref efo hi.

'Mae'r ffordd yn rhydd i bawb, Mr Owen, fel bydd y plant yn 'i ddeud,' atebodd.

Syllodd yn ddiddeall arni ac nid oedd ganddi'r amynedd i egluro nac i gynnal sgwrs chwaith. Pan ddwedodd ei fod wedi clywed canmol mawr iddi gan Hannah Williams, meddai,

'Un fel'na ydi Hannah, yn meddwl yn dda o bawb.'

'Rydw i'n credu ei bod hi yn llygad ei lle y tro yma.'

Teimlodd Grace ei thymer yn codi.

'Sut medrwch chi ddeud hynny? Dydach chi prin yn fy nabod i.'

'Rydw i wedi gweld digon i wybod y byddwn i'n hoffi dod i'ch nabod chi.'

Roedd ei acen ddieithr a'i agwedd hyderus yn rhygnu arni. Mentrodd gymryd cip arno, ac nid oedd dim a apeliai ati yn yr wyneb llyfn, di-wên. Pa hawl oedd ganddo i dybio fod ganddi hi unrhyw ddiddordeb ynddo? Er iddi wneud yn berffaith amlwg ei fod wedi ei tharfu, ni fu iddo ymddiheuro am ei hyfdra. Wrth ddrws Bristol House, cododd ei het iddi ac meddai yn yr un dôn ffurfiol,

'Tan nos Sul nesaf, Miss Ellis.'

Wedi iddi newid o'i dillad Sul, aeth Grace ati i osod tân oer yn y parlwr yn barod at y bore. Ni fyddai rhagor o arafu cam o ran cwrteisi. Efallai nad oedd hi'n ddim ond merch a chwaer rhwng ffiniau'i chartref, ond roedd ganddi ryw gymaint o'r hunanfalchder cynhenid yn weddill a'r hawl i ddewis cadw'i phellter oddi wrth un nad oedd ganddi'r mymryn lleiaf o ddiddordeb ynddo.

*　　*　　*

Ni wyddai Elen ddim am ymweliad Robert â Bristol House. Er iddi hithau deimlo cywilydd pan ddwedodd na ddylai fod wedi cymryd y pres, ciliodd hwnnw'n raddol a rhoddodd y sicrwydd dros dro ail wynt iddi. Yn ara bach, dychwelodd y mwynhad o weld sglein ar ei haelwyd ac enillodd y Sul ei le unwaith eto yn uchafbwynt ei hwythnos.

Cynhesai calon Tom wrth iddo ei chlywed yn hymian wrth ei gwaith, a bwriodd yntau i'r gwaith o atgyweirio'r cwt a hogi'r arfau yn barod at y gwanwyn. Ond pan ddaeth i'r tŷ am hoe a sgwrs fach un prynhawn, fe'i cafodd yn sobian crio.

'Wn i'm be ddaw ohonon ni, na wn i wir,' ochneidiodd.

'Be sydd, Mam?' holodd yn bryderus.

'Mi ddaru'r dyn Trench 'na alw heibio gynna.'

'Be oedd hwnnw isio eto? Pam na fasach chi wedi galw arna i?'

'Che's i ddim cyfla. Wedi gweld y cerdyn 'na oedd o. Mi ddeudodd betha cas, Tom.'

'Fel be?'

'Ein bod ni'n annheyrngar i'r Lord ac nad ydan ni'n haeddu ca'l aros yma. Mi fydd angan y tŷ ar gyfar y gweithwyr, medda fo. Be ydan ni'n mynd i neud?'

'Does 'na ddim byd fedrwn ni neud ond tynnu'r cerdyn o'r ffenast.'

'Ond fiw i ni. Be ddeudith y cymdogion?'

'Maen nhwtha wedi ca'l yr un rhybudd, debyg. Be tasa ni i gyd yn cytuno i dynnu'r cardia yn ystod yr wythnos a'u rhoi nhw'n ôl ar ddydd Sadwrn pan na fydd ci bach y Lord yn snwffian o gwmpas?'

Sychodd Elen ei llygaid â chwr ei ffedog ac meddai'n edmygus,

'Mae 'na rwbath reit glyfar ynat ti does.'

'O un mor wirion, ia? Steddwch chi yn fan'na a mi wna i de bach i ni.'

'Na 'nei di wir. 'Y nghegin i ydi hon. Er, wn i ddim am faint rhagor chwaith.'

'Chân nhw mo'u dwylo ar eich teyrnas chi, mi wna i'n siŵr o hynny. Mi ro i'r teciall i ferwi, ond mi gewch chi dorri brechdana os liciwch chi.'

Roedd hi eisoes ar ei ffordd i'r pantri. Wrth iddo roi proc i'r tân a sodro'r tecell arno, fe'i clywodd yn dweud a thinc direidi yn ei llais,

'Fedri di ddim gneud hebdda i, yn na fedri . . . mwy na fedra i hebddat ti.'

*   *   *

Nid oedd Young yn yr hwyliau gorau pan ddaeth y gorchymyn ei fod i ymddangos yn y Castell ar unwaith. Newydd ddychwelyd i'w swyddfa yr oedd wedi tair awr o geisio dal pen rheswm â gohebydd y *Daily Chronicle*, Cymro cibddall ac undebwr brwd. Pan ddwedodd ef fod y cynnyrch chwe deg y cant yn uwch nag ydoedd cyn y streic, roedd hwnnw wedi haeru nad oedd meddiant a chyfalaf ond eilradd i gyfoeth y graig a chrefft y chwarelwyr ac nad oedd y meistri ond y dannedd lleiaf yn olwyn fawr cymdeithas.

Ni fu'n rhaid iddo oedi yn y Neuadd Fawr y tro hwn. Arweiniodd y bwtler ef ar ei union i'r llyfrgell. Safai'r arglwydd a'i gefn at y ffenestr liw oedd wedi ei haddurno ag arfbeisiau llwythau brenhinol a phendefigaidd Cymru. Er bod ehangder o lawr rhyngddynt, gwyddai Young oddi wrth ei osgo fod rhywbeth wedi'i gynhyrfu. A pha asgwrn oedd ganddo i'w grafu heddiw, tybed? Onid oedd gorfod gwastraffu oriau a chael ei sarhau gan ddyn anwybodus a rhagfarnllyd yn ddigon heb orfod wynebu hyn? Ond cyn iddo gael amser i'w sadio ei hun, roedd y meistr yn croesi tuag ato. Cyfarchodd ef wrth ei enw cyntaf a diolchodd iddo am ymateb mor brydlon.

Rai munudau'n ddiweddarach, roedd achos y cynnwrf yn ei law a'i enw ef yno mewn du a gwyn dan y pennawd,

'*Mr E.A. Young's management*'. Tasgai'r geiriau deifiol yn wreichion o'r tudalennau. '*Mr Young is again wrong; Mr Young is very misleading in his answers and calculations; Mr Young shows great carelessness or great ignorance.*' Ond cipiodd Arglwydd Penrhyn y llyfr oddi arno a throi i'r dudalen olaf. Darllenodd y geiriau gyda'r fath gynddaredd nes peri i Young ddiolch nad oedd ef yn rhengoedd y gelyn:

'*We earnestly appeal to all to come to the rescue with their silver and gold to fight the tyranny that wealth, and rank, and bribery tries to set up as a permanent power in a district that has been beautified by nature, by education, and by religion, but which now one tyrannical feudal act may make desolate and hellish.*'

Wedi eiliadau o dawelwch llethol, meddai Young, a'i oslef yn gyfuniad o lid a chwerwder,

'*I had been told that the book was full of passionate and imaginative narrative.*'

Caeodd yr arglwydd y llyfr a'i daro ar y bwrdd wythonglog wrth ystlys y drws fel petai wedi'i heintio, ac meddai,

'*Men have perished through their imagination, Emilius. I intend taking libel action against Mr W.J. Parry. I trust that you will give me your support?*'

A gwreichion y geiriau o gondemniad yn serio'i feddwl, ni phetrusodd y rheolwr cyn addo'i gefnogaeth lwyr i'r meistr a gawsai ei gamfarnu a'i enllibio, fel yntau.

* * *

Tra oedd y Lord yn cynllwynio dial ar ei elyn pennaf, brwydr bodolaeth a âi â bryd y mwyafrif o drigolion yr ardal. Gwysiwyd rhai i ymddangos yn llys yr ynadon a chafodd un wraig ddirwy o ddeg swllt oherwydd iddi darfu ar berthnasau'r gweithwyr drwy weiddi 'bradwyr, cynffonwyr a Bw!', ar eu holau. Canolbwyntiodd aelodau'r corau ar deithio ar hyd a lled y wlad yn y gobaith mai diwedd y gân fyddai'r geiniog, ac anfonodd dros ddau gant o blant bach gweithwyr Lloegr un bunt ar hugain i blant bach Bethesda gyda'r addewid y deuent i'w gweld yn fuan. Derbyniai rhai a fynnai unwaith y byddai'n well ganddynt lwgu na byw ar gardod y rhoddion yn ddiolchgar a daeth peth o'r blas byw a fu yn ôl yn eu sgil. Yr un oedd byrdwn y llythyrau a anfonai'r mamau i'w meibion alltud, a'r un oedd y pryder a'r hiraeth na ellid eu mynegi.

Glynai John Williams wrth ei gred ddiysgog fod Duw o'u plaid a diolchai bob nos fod y Tŷ yn rhydd o'r haint. Chwyddodd aelodaeth eglwys St Ann a derbyniodd yn agos i bedwar ugain o'r rhai a gefnodd ar hen grefydd eu tadau fedydd Esgob. Yn ei golofn yn *Baner ac Amserau Cymru,* haerodd Clywedog mai credyd i Ymneilltuaeth Bethesda a'r cylch oedd y ffaith nad oedd o fewn ei chynteddau esmwythle i bawb ac mai iachadwriaeth i achos Ymneilltuaeth yn yr ardal oedd ymadawiad ryw fath o bobol o'u plith. Daeth y geiriau â chysur mawr i John Williams a cheisiodd Hannah ei hatal ei hun rhag rhoi tafod i'r 'piti', am mai dyna'i dyletswydd fel gwraig a Christion.

Ond, ac yntau wedi digio'n bwt wrth eu haelod seneddol am gondemnio'r torri ffenestri, nid oedd neb na dim yn ddiogel rhag brath tafod Now Morgan. Cafodd syrffed ar y siarad gwag yn y neuadd bob nos Sadwrn ac ymrôdd yntau, fel gŵr y Castell, i gynllwynio dial ar ei elynion.

* * *

Cafodd William Thomas, Tregarth, dderbyniad brwd pan esgynnodd i'r llwyfan i roi datganiad o'r emyn, 'Beth yw'r utgorn glywa i'n seinio'. Gellid clywed pin yn disgyn wrth i'r llais cyfoethog dreiddio i bob cwr o'r neuadd. Pwysodd Daniel yn ôl yn ei sedd. Byddai'n braf cael seibiant oddi wrth y geiriau oedd yn pigo'i gydwybod ac yn gadael colyn. Ond nid oedd dianc i fod. Pan atebwyd y cwestiwn, 'Pwy sy'n cael eu galw ganddo?' â 'Pechaduriaid o bob gradd', dechreuodd rhai hisian yn uchel a chwyddodd y sŵn nes bygwth boddi'r llais. Gyda'i ddoethineb arferol llwyddodd Henry Jones i'w tawelu, ond ni welodd y wên fach gyfrwys ar wyneb y canwr wrth iddo adael y llwyfan.

Llithrodd Daniel allan o'r neuadd ar y blaen i bawb. Er na fu iddo golli'r un cyfarfod ers wythnosau, nid oedd fymryn nes at gael ei dderbyn yn un ohonyn 'nhw'. Fe âi ar ei union i'r parlwr. Byddai hynny'n plesio'i dad. Pan oedd yn paratoi i fynd i'r cyfarfod, roedd wedi holi a allai fforddio'r amser ac yntau wedi osgoi ateb. Ond am ba hyd eto y gallai fyw'r twyll?

Roedd ar godi'r gliced pan glywodd Tom yn galw arno. Petai wedi rhoi ei droed gorau'n flaenaf byddai wedi gallu ei osgoi.

'Lle w't ti wedi bod tan rŵan?' gofynnodd yn sychlyd. 'Mae'r cyfarfod drosodd.'

Anwybyddodd Tom y cwestiwn.

'Dw't ti ddim wedi digwydd gweld 'nhad?' holodd.

'Ddim er pan y galwodd o yma ynglŷn â'r arian benthyg.'

Roedd ar fin ei atgoffa o'i addewid i gadw'r gyfrinach pan ddwedodd Tom,

'Mi adawodd y tŷ ganol y pnawn. Dydi o rioed wedi

aros allan cyn hirad â hyn. Yli, mae'n rhaid i mi fynd . . . i chwilio amdano fo.'

Bu'r pryder yn llais ei ffrind yn ddigon i yrru holl bryderon Daniel ar ffo. Heb betruso eiliad, meddai,

'Aros funud i mi roi gwbod i Tada a Grace a mi ddo i efo chdi.'

Yn rhif ugain Llwybrmain, lle nad oedd ond golau egwan y tân i dorri ar y tywyllwch, ni allodd Ifan ymatal yn hwy rhag gofyn,

'Ydach chi am i mi gynna'r lamp, Mam?'

'Ia, g'na di hynny. A rho hi'n y ffenast i dy dad ga'l gola ar y llwybyr.'

Goleuodd yntau'r wic a throi'r fflam i fyny cyn gosod y lamp ar silff y ffenestr.

'Mi fedar 'i gerddad o a'i lygid ar gau.'

'Medar, ran'ny.'

Safodd Ifan yno yn craffu allan i'r düwch ac meddai a myctod yn ei lais,

'Wedi digio efo fi am gwffio mae o 'te? Dyna pam nad ydi o'n dŵad adra.'

'Dydi dy dad ddim yn un i ddigio. Methu dygymod â'r segurdod mae o 'sti. Mi fydd yn iawn unwaith ceith o fynd yn ôl i'r chwaral.'

'Mi fydd bob dim yn iawn wedyn, yn bydd?'

'O, bydd. Estyn y Bebil i mi 'nei di.'

'Ond mae hi'n rhy dywyll i chi allu 'i weld o.'

'Mi gei di 'i ddarllan o i mi . . . salm pedwar deg chwech.'

'"Duw sydd noddfa", ia? Mi dw i'n gwbod honno.'

'W't ti, 'ngwas i?'

Doedd ei fam erioed wedi anghofio iddo ennill gwobr

am ei hadrodd yn y Cyfarfod Darllen. Aeth i eistedd wrth y tân gan obeithio na fyddai pall ar ei gof ef.

'Duw sydd noddfa a nerth i ni, cymorth hawdd ei gael mewn cyfyngder. Am hynny nid ofnwn pe symudai y ddaear, a phe treiglid y mynyddoedd i ganol y môr. Er rhuo . . .'

Aeth yn nos arno yntau ac ni allai fynd gam ymhellach er ei fod mor gyfarwydd â'r salm ag oedd ei dad â'r llwybyr. Ond roedd ei fam wedi cydio yn nhennyn y geiriau ac yn ei arwain ymlaen:

'a therfysgu o'i ddyfroedd, er crynu o'r mynyddoedd gan ei ymchwydd ef. Y mae afon, a'i ffrydiau a lawenhânt ddinas Duw; cysegr preswylfeydd y Goruchaf. Duw sydd yn ei chanol; nid ysgog hi; Duw a'i cynorthwyodd yn fore iawn. Y cenhedloedd a derfysgasant, y teyrnasoedd a ysgogasant: efe a roddodd ei lef, toddodd y ddaear. Y mae Arglwydd y lluoedd gyda ni; y mae Duw Jacob yn amddiffynfa i ni.'

17

Pan ddychwelodd Tom a Daniel i'r pentref wedi chwilio a holi ofer, roedd Edward Ellis yn eu haros yn nrws Bristol House. Bu yntau'n holi'n ddyfal a chawsai wybod gan griw o lanciau iddynt weld Robert Evans yn anelu am Allt Rocar.

'Faint sydd ers hynny?' holodd Tom.

'Ryw gwta ddwyawr, meddan nhw. Mynd am adra roedd o, siŵr o fod.'

'Ond sut na welis i mohono fo?'

Gollyngodd Edward ochenaid fach. Be oedd yn bod ar yr hogyn, mewn difri? Siawns nad oedd dyn yn ei oed a'i amser yn ddigon cyfrifol. Ac roedd gan Daniel amgenach pethau i'w gwneud na gwastraffu'i oriau prin ar siwrnai seithug.

Sylwodd Daniel ar yr ochenaid ac meddai'n dawel,

'Dydi Robert Evans ddim wedi bod yn fo'i hun ers sbel, Tada.'

'Taw â deud. Be sydd, felly?'

Ond cyn i Daniel gael cyfle i egluro roedd Tom wedi torri ar eu traws.

'Fetia i mai wedi mynd am Dwll Dwndwr heibio i Hirdir Isa mae o.'

'Go brin y bydda fo'n mentro i fan'no yr adag yma o'r nos.'

'Dydi o rioed wedi gadal y lle, Edward Ellis. Mi a' i draw yno rŵan.'

Teimlodd Daniel ias oer yn ei gerdded. O, na, nid oedd Robert Evans yn fo'i hun, o bell ffordd. Nid oedd dim yn weddill o'r chwarelwr cadarn, uchel ei barch, yn y gŵr â'r llygaid llosg a alwodd heibio ychydig wythnosau'n ôl. Er iddo gael braw o'i weld, aethai hynny'n angof cyn pen dim ac ni fu iddo hyd yn oed holi Tom yn ei gylch. Cofiodd fel y bu i John Williams ddweud nad oedd gwell ffisig i'w gael nag un y meddyg mawr ei hun. Roedd yntau wedi adrodd geiriau tebyg o'r pulpud sawl tro ac wedi ledio emyn Eben Fardd yn gwbl hyderus, gan roi pwyslais ar yr 'nid anobeithiaf ddim'. Ond bellach, a'r anobaith yn dyfnhau bob dydd, yr oedd wedi colli'r hawl i fynd ar ofyn yr Un yr addawodd fod yn ffyddlon iddo a dilyn yn ôl ei droed. Ac yntau'n brin o'r moddion, ni allai ei iacháu ei hun heb sôn am roi cysur i eraill. Oherwydd nad oedd ganddo ddim arall i'w gynnig, meddai,

'Mi ddaw Tada a finna efo chdi. Dim ond i neud yn siŵr fod pob dim yn iawn.'

*   *   *

Roedd Richard Morris yn ôl yn ei gynefin ac yn ei morio hi:

> 'Mae efrau 'mhlith y gwenith, fel sy'n y chwarel fawr,
> Sef rhai yn gweithio i fyny, a'r lleill yn gweithio i lawr;
> Mi hoffwn i gael gweled rhai yn llynowen ddôl,
> Ni fyddai ar un Cymro byth hiraeth ar eu hôl.'

Oedodd i borthi'r syched nad oedd diwallu arno, cyn annog yr hogiau i ymuno'n y gytgan:

> 'Rhowch hwb a hwb i'r gynffon
> Nes bônt yng nghanol lli;
> Ac Ogwen fo yn angau
> I'r holl gynffonnau sy.'

Cyn iddo allu llyncu'i boer, roedd ei botyn cwrw wedi'i ail-lenwi a Now Morgan yn ei arwain at fainc wrth y tân.

'Dim rhyfadd fod Laura 'cw'n gallu canu, Dic,' meddai'n edmygus. 'Tynnu ar d'ôl di mae hi 'te.'

'Mae hi'n werth y byd 'sti. Yr hogan ora yn Pesda 'ma.'

'Mae Dan bach 'di ca'l cythral o gollad. Ond dyn iawn mae Laura angan, nid rhyw gadach llawr fel hwnna. Ti'n meddwl fod gen i siawns, Dic?'

Tynnodd rhai o'r hogiau eu gwynt atynt. Dipyn o hyfdra oedd awgrymu hynna. Er mai un goes oedd gan Dic Potiwr, roedd ei ddyrnau yr un mor galed ag oedden nhw rai blynyddoedd yn ôl pan roddodd andros o gweir i ryw gòg meddw am geisio mynd i'r afael â Laura noson Ffair Llan. Ond roedd Richard yn rhy braf ei fyd ar y munud i fod eisiau codi twrw a rhoddodd gaead taclus ar biser Now Morgan drwy ddweud, gan chwerthin,

'Mae hi'n rhy dda i chdi o beth diawl. P'un bynnag, mae hi'n hwylio ati i briodi.'

'Efo pwy 'lly?'

'Hogyn o Sir Fôn . . . wedi dŵad yn ostlar i'r Castall.'

A'r sylw sarhaus yn ei bigo, roedd Now yn gyndyn o ildio. Pa hawl oedd gan yr uffarn digywilydd i ddweud nad oedd o'n ddigon da? Erbyn meddwl, roedd y cadach llawr wedi cael gwaredigaeth. Pwy yn ei iawn bwyll fyddai'n dewis ei glymu ei hun wrth ferch sbwnjwr diog fel hwn a'i hen slwt gegog o wraig? Rhoddodd winc ar yr hogiau ac meddai,

'Pwy fasa'n meddwl . . . y chdi'n dad-yng-nghyfrath i un o weision bach y Lord! Fyddi di isio dim i neud efo ni wedyn.'

A'i botyn cwrw unwaith eto cyn waced â'i boced, gwyddai Dic y byddai gofyn iddo chwarae'i gardiau'n ofalus.

'Wna i ddim troi 'nghefn arnoch chi, hogia, dim ffiars o berig. Dowch, mi boddwn ni nhw unwaith eto.'

Carthodd ei wddw'n awgrymog a galwodd un o'r criw

am wasanaeth Lloyd a'i jwg. Ymunodd pawb ond Now i roi hwb arall i'r cynffonnau. Drwy gil ei lygad, gwyliodd Richard y potyn yn llenwi i'w ymylon, fel llif afon Ogwen rhwng ei glannau. Roedd o wedi cael y gorau ar Now Morgan heb godi na dwrn na llais. Byddai'r ewach bach yn difaru bod mor hy' arno. Fo oedd arwr y King's Head am heno, yma ar ei fainc, fel brenin ar ei orsedd. Pan ddaeth y gân i ben, gwaeddodd yn llawn gorchest,

'Dyna be sy isio'i neud efo bob un o'r diawliad, a'r Lord i'w canlyn nhw!'

O'i gornel bwdu, rhythodd Now ar y criw oedd yn sefyll a'u cefnau ato. Gwynt, dyna'r cwbwl oeddan nhw, fel y Tom di-asgwrn-cefn 'na, ac nid oedd arno ef angen yr un ohonynt i roi ei gynllwyn ar waith.

*   *   *

Er bod y gaeaf yn fwy cyndyn nag erioed o ollwng ei afael, teimlai Daniel ei ddillad yn glynu wrtho a'r chwys yn oeri ar ei gnawd. Roedd bai arno'n mynnu dod â'i dad i'w ganlyn. Un bai arall ymhlith lliaws o feiau. Cyn iddynt ddechrau dringo Allt Rocar, mynnodd Tom bicio i dŷ cyfagos lle roedd hen bartner i'w dad yn byw, rhag ofn ei fod wedi digwydd galw yno.

Cerddai Edward yn ôl a blaen i geisio magu gwres.

'W't ti'n meddwl fod angan hyn?' holodd. 'Falla fod Robert Evans adra ers meitin a ninna'n stwna yn fan'ma.'

Am yr eildro'r noson honno, rhwystrwyd Daniel rhag egluro ymhellach gan weiddi cynhyrfus twr o fechgyn yn uwch i fyny'r allt. Parodd i'w dad aros yno ac aeth yntau i holi beth oedd yn bod.

Eiliadau'n ddiweddarach, dychwelodd at Edward, ei wyneb cyn wynned â'r galchen yng ngolau'r lleuad a'r ofnau a fu'n cyniwair ynddo wedi'u cadarnhau.

Gafaelodd Edward yn ei fraich a theimlo cryndod ei gorff.

'Be oedd ganddyn nhw i'w ddeud, Daniel?' holodd yn betrus.

'Maen nhw wedi dod o hyd i Robert . . . wedi boddi yn llyn Allt Rocar.'

Tynhaodd gafael ei dad ar ei fraich.

'Ond mae o'n nabod pob twll a chornal o'r lle 'ma fel cledr 'i law. Sut galla hynny fod wedi digwydd?'

'Mae Robert wedi mynd â'r atab i'r cwestiwn hwnnw i'w ganlyn, Tada.'

'Dw't ti rioed yn awgrymu 'i fod o wedi boddi'i hun yn fwriadol?'

'Mi ddeudodd wrtha i unwaith fod gen i'r cyfla i allu dianc o'r uffarn yma. Falla mai dyma'r unig ddihangfa iddo fo.'

Llaciodd Edward ei afael ac meddai a nodyn deifiol yn ei lais,

'Mae Tom ar 'i ffordd yn ôl. Cym' di ofal na ddeudi di mo hynna wrtho fo. Mi fydda gen Robert Evans ormod o barch i'w deulu ac i'w Dduw i neud y fath beth.'

Ymddiheurodd Tom am eu cadw i aros. Nid oedd modd rhoi taw ar Dafydd Jones ac nid oedd fymryn elwach o fod wedi galw yno. Ni fyddai waeth iddynt fod wedi mynd am Dwll Dwndwr ar eu hunion ddim. A rhybudd ei dad yn canu'n ei glustiau, torrodd Daniel ar draws y llifeiriant geiriau.

'Mae'r chwilio drosodd, Tom.'

Suddodd ei galon pan welodd oleuni rhyddhad yn llygaid ei ffrind.

'Diolch byth! A lle mae'r crwydryn 'ta?'

'Mae dy dad wedi ca'l damwain.'

'Pam na fasat ti 'di dŵad i ddeud wrtha i? Ydi o 'di brifo?'

'Syrthio i'r llyn ddaru o.'

'Symud o'r ffordd, Dan. Mae'n rhaid i mi fynd ato fo.'

Yn gynnwrf trwyddo, ceisiodd Tom wthio ei ffordd heibio i Daniel ond camodd Edward rhyngddynt, ac arno ef y syrthiodd y dasg o ddweud yr hyn na allai ei fab.

*   *   *

Hebryngwyd brenin simsan y King's Head am adref gan osgordd o bedwar, un o boptu iddo i'w gynnal, ac un ar y blaen a'r llall o'r tu ôl yn barod i'w ddal. Cawsant sawl waldan a bagliad gan fod y goes bren yn mynnu cymryd ei chwrs ei hun. Boddwyd degau'n rhagor o gynffonwyr yn ystod y daith a rhoddwyd clod, hynod o aflafar, i'r gwanwyn nad oedd yr un arlliw ohono yn unman.

Roedd y pedwar wedi ddiffygio'n lân erbyn iddynt gyrraedd agoriad Stryd Ucha. Rhoesant Richard i bwyso'n erbyn y wal, ond cyn iddynt droi ar eu sodlau roedd o ar ei din ar lawr ac yn cwyno'n dorcalonnus,

'Fedrwch chi mo 'ngadal i yn fan'ma.'

Cytunodd y pedwar y gallent wneud hynny'n rhwydd ac i ffwrdd â nhw ar lwybr igam-ogam i lawr rhiw Pen y Bryn.

Byddai wedi ei adael yno, fel y gŵr a syrthiodd ymysg lladron, oni bai i un samariad trugarog benderfynu ei bod yn haws wynebu Catrin Morris na mentro sigo'i gefn. Ni chawsai hwnnw air o ddiolch am ei gymwynas a diflannodd nerth ei draed yn difaru na fyddai yntau wedi mynd o'r tu arall heibio.

Teimlodd Richard law esgyrniog yn cyffwrdd â'i foch ac agorodd ei lygaid trymion i weld ei gymar yn syllu'n bryderus arno.

'Chdi sy 'na, 'nghariad gwyn i?' meddai'n floesg.

'Mi oedd gen i ofn am funud dy fod ti 'di'i phegio hi.'

'Ond y dim, Catrin fach, ond y dim. Fedra i ddim symud, wel'di. Yma y bydda i hyd dragwyddoldab.'

'Chei di ddim trengi yn fan'ma, reit siŵr. Rho dy bwysa arna i a chod ar dy draed.'

'Dim ond un sy gen i 'te. On'd ydi hi'n sobor arna i? Da i ddim i neb ar ôl slafio'n y chwaral 'na am ddeng mlynadd ar hugian.'

I Catrin a'i hystyfnigrwydd cynhenid yr oedd y diolch fod Richard wedi llwyddo i gyrraedd pen ei daith y noson honno. Bu'r ymdrech yn dreth arni hi, hyd yn oed, ac ni allodd ond eistedd yn fud am rai munudau. Gwenodd Richard yn rhadlon arni ac meddai,

'Be faswn i'n 'i neud hebddat ti?'

Ond daethai Catrin o hyd i'w thafod unwaith eto, er nad oedd i hwnnw'r brath arferol.

''Sgent ti'm cwilydd, d'wad?'

'Oes, Catrin, cwilydd mawr. Fyddwn i'm 'di mynd yn agos i'r King's Head oni bai am y Now 'na.'

'Diafol mewn croen ydi hwnnw. Mi ddylan fod 'di roi o dan glo ers talwm.'

'Biti na fasan nhw. Ddylwn i'm fod 'di cymyd sylw o'r cythral. Ond fedrwn i'm diodda 'i glywad o a'r hen hogia pwdwr 'na'n chwerthin am 'y mhen i a 'ngalw i'n gachgi am 'y mod i ar y wagan, yn na fedrwn?'

'Aros di nes ca i afa'l arno fo! Cymyd mantais ar ddyn yn 'i wendid. A chditha 'di trio dy ora glas.'

Pwysodd Richard yn ôl yn ei gadair. Gallai fforddio ymlacio rŵan. Nid oedd ond un cwestiwn yn aros heb ei ofyn a gallai roi ateb i hwnnw, a'i law ar ei galon.

'A lle ce'st ti bres i slotian, dyna liciwn i wbod?'

'Yr hogia ddaru 'nhretio i, er mwyn ca'l hwyl am 'y mhen i 'te. 'Nei di ddim sôn am hyn wrth Laura, yn na 'nei. Hogan dda ydi Laura . . . tynnu ar ôl 'i mam.'

'Dibynnu sut byddi di'n byhafio o hyn allan.'

'A' i ddim dros riniog y King's Head 'na eto, mi dw i'n addo i chdi. Dydi'r hen gwrw 'na'n dygymod dim efo'n stumog i. Mae dŵr yn iachach o beth coblyn.'

Bytheiriodd Richard wrth i'r surni godi i'w lwnc. Ond nid oedd hynny ond pris bychan i'w dalu am allu disodli Now Morgan a chael diwallu'r ssyched am yr ers talwm.

* * *

Masnachwyr lleol oedd mwyafrif y rheithgor, i gyd yn ddynion agos i'w lle ac yn bileri cymdeithas. Clywsant oll air da i Robert Evans fel dyn a gweithiwr, ac er bod gan ambell un ei amheuon wedi'r ymweliad â llyn Allt Rocar ni chodwyd yr un cwestiwn. Ni wyddai'r un ohonynt am y gwewyr meddwl a'r oriau o grwydro ofer a chafodd Robert ei ddihangfa heb golli dim o'i barch a'i urddas.

Diolchodd y Crwner, John Hugh Bodvel-Roberts, i'r Meddyg Pritchard, y Rhingyll Owen a'r tystion, a mynegodd ei gydymdeimlad â'r teulu yn eu profedigaeth.

Roedd y trengholiad drosodd a phawb wedi gadael i ddilyn dyletswyddau eraill, ond eisteddai Tom yn ei unfan a'i ben yn ei ddwylo. Cyffyrddodd Daniel yn ysgafn â'i ysgwydd.

'Mi fydda'n well i ti droi am adra rŵan, Tom.'

'Fedra i ddim.'

'Ond mi fydd ar dy fam dy angan di yno.'

'Dydi hi ddim yn mynd i fadda i mi am hyn 'sti.'

'Madda am be?'

'Mi ddeudodd na wydda hi ddim faint rhagor fedra 'nhad 'i ddiodda. A finna'n mynnu fod gofyn iddo fo ddysgu dygymod, fel pawb arall.'

'Damwain oedd hi. Does 'na ddim bai ar neb.'

Cododd Tom ei ben yn araf. Rhythodd ar Daniel ac meddai,

'Mi wyddost gystal â finna nad ydi hynny ddim yn wir. Mi ddylwn i fod wedi sylweddoli pa mor isal oedd o. A be wnes i? 'I gyhuddo fo o ochri efo'r meistri, byw mewn paradwys ffŵl o orffennol . . . rhoi rhagor o boen iddo fo.'

'Wnest ti ddim ond yr hyn oeddat ti'n 'i gredu oedd yn iawn.'

'Pwy o'n i i benderfynu hynny? Gneud i 'nhad ddiodda, chwalu'r teulu, ar draul ennill ryw chydig o hawlia na fyddan nhw o unrhyw werth i mi bellach.'

'Pam na ddoi di draw acw am banad cyn cychwyn adra?'

'Na, dos di. A diolch i ti am ddŵad yma efo fi.'

Gadawodd Daniel, yntau, er nad oedd yr un dyletswydd yn galw. A'i fethiant yn ei sigo, gwyddai wrth iddo gau drws y festri o'i ôl ei fod hefyd yn cau'r drws ar yr ers talwm ac na fyddai modd pontio'r gagendor bellach.

Roedd Grace yn ei aros yn y gegin. Bu'r amheuon yn ei phlagio hithau ond gobeithiai'n ei chalon y câi Elen Evans ei harbed. Parodd yr olwg druenus oedd ar Daniel iddi ofni'r gwaethaf ac oedodd cyn holi beth oedd y ddefryd.

'Marwolaeth drwy ddamwain. Doedd 'na ddim modd profi'n wahanol, drwy drugaradd.'

'Roedd Tada'n iawn, felly, yn mynnu na fydda Robert Evans byth wedi cymryd 'i fywyd 'i hun.'

'Falla 'i fod o. Does gan yr un ohonon ni'r gallu i wbod be sydd ym meddwl rhywun arall.'

Brathodd Grace ei thafod rhag gofyn pa siawns oedd ganddynt o allu gwneud hynny a hwythau'n methu datrys eu meddyliau eu hunain.

'Mi fydd clywad hyn yn rhyddhad i Elen.'

'Bydd, debyg. Ond wn i ddim be ddaw o Tom, Grace. Mae o'n 'i feio 'i hun . . . deud mai fo sy'n gyfrifol. A fedrwn inna ddeud dim i'w gysuro fo.'

'Braidd yn hwyr ydi hi i ddifaru rŵan.'

Syllodd Daniel yn syn arni.

'Sut medri di ddeud hynna? Roedd ganddo fo feddwl y byd o'i dad.'

'Ond dewis mynd i ganlyn Now Morgan ddaru o . . . dinistrio'r byd yr oedd Robert Evans yn gymaint rhan ohono fo, er mwyn adeiladu un gwell, medda fo.'

'Felly roedd o'n gweld petha ar y pryd. Ond go brin y bydd gan y byd newydd, os daw o byth, ddim i'w gynnig iddo fo.'

'Mwy nag i ninna'n dau. W't ti wedi meddwl rhagor am yr hyn ddeudis i?'

'Do, a'r un ydi'r atab.'

'A pryd w't ti'n bwriadu deud wrth Tada?'

'Mi fydda'n well gadal i'r helynt yma fynd drosodd gynta.'

'Esgus dyn llwfr ydi hynna. Ond dy benderfyniad di ydi o, a mi fydd gofyn i titha, fel Tom, wynebu canlyniada hynny.'

'Chydig o gysur ydw i 'i angan rŵan, Grace, nid cerydd.'

'Mae'n ddrwg gen i, Dan, ond does gen inna fawr o hwnnw i'w roi. Dim ond gobeithio y bydd gen i rywfaint yn weddill i'w gynnig i Elen Evans.'

Aeth Grace ati i bacio'r fasged â'r nwyddau a ddaethai o'r siop. O leiaf, byddai'n haws wynebu Elen rŵan fod y rheithgor wedi rhoi sêl eu bendith ar y ddedfryd. Gadawodd y tŷ heb air ymhellach. Câi Daniel hysbysu Tada o'r canlyniad a gohirio'r dweud arall am ryw hyd eto.

* * *

Bu Grace yn loetran yn hir ar gyrion Llwybrmain. Pan oedd ar fin troi am adref, gwelodd Tom yn gadael y tŷ. Gadawodd iddo fynd gryn bellter cyn mentro at ddrws rhif ugain. Roedd hwnnw'n gil agored a gallai weld Elen yn eistedd wrth y tân yn syllu i'r fflamau.

'Fi sydd 'ma, Elen Evans,' galwodd.

'Dowch i mewn, 'mechan i.'

Er na symudodd Elen o'i chadair roedd ei chroeso yr un mor gynnes.

'Steddwch, Grace. Mi dw i mor falch o'ch gweld chi.'

Er bod i'r gegin yr un sglein ag arfer, ni allai Grace dynnu ei llygaid oddi ar y gadair wag ar yr aelwyd, cadair a oedd yr un mor amhosibl ei llenwi â chadair ei mam.

'Diolch i chi am ddŵad draw. Mi dach chitha'n llawn eich trafferthion, mi wn. Roedd yn ddrwg gen i glywad

Tom yn deud fod Daniel yn sôn am roi'r gora iddi. Ond mi dw i'n cofio deud wrth Robat y noson y buon ni'n gwrando arno fo'n pregethu nad oedd 'i galon o ddim ynddi. Mae hyn yn siŵr o fod yn siom fawr i'ch tad.'

'Dydi Daniel ddim wedi deud wrtho fo. Ond mi fydd yn rhaid iddo ynta wynebu'r gwir un o'r dyddia 'ma.'

'A mi neith, yn 'i amsar 'i hun. Mae cau llygad o fendith fawr weithia, 'ngenath i. Falla y bydda Robat yma heddiw 'tai o wedi gallu gneud hynny a dal 'i afa'l ar betha fel roeddan nhw. Mae'r lle 'ma'n sobor o wag hebddo fo, Grace.'

'Mi wn i na fedar neb gymryd 'i le fo, Elen Evans, ond mi dach chi'n lwcus fod Tom ac Ifan yma'n gwmni i chi.'

'Dydan ni fawr o gysur i'n gilydd, mae arna i ofn, y tri ohonon ni'n beio'n hunain, pe baen ni rywfaint elwach ar hynny.'

'Does ganddoch *chi* ddim achos teimlo'n euog.'

'Mi fedrwn i fod wedi trio ca'l perswâd ar Robat i fynd yn ôl i'r chwaral a finna'n gwbod mai dyna oedd o isio'i neud.'

'Ond fydda dyn o egwyddor fel fo byth wedi cytuno i fradychu'i gydweithwyr.'

'Rheiny ddaru 'i orfodi o i gerddad allan 'te, mynnu fod anga'n well na chywilydd. Ond dydi o ddim, Grace. Fydda waeth gen i be fydda neb wedi'i feddwl ohonon ni cyn bellad â bod Robat a finna'n ca'l bod efo'n gilydd. Mi wyddoch 'u bod nhw wedi deud yn y cwest mai damwain oedd hi?'

'Gwn, Elen Evans.'

'Waeth iddyn nhw gredu hynny ddim. Ond mi wn i mai methu dal ddaru o.'

'Ond mae llyn Rocar yn hen le digon peryg. Mae'n hawdd iawn colli troed.'

'Chollodd Robat erioed mo'i droed.'

Gwyddai Grace y byddai ei thad wedi ceisio argyhoeddi Elen mai dyfarniad y rheithgor oedd yr unig un posibl. Ond ni wnâi hynny leddfu dim ar ofid ac euogrwydd y tri a adawyd yn amddifad, mwy na'r cydymdeimlad pitw oedd ganddi hi i'w gynnig. Er mai cadair wag fyddai ar yr aelwyd byth mwy, yr oedd gan Elen Un amgenach i droi ato am gysur, a'r nerth i wybod a derbyn.

'Ydach chi'n gweld ryw bwrpas i'r hen streic 'ma, Grace?'

'Ro'n i'n credu 'mod i pan gerddodd y dynion allan, ond, fel deudodd Robert Evans, os down ni drwyddi mi fyddwn wedi colli llawar mwy.'

'Pryd ddeudodd o hynny?'

'Mi alwodd acw ryw ddwrnod . . . rai wythnosa'n ôl.'

Ofnai Grace ei bod wedi cael cam gwag. Roedd yn amlwg na wyddai Elen ddim am ymweliad Robert. Ond ni chymerodd ati, dim ond dweud yn dawel,

'Fydda 'na ddim streic o gwbwl 'tasa pawb fel Robat. Ca'l llonydd i fynd ymlaen efo'i waith a dŵad adra at 'i deulu, dyna'r cwbwl oedd o 'i isio.'

18

Os oedd hi'n glawio yn Llwybrmain y mis Mawrth hwnnw, roedd hi'n hindda yng Nghastell Penrhyn. Galwyd yr holl weithwyr ynghyd i'r Neuadd Fawr i rannu'r newydd da fod yr Is-gapten, Charles Douglas Pennant, er yn garcharor rhyfel, yn fyw ac yn iach. Diolchodd eu meistr iddynt, ar ei ran ef a'r arglwyddes, am eu gwasanaeth ffyddlon i'r teulu yn ystod cyfnod anodd a phryderus. Teimlai'n sicr, meddai, y deuai terfyn buan ar y rhyfel yn Ne Affrica ac offrymodd weddi yn erfyn ar i Dduw, gyda'i fawr ofal amdanynt fel cenedl, eu harwain i fuddugoliaeth haeddiannol.

Ni welai Ifan unrhyw ddiben mewn dweud ei bader bellach. Bob nos ers misoedd, bu'n penlinio wrth erchwyn y gwely a'r oerni'n treiddio drwy'i grys nos gwlanen. Roedd o wedi cyfaddef ei bechodau, bob un, ac wedi mynd ar ei lw y byddai'n cadw'i bellter oddi wrth Joni Mos dim ond i Dduw addo edrych ar ôl ei dad. Yn ôl y Beibl, doedd ceidwad Israel byth yn cysgu. Roedd o'n gweld ac yn clywed popeth. Lle'r oedd o pan syrthiodd ei dad i'r llyn? Pam y gadawodd o i'w droed lithro? Mynnai Tom na allai Duw, er mor glyfar oedd o, ofalu am bawb. Ond wedi troi clust fyddar yr oedd o am ei fod wedi digio. Pa hawl oedd ganddo i geisio taro bargen efo Duw ac yntau wedi bygwth darn-ladd Joni? Yno, yn ei wely yn y groglofft, pan oedd arno fwy o'i angen nag erioed, gwyddai na allai fynd ar ei ofyn byth eto.

Yn Hermon ddiwrnod yr angladd, teimlai Ifan lygaid y galarwyr yn deifio'i war fel fflamau tân uffern. Roedden nhw i gyd yn gwybod ei fod wedi torri o leiaf ddau o'r gorchmynion – 'Anrhydedda dy dad a'th fam' a 'Cofia y dydd Sabath i'w sancteiddio ef' – a gallai'n hawdd fod wedi torri un arall oni bai am ymyrraeth Preis clochydd. Allan yn y priffyrdd a'r caeau efo'r pechaduriaid a'r coesau duon y dylai o fod.

Gwyliodd Isaac Parry yn esgyn i'r pulpud. Gwnâi'r farf laes, wen iddo edrych yr un ffunud â'r Duw yr oedd ei lun ar bared y festri. Roedd o wedi ei dwyllo yntau ac wedi cymryd arno fod yn un o blant bach Iesu Grist er ei fod yn gymaint o blentyn y diafol â phlant Eglwyswrs.

'Gorchwyl trist iawn sydd gen i heddiw, gyfeillion.'

Oedodd Isaac Parry am eiliad i glirio'i lwnc. Gallai Ifan glywed ei galon yn curo fel gordd wrth i'r codwr canu droi ei olygon i gyfeiriad eu sedd hwy.

'Rydan ni wedi dod ynghyd i ffarwelio â Robert Evans, cyfaill, cydweithiwr a Christion. Mae'n cydymdeimlad ni'n fawr ag Elen Evans a Tom ac Ifan yn eu trallod, ond fe wyddan nhw ar bwy i roi eu pwysau ac mi fydd Duw, a'i fawr drugaredd, yn gefn ac yn gysur iddyn nhw.'

Roedd Isaac Parry wedi maddau iddo, felly. Efallai y gallai fentro adrodd ei bader heno, wedi'r cyfan, dim ond iddo ei gadael ar 'Ein Tad' yn unig am rŵan.

Wedi i eraill o'r blaenoriaid dalu eu teyrngedau, galwyd ar Daniel Ellis i ddod ymlaen i ddarllen o'r Ysgrythur ar gais y teulu. Drwy gil ei lygad, gwelai Ifan wefusau ei fam yn symud i ddilyn y geiriau;

'Cofia yn awr dy Greawdwr yn nyddiau dy ieuenctid, cyn dyfod y dyddiau blin, a nesáu o'r blynyddoedd yn y rhai y dywedi, Nid oes i mi ddim diddanwch ynddynt. Cyn tywyllu yr haul, a'r goleuni, a'r lleuad, a'r sêr, a dychwelyd y cymylau ar ôl y glaw.

'Yr amser y cryna ceidwaid y tŷ, ac y cryma y gwŷr cryfion, ac y metha y rhai sydd yn malu, am eu bod yn ychydig, ac y tywylla y rhai sydd yn edrych trwy ffenestri.

'Cyn torri y llinyn arian, a chyn torri y cawg aur, a chyn torri y piser gerllaw'r ffynnon, neu dorri yr olwyn wrth y pydew.

'Yna y dychwel y pridd i'r ddaear fel y bu, ac y dychwel yr ysbryd at Dduw, yr hwn a'i rhoes ef.'

Yn ei sedd yn nghefn y capel, y llais a glywai Laura yn hytrach na'r geriau. Yn sgil y newydd da a ddaethai i'r Castell bu Miss Johnson yn fwy parod nag arfer i ganiatáu iddi gael prynhawn rhydd. Ond ni allai William ddeall pam yr oedd hi'n gwastraffu'i hamser rhydd ar angladd dyn nad oedd ond prin yn ei adnabod. Gwnaethai hithau'r camgymeriad o gyfeirio at y cyfeillgarwch a fu ers talwm rhwng Tom a Grace a Daniel a hithau. Bu clywed enwi Daniel fel cadach coch i darw. Roedd o wedi ei chyhuddo o ddefnyddio'r angladd fel esgus. Er iddi wadu hynny, gwyddai Laura yn ei chalon ei fod wedi taro ar y gwir ac mai ei gobaith o weld Daniel a ddaethai â hi yma. Teimlai'n siomedig pan ddaeth y darlleniad i ben, ond o leiaf byddai ganddi un atgof arall i'w anwesu yn unigrwydd ei hystafell heno.

Roedd tyrfa fawr o rai nad oedd iddynt groeso o fewn y Tŷ wedi casglu y tu allan i dalu'r gymwynas olaf i ŵr nad oedd gan neb air drwg iddo. Er bod Lisi Mos wedi'i gorfodi i gadw pellter, gallodd ddal llygad Elen a bu'r un edrychiad hwnnw yn ddolen rhyngddynt.

Safai Daniel ar y cyrion yn aros am ei dad a Grace. Roedd meddwl am orfod cymryd rhan heddiw wedi bod yn stwmp ar ei stumog ond rhoesai'r geiriau ryw fesur o esmwythyd iddo. Torrodd llais na chlywsai mohono ers rhai misoedd ar draws ei feddyliau.

'Mae gen i ofn dy fod ti wedi'i cholli hi, Dan.'

'Colli pwy?'

'Laura. Welist ti mo'ni hi'n y capal? Mae'n rhaid 'i bod hi wedi'i gwadnu hi odd'ma fel cath i gythral. Gormod o gwilydd, debyg.'

'Cwilydd o be, Now?'

'Fuo hi fawr o dro'n ffeindio rywun arall, yn naddo? Un o foch Môn ydi'r darpar ŵr yn ôl Dic.'

'Gobeithio ei fod o'n deilwng ohoni.'

Llwyddodd i'w gadw ei hun o dan reolaeth er bod ei du mewn yn corddi.

'O lle doth yr adnoda 'na ddarllenist ti, Dan?'

'Llyfr y Pregethwr.'

'Geiria da ydyn nhw 'te.'

'Roeddat ti'n y gwasanaeth, felly?'

'Wrth gwrs 'y mod i. Falla nad oedd Robat a finna'n gweld llygad yn llygad, ond mi oedd gen i feddwl mawr ohono fo. Deud i mi, ydi o'n wir dy fod ti'n meddwl rhoi'r gora i bregethu?'

'Ydi.'

'Mi fydda hynny'n biti .'

'Fel deudist ti, fy nyletswydd i ydi helpu 'nghyd-ddynion i ennill 'u hawlia yn y byd yma.'

'Mae 'na ddigon ohonon ni sy'n abal i neud hynny. Glyna di at neud yn siŵr ein bod ni'n ca'l chwara teg 'r ochor draw.'

Aeth Now yn ei flaen am Danybwlch wedi gwneud y gorau o'i gyfle. Pa help allai'r cachwr bach yna ei roi i'w gyd-ddynion, mewn difri? Byddai codi carreg yn ormod iddo, heb sôn am ei thaflu. Ond ni fyddai wedi bod mor barod i'w longyfarch ei hun pe bai'n ymwybodol o'r effaith a gawsai ei sylw olaf ar Daniel.

*   *   *

Ni fu i ddiffyg ymateb Grace oeri dim ar sêl Edgar Owen. Bob nos Sul wedi'r oedfa, byddai'n loetran yng nghwrt y capel a'r merched yn ei lygadu'n obeithiol. Teimlai Grace ei fod yn haeddu rhyw ad-daliad am ei ddyfalbarhad a daeth y cydgerdded yn ddefod wythnosol. Pan ddwedodd hi un noson, rhwng difri a chwarae, y byddai pobl yn dechrau siarad amdanynt ei ymateb ef oedd, 'Fydda dim yn rhoi mwy o bleser i mi, Miss Ellis.' Er na chymerai mo'r byd â chyfaddef hynny, rhoddai gweld y siom ar wynebau'r merched bleser iddi hithau ac nid oedd ganddi unrhyw wrthwynebiad pan awgrymodd ei thad eu bod yn gwahodd Mr Owen i swper.

Gwyddai Grace yn dda beth oedd cymhelliad ei thad dros estyn y gwahoddiad. Daeth y cyfle y bu'n ysu amdano pan ddwedodd Edgar,

'Rydw i'n deall eich bod chi â'ch bryd ar fynd i'r Weinidogaeth, Daniel.'

Â balchder amlwg yn ei lais a'i osgo, meddai Edward,

'Ac wedi ca'l 'i dderbyn gan y Cyfarfod Misol. Mae 'na ganmol mawr iddo fo fel pregethwr.'

'A pryd byddwch chi'n dechrau yn y Bala?'

Er mai i Daniel y gofynnwyd y cwestiwn, roedd Edward Ellis yn barod â'i ateb.

'Roedd o wedi gobeithio ca'l mynd flwyddyn yn ôl ond mi gafodd y cynllunia'u drysu yn anffodus, oherwydd amgylchiada.'

Gallai Daniel deimlo llygaid Grace arno, yn ei herio i gyfaddef y gwir, ond nid oedd hwn na'r lle na'r amser i hynny. Roedd Tada wedi gafael ym mhen llinyn y sgwrs unwaith eto ac yn hawlio'r sylw i gyd.

'Biti na fyddach chi wedi ca'l gweld Bethesda ar 'i ora, Mr Owen, cyn i'r hen streic 'ma ada'l 'i hôl arno fo.'

'Wn i fawr am yr anghydfod fy hun, ond mae'n ymddangos i mi fod Arglwydd Penrhyn wedi ymddwyn yn rhesymol iawn ac wedi rhoi pob cyfle i'r gweithwyr ddychwelyd at 'u gwaith.'

'Braidd yn bengalad ydyn nhw, mae arna i ofn.'

'Dyna'r argraff yr ydw inna'n 'i chael, Mr Ellis.'

'A be wyddoch chi amdani?'

Roedd Daniel wedi gwthio'i blât hanner llawn o'r neilltu ac yn rhythu ar Edgar Owen. Pa hawl oedd gan ddieithryn fel hwn i leisio barn? Ond nid oedd ei ymateb bygythiol wedi amharu dim ar y gwestai. Daliodd ati i gnoi ei damaid olaf yn hamddenol ac yna, wedi sychu ei wefusau â'r napcyn, meddai'n ddigyffro,

'Fel dwedais i, dydw i ddim yn gyfarwydd â'r cefndir, dim ond yr hyn yr ydw i wedi'i ddarllen yn y papur.'

'A pha un ydi hwnnw? Y *North Wales Chronicle*, mae'n siŵr. Wyddoch chi mai Arglwydd Penrhyn sy'n dal y rhan fwya o gyfranddaliada'r papur hwnnw a'i fod o'n 'i ddefnyddio i daflu llwch i lygaid pobol fel chi?'

'Efallai ei bod hi'n anodd i ddieithryn fel fi ddeall y sefyllfa, ond rydw i'n sylweddoli fod yr helynt yma wedi achosi gofid mawr yn yr ardal.'

'A phwy sy'n gyfrifol am hynny? Y dyn "rhesymol" 'ma, fel dach chi'n 'i alw fo, sydd wedi gwrthod pob cais ar ran 'i weithwyr i gyfarfod a thrafod ac wedi ein siomi a'n sarhau ni, dro ar ôl tro.'

Roedd wyneb Edgar Owen yr un mor ddifynegiant ag arfer a'i dôn yr un mor wastad.

'Mae'n ddrwg gen i. Do'n i ddim yn bwriadu'ch cythruddo chi.'

Daeth Edward Ellis o hyd i'w lais unwaith eto.

'Mwy nag oedd Daniel yn bwriadu'ch tarfu chitha. Mae o wedi bod dan dipyn o straen yn ddiweddar.'

Ond methiant fu ymdrech Edward i dawelu pethau. Roedd Daniel ar ei draed ac yn paratoi i adael yr ystafell.

'Does dim rhaid i chi ymddiheuro ar fy rhan i, Tada. Mae'n bryd i bobol wbod y gwir.'

'W't ti ddim yn meddwl fod Tada'n haeddu'r gwir hefyd?'

Er nad oedd y cwestiwn yn un annisgwyl, ni feddyliodd y byddai Grace yn meiddio rhoi tafod iddo.

'Dydi rŵan mo'r amsar, Grace.'

'Y mae amser i blannu ac amser i dynnu y peth a blannwyd; amser i dewi ac amser i ddywedyd.'

Syllodd Edgar yn edmygus arni.

'Rydach chi'n hyddysg iawn yn eich Beibl, Miss Ellis.'

'Un peth ydi gwbod y geiria, yntê, Daniel, peth arall ydi gweithredu arnyn nhw.'

Cododd Edward, yntau. Ni allai oddef rhagor o hyn. Be oedd Mr Owen yn ei feddwl ohonyn nhw, mewn difri? Roedd yn ddigon fod Daniel wedi bod mor annoeth â thynnu'n groes heb i Grace achosi mwy o helynt. Ond cyn iddo allu ei esgusodi ei hun, roedd Daniel wedi ateb yr her ac meddai'n dawel ond yn gadarn,

''Steddwch, Tada. Mae gen i rwbath i'w ddeud wrthach chi.'

* * *

Teimlad o euogrwydd a barodd i Daniel fynd i ddanfon Edgar Owen am ei lety. Er na fu iddo gymryd at y dyn, teimlai y dylai ymddiheuro iddo am ei ymddygiad. Sicrhaodd Edgar ef nad oedd angen ymddiheuriad a'i fod yn sylweddoli fod y penderfyniad y daethai iddo wedi achosi cryn dipyn o boen meddwl. Dylai fod wedi derbyn hynny'n raslon a cheisio gwneud iawn am ei anghwrteisi ond ni allodd ei atal ei hun rhag dweud,

'Mi ddylwn i fod wedi bod yn ddigon o ddyn i ddeud wrth Tada wythnosa'n ôl, ond un llwfr ydw i wedi bod erioed.'

Y munud nesaf, roedd yn difaru iddo gyfaddef gwendid wrth ddyn dŵad nad oedd modd iddo allu amgyffred y gwewyr o orfod torri'r newydd hwnnw i'w dad.

'Mae'n anodd gen i gredu hynny. Dydw i fawr o grefyddwr, ond mi wn i nad ydi Duw yn dewis dynion llwfr i weithio ar 'i ran.'

'Ond wedi troi 'nghefn arno fo yr ydw i, yntê.'

'Ddim heb reswm, mae'n amlwg.'

Ac ni fyddai waeth iddo gael gwybod y rheswm, deall neu beidio.

'Ro'n i mor sicir o fy llwybr, yn barod i aberthu'r cwbwl, fy nghysegru fy hun yn llwyr i'r gwaith. Ond dydi hynny ddim yn bosib bellach. Fedra i ddim sefyll yn ôl a gadal i 'nghydweithwyr ymladd drosta i.'

'Ac rydach chi am ymuno â'r . . . frwydr yma?'

'Mi wna i yr hyn fedra i.'

'Mae'n rhaid i mi gyfaddef fy mod i'n synnu fod un sy'n credu mewn cariad brawdol yn ffafrio gormes a thrais.'

Arafodd Daniel ei gamau. Beth ddaeth drosto, mewn difri, i agor ei galon i hwn, o bawb? Onid ei le ef oedd syrthio ar ei fai am fod â'r hyfdra i farnu, a hynny'n gwbl gibddall? A'r tymer a gawsai'r gorau arno wrth y bwrdd swper eto'n brigo i'r wyneb, meddai'n chwyrn,

'Dim ond un gŵr sy'n euog o hynny.'

'Dowch rŵan, Daniel, mae 'na ddwy ochr i bob dadl.'

'Ac mae'n ddigon amlwg ar ba ochor yr ydach chi.'

'Dydw i ddim yn ochri efo neb. Ond efallai fy mod i, fel dyn dieithr i'r ardal, yn gallu gweld pethau'n gliriach.'

Gan na feddai Daniel Ellis, y cyn-gyw-pregethwr a'r un na allodd gefnogi trais, ar hawl Now Morgan i ateb â'i ddyrnau, bu'n rhaid iddo fodloni ar ddweud,

'Cadw'n dawal fydda'r peth doetha i chi, Mr Owen. Mae anwybodaeth yn gallu bod yn beth peryglus iawn.'

Yn Bristol House, teimlai Grace yn ddig tuag at Daniel am ei gadael i ymdopi ar ei phen ei hun. Ei ddyletswydd ef oedd bod yma i gynnig eglurhad a lleddfu gofid. Ofnai y gallai hyn gael effaith andwyol ar ei thad. Er nad oedd yn edifar ganddi iddi orfodi Daniel i ddatgelu'r gwir, parodd ei phryder yn ei gylch iddi ddweud,

'Mae'n ddrwg gen i, Tada, ond ro'n i wedi erfyn ar Daniel ddeud wrthach chi.'

Ond aeth ymateb ei thad â'r gwynt o'i hwyliau'n llwyr.

'Mi ddylat ti fod wedi gwbod yn well na chreu helynt heb fod angan. Does 'na'm rhyfadd fod yr hogyn yn gweld petha'n dywyll ar hyn o bryd, rhwng bob dim. Mae arna i ofn fod y siom gafodd o llynadd o fethu mynd i'r coleg wedi deud yn arw arno fo.'

Roedd yr holl ymdrech yn bygwth mynd yn ofer unwaith eto. Ond ni allai ganiatáu iddo gau ei lygaid y tro yma, er mai bendith fyddai hynny yn ôl Elen Evans.

'Dydi o ddm yn bwriadu mynd yno, Tada.'

Ond ni chymerodd arno ei chlywed.

'Biti garw na fasa fo wedi bodloni i dderbyn cynnig Mr Parry. Dda gen inna ddim bod mewn dylad, ond dim ond rwbath dros dro fydda hynny. A dyna ydi hyn hefyd. Rydan ni i gyd yn ca'l munuda gwan, ond dydi Daniel ddim yn un i adal i betha fynd yn drech na fo.'

'Ond mae o wedi gneud 'i benderfyniad.'

Gan anwybyddu hynny, cododd Edward ar ei draed.

'Mi dw i am 'i throi hi. Bora fory ddaw.'

Yn ymwybodol o'i methiant, gwnaeth Grace un ymgais arall.

'Fydda'm gwell i chi aros i ga'l gair efo Daniel?'

'Deud ti wrtho fo 'mod i'n deall sut mae o'n teimlo ac y gwna i bob ymdrach i fod yn gefn iddo fo.'

Ymneilltuodd Edward Ellis i gysegr ei lofft a'r fendith o allu cau ei lygaid yn ei alluogi i wynebu'r yfory. Roedd Grace, hithau, wedi noswylio cyn i Daniel gyrraedd adref, a'r gwrthdaro a fu rhyngddo ag Edgar Owen wedi cael mwy o effaith arno na sylw difrïol Now Morgan hyd yn oed.

* * *

Ni fu i'r ymweliad brenhinol ym mis Mai effeithio fawr ddim ar y mwyafrif o drigolion Bethesda. Pwysleisiwyd ar dudalennau *Gwalia* mai'r sefyllfa dorcalonnus oherwydd y streic hirbarhaol oedd i gyfri am hynny yn hytrach nag unrhyw annheyrngarwch ar eu rhan. Ni chollwyd cyfle i hysbysu'r darllenwyr fod rhai cannoedd wedi amlygu eu teyrngarwch trwy deithio i Gaernarfon i roi croeso teilwng i un y bu'n rhaid iddo aros gyhyd cyn gwisgo'r goron. Cynhaliodd y Meistri G.H. Lee a'u cwmni arddangosfa ffasiynau yn y Royal Sportsman Hotel a gwahoddwyd pawb o bwys i barti yn y Faenol. Trwy garedigrwydd Mr a Mrs Assheton Smith, cafodd y cyhoedd ymweld â Neuadd a Pharc y Faenol a'r fraint, am swllt y pen, o weld yr ystafelloedd a berchenogid gan Dywysog a Thywysoges

Cymru yn ystod eu harhosiad yno. Rhannwyd yr arian sylweddol rhwng Ysbyty Môn ac Arfon ac Ysbyty'r Bwthyn, Caernarfon.

Ar dudalennau'r un papur, haerodd Moel Hebog fod arweinwyr y streic wedi camarwain a thwyllo'r gweithwyr, ac mai'r gred gyffredinol bellach oedd na ellid gorthrymu Arglwydd Penrhyn na'r dynion a aeth yn ôl at eu gwaith. Gweithred ynfyd ar ran unrhyw gadfridog oedd mynnu bod ei wŷr yn dal eu tir heb obaith buddugoliaeth a'u cymell i wynebu dinistr diarbed. Cyhoeddwyd llythyr oddi wrth E.A. Young yn dweud fod nifer y gweithwyr bellach yn agos i wyth gant a hanner a'u bod oll yn gweithio'n fodlon, yn heddychlon ac yn egnïol.

Bythefnos yn ddiweddarach, gwireddwyd proffwydoliaeth arglwydd y Castell. Daeth rhyfel y Transvaal i ben gyda chytundeb Vereeniging a derbyniodd amryw o weddwon yr wyth mil ar hugain o filwyr Prydeinig a gyfrannodd tuag at y fuddugoliaeth yr iawndal a addawyd.

Ar waethaf popeth, parhau a wnâi'r rhyfel cartref. Mewn cyfarfod a gynhaliwyd ar 12 Gorffennaf, anogodd W.H. Williams y dynion i ddal eu tir yn gadarn. Roedd yr ymladdfa'n rhwym o fod yn un gostus a byddai'n rhaid iddynt dalu'n ddrud am eu llwyddiant. Gwyddai ei bod yn amhosibl iddynt gael eu coroni heb ddioddefaint. Ni allai ef ddweud yn sicr beth oedd yn eu haros yn y dyfodol, ond roedd yn bosibl y byddai gofyn iddynt ymladd heb gynhorthwy ariannol o'r tu allan. Bryd hynny'n unig, a hwythau wedi eu gadael i ymladd y frwydr eu hunain, y ceid prawf ar eu teyrngarwch a'u penderfyniad. A oeddynt hwy'n barod i ddal y prawf hwnnw a dioddef caledi, fel milwyr dewr, fel eu bod yn cyrraedd safon uchaf eu dynoliaeth? Siglwyd y neuadd i'w sylfeini gan yr ateb unfryd, 'Ydym', a'r gymeradwyaeth a'i dilynodd.

Y dydd Sadwrn setlo canlynol, derbyniodd yr oll o weithwyr Chwarel Braich y Cafn godiad o bump y cant yn eu cyflogau i ddathlu adferiad y Tywysog. Atseiniai'r creigiau i sŵn banllefau, ac roedd y gymeradwyaeth a roddwyd i'r pâr brenhinol ac i Arglwydd ac Arglwyddes Penrhyn yn ail da i'r un a gafwyd yn ymateb i'r her yn Neuadd y Farchnad.

19

Y nos Sul wedi ei ymweliad â Bristol House, nid oedd Edgar Owen yn ei le arferol yng nghwrt y capel. Cerddodd Grace am adref ar ei phen ei hun a'i meddwl cythryblus yn gymysg o siom ac euogrwydd. Ond pan oedd ar gyrraedd y tŷ fe'i gwelodd yn brysio i'w chyfarfod.

'Ro'n i'n ofni y byddwn i wedi'ch colli chi.'

Parodd clywed y cyffro'n ei lais i'w chalon guro'n gyflymach.

'Newydd gyrraedd yn ôl o'r Bala yr ydw i. Mi ddylwn i fod wedi rhoi gwybod i chi fy mod i'n bwriadu mynd adref dros y Sul.'

'Dydach chi ddim yn atebol i mi, Mr Owen, ond mae'n rhaid i mi gyfadda fy mod i'n falch o'ch gweld chi. Ofn oedd gen i na fyddach chi ddim isio torri gair efo fi byth eto.'

'Pam hynny, mewn difri?'

'Mi rhois i chi mewn sefyllfa annifyr iawn. Roedd Tada'n ddig efo fi.'

'Mi alla i'ch sicrhau chi nad ydw i fymryn dicach. A sut mae o'n dygymod â'r siom?'

'Drwy wrthod 'i derbyn hi.'

'Rydan ni i gyd yn gorfod wynebu'r gwir yn hwyr neu'n hwyrach.'

'Mae 'na rai sy'n llwyddo i ddianc rhagddo fo ar hyd 'u hoes.'

'Ond dydach chi ddim yn un o'r rheiny.'

'Nac yn dymuno bod, er y galla hynny neud bywyd yn rhwyddach.'

'Rydw i'n credu mai fy lle i ydi ymddiheuro. Mae arna i ofn fy mod i wedi pechu'n anfaddeuol yn erbyn Daniel. Awgrymu wnes i efallai fy mod i, fel dieithryn, yn gallu gweld y sefyllfa'n gliriach a bod dwy ochr i bob dadl.'

'Fydda 'na ddim anghydfod na rhyfal petai'r naill ochor a'r llall yn fodlon cydnabod hynny.'

'Gresyn na fyddai pawb mor ddoeth â chi. Tan y Sul nesaf, Miss Ellis.'

Yn ei gwely'r noson honno ceisiodd Grace roi trefn ar feddwl a oedd, os rhywbeth, yn fwy cythryblus. Sut oedd egluro'r siom a deimlodd pan adawodd y capel a chael nad oedd Edgar yno'n ei haros, a'r modd y bu i'w chalon gyflymu wrth ei weld? Pam yr oedd hi eisoes yn ysu am y Sul nesaf a hwnnw'n ymddangos mor sobor o bell i ffwrdd? Fesul tipyn, daeth o hyd i'r atebion, a chyn iddi syrthio i gwsg anesmwyth roedd hithau wedi ei gorfodi i wynebu'r gwir.

* * *

Ni fu Laura erioed cyn falched o gyrraedd Stryd Ucha er ei bod yn ymwybodol na fyddai croeso iddi yno wedi'r wythnosau o ddieithrwch. Roedd y ffrae a gawsai efo

William wedi dwyn ei nerth i gyd. Fo oedd yn gwneud y ffraeo, o ran hynny, ond ni allai adael iddo ei chyhuddo o redeg adref bob cyfle a gâi a hithau wedi esgeuluso ei theulu gyhyd. Collodd ei limpin yn lân pan ddwedodd hi ei bod wedi addo bod yn gefn iddynt, a'i hatgoffa mai yno efo fo yr oedd ei lle hi rŵan. Ni fyddai wedi meiddio ei herio oni bai i un o'r morynion ddigwydd dod heibio ar y pryd a thynnu sgwrs. Roedd hi'n barod i ddioddef ei chosb am hynny, ond ni fyddai byth yn ildio i'w rhoi ei hun iddo cyn iddynt briodi. Methu aros yr oedd William, medda fo, ond ni fyddai'n waeth ganddi hi petai'n rhaid iddi aros hyd dragwyddoldeb.

Y cwestiwn cyntaf ofynnodd ei mam oedd,

'Wel, ydach chi 'di priodi bellach?'

'Flwyddyn nesa, falla. Does 'na ddim brys.'

'Gofala na ei di ddim i drwbwl. Fydd o isio dim i neud efo chdi wedyn.'

'Mi 'nes i ddynas onast ohonat ti, yn do, Catrin?'

Rhoddodd Richard winc ar Laura.

'Mi welis i hynna. A paid ti â meddwl am eiliad fy mod i wedi madda i chdi am ladd ar y Lord a fynta wedi bod mor dda wrthon ni.'

'Mae o'n sant, Catrin.'

'Dydw i'n nabod 'run o'r rheiny.'

Trodd at Laura, oedd wedi colli pen llinyn y sgwrs ers meitin, ac meddai gan snwffian,

'Mi fuo 'na ryw ddyn yma'n bygwth mynd â'r goes odd'arno fo.'

'Y cythral Now 'na ddaru achwyn arna i, deud 'mod i 'di bygwth boddi'r Lord.'

'Mwya'r cwilydd i chdi.'

'Faswn i'm yn gneud unrhyw ddrwg iddo fo. Yr hen gwrw 'na oedd yn siarad 'te. P'un bynnag, mae'r goes yn dal gen i dydi.'

'Diolch i mi. Ond mi fydd 'di darfod arnat ti os digwyddith hynna eto.'

'Does 'na'm peryg o hynny. Yma efo chdi a Huw mae fy lle i. Mi faswn i 'di trengi i farwolath ar y lôn oni bai amdanat ti.'

'Fedra i ddim gneud hebddat ti, wirionad w't ti.'

Sylweddolodd Laura am y tro cyntaf erioed nad oedd arnynt ei hangen. Roedden nhw'n deall ei gilydd i'r dim, er yr holl edliw a checru. Nid oedd ganddi ddim i'w gynnig iddynt, hyd yn oed y cil-dwrn y bu ei mam yn ei bocedu mor eiddgar.

'Ac efo William mae fy lle inna.'

'Felly dyla hi fod, yntê, Catrin. A paid ti â phoeni am Huw bach, Laura. Mi geith o bob gofal, fel y ce'st titha.'

Gadawodd Laura Stryd Ucha heb fwrw dim o'i blinder. Wrth iddi lusgo ei thraed yn ôl am y Castell, ni theimlai ronyn ysgafnach er ei bod bellach yn rhydd o'r addewid a wnaethai o fod yn gefn i'w theulu. Aethai talp arall o'r gorffennol i ganlyn y llif ac nid oedd ganddi ond gwelltyn brau i gydio ynddo. Pan ddaeth at ei llecyn hi a Dan, bu ond y dim i'r ofn o fethu dal gafael ei gorfodi ymlaen. Gorweddodd yno a'r gwair uchel yn tonni drosti. Teimlodd y blinder yn cilio a'i chorff yn ymlacio'n raddol. Daeth awel fach gynnes i fwytho'i gwallt, a'r peth olaf a glywodd cyn i'w llygaid gau oedd llais Dan yn sibrwd yn ei chlust,

'Ein lle ni ydi hwn, Laura.'

*   *   *

Cafodd Grace ei harbed rhag gorfod cyfri'r oriau rhwng un Sul a'r llall. Ddeuddydd yn ddiweddarach, galwodd Edgar yn y siop. Wedi iddo sicrhau Edward Ellis nad oedd angen ymddiheuriad, gofynnodd yn ffurfiol iawn, a hynny yng nghlyw ei thad, a fyddai'n fodlon ystyried mynd yn gwmni iddo i Fangor brynhawn Sadwrn. Cyn iddi gael cyfle i ateb drosti ei hun, roedd Tada wedi diolch iddo ar ei rhan a'r cyfan wedi ei drefnu.

Er bod yr haf ar ei orau'r prynhawn hwnnw a stryd fawr Bangor yn fwrlwm o fywyd, ni allodd Grace fwynhau'r un munud ohono. Rhoesai gorfod wynebu'r gwir deimlad o ansicrwydd iddi ac ni wnâi hunanhyder Edgar ond dyfnhau'r teimlad hwnnw. A'r cur pen yn gwasgu arni, awgrymodd eu bod yn cael hoe a phaned.

Roedd hi wrthi'n sipian ei the, heb ei flasu, pan ddwedodd Edgar,

'Diolch i chi am gytuno i ddod efo fi, Miss Ellis. Dydi Daniel ddim yn rhy bles dw i'n siŵr.'

Parodd y sylw, digon diniwed, iddi frochi.

'Does dim rhaid i mi ofyn caniatâd neb, Edgar.'

'Nag oes, wrth gwrs.'

Sylweddolodd ei bod wedi ei alw wrth ei enw cyntaf, a chododd gwrid i'w hwyneb. Ond ni wnaeth Edgar ond estyn am y plataid teisennau a'i chymell i wneud ei dewis. Gwnaeth hithau hynny, o ran cwrteisi, er bod ei stumog yn corddi gormod iddi allu bwyta'r un tamaid.

'Mae gen i gyfaddefiad i'w wneud, Miss Ellis. Rydw i wedi'ch camarwain chi, mae arna i ofn.'

Ni ddylai fod wedi dweud ei bod yn falch o'i weld na chytuno i dderbyn y gwahoddiad heddiw. Be ddaeth drosti, mewn difri, i gymryd ei harwain gan siom a churiad calon a mentro colli urddas, yr unig beth oedd ganddi'n weddill bellach? Ai chwilio am gysur yr oedd hi, rhyw brawf ei bod hi'n rhywbeth amgenach na merch a chwaer?

'Fydda i ddim yn y capel nos Sul nesa, na'r un Sul arall.'

Ceisiodd Grace ei sadio ei hun ac meddai'n siort,

'Chi pia'r dewis.'

'Fel eglwyswr, does gen i ddim dewis. Ddylwn i ddim fod wedi mynd yno o gwbl ond roedd hi'n anodd gwrthod John Williams.'

'Roeddach chi'n mentro'n arw. Does 'na fawr o gariad rhwng y capal a'r eglwys, yn enwedig y dyddia yma.'

'Mae effaith hynny i'w weld yn ddigon amlwg yn yr ysgol acw. Gresyn na allai pawb gyd-dynnu. Yr un Duw yr ydan ni'n ei addoli, yntê.'

'Ond nid yr un Arglwydd.'

'Rydw i wedi'ch tarfu chi'n do?'

'Dydi'r ffaith mai eglwyswr ydach chi'n poeni dim arna i, ond byw celwydd oedd peth fel'na.'

'Fyddwn i byth wedi gwneud hynny heb reswm. Ac ro'n i wedi gobeithio y byddach chi, o bawb, yn deall pam.'

Dyma'r diwedd, felly. Ni fyddai Edgar yn aros amdani yng nghwrt y capel byth eto. Roedd yr hyn a fu rhyngddynt mor ddisylwedd â'r cwpanau gweigion a'r briwsion teisennau ar y bwrdd. Âi ef yn ôl at ei ddesg a hithau at ei chegin a'i chownter ac ni ddeuai neb i wybod pa mor agos fu Grace Ellis, Bristol House, at golli'i hurddas unwaith oherwydd iddi fod mor ffôl â chymryd ei thwyllo gan bethau mor frau â siom a churiad calon.

* * *

Roedd yr hen frenhines a fu'n teyrnasu am drigain a phedwar o flynyddoedd yn siŵr o fod yn troi yn ei bedd ar Awst y nawfed, 1902. Onid ei gofid mawr oedd beth ddeuai o'r wlad druan pan fyddai hi farw os byddai i Bertie etifeddu'r orsedd? Ond nid oedd hynny'n amharu dim ar frwdfrydedd y miloedd a ddaeth ynghyd i groesawu un nad oedd ganddo, yn ôl ei fam, unrhyw obaith cystadlu â thad a oedd 'mor fawr, mor dda, ac mor ardderchog'.

Dechreuodd y dathlu am hanner awr wedi pedwar y bore Sadwrn hwnnw ac ni welwyd erioed y fath rwysg ac ysblander rhwng muriau cysegredig Abaty Westminster.

Bu dathlu hefyd yn chwarel Braich y Cafn, ar raddfa dipyn llai ond yr un mor frwd. Yn ystod yr awr ginio ddydd Gwener, ffurfiodd gweithwyr ffyddlon y Lord orymdaith gyda William Pierce y 'brenin' ar y blaen yn ei gerbyd slèd, ei gorff wedi'i addurno â blodau amryliw a sash Cyfrinfa yr Odyddion, y 'clwb claf a chladdu', am ei wddw. O boptu iddo, dan arweiniad cadfridog, cerddai gwarchodwyr cadarn yn cario eu harfau fel gynnau. Roedd yno hefyd amryw o 'heddgeidwaid' cudd, ac ni fu rheiny fawr o dro'n setlo'r ddau fradwr a gymerodd arnynt ymosod ar y brenin newydd.

Yng nghaban Ponc Edward, Abaty Westminster Braich y Cafn, Bangor Jones oedd Archesgob Caergaint a chafwyd araith yn Saesneg gan John Hughes, Tanrallt, aelod anrhydeddus yn cynrychioli Leeds. Er bod ei iaith yn rhy glasurol i'r gynulleidfa ei deall, ni fu i hynny darfu dim ar y mwynhad a bu'r erfyniad ar i Dduw gadw'r brenin yn gri o'r galon.

Drannoeth, ni fu unrhyw rialtwch yn yr ardal. Canwyd clychau eglwysi St Ann a Glanogwen yn ystod y coroniad a dangosodd nifer eu parch i'r brenin drwy chwifio baneri. Unwaith eto, yr anghydfod oedd y cocyn hitio. Yn ystod y mis Awst hwnnw, pan âi'r llu ymwelwyr haf heibio yn eu 'motor cars' a'u 'siarabángs' am Nant Ffrangcon a Llyn Ogwen, gwnaed apêl ar dudalennau *Gwalia* ar i rai personau a oedd 'yn werth eu miloedd' wneud rhywbeth i geisio codi Bethesda fawr yn Arfon yn ei hôl o'r sefyllfa isel a difrifol y cawsai ei gyrru iddi oherwydd y streic ddiorffen.

* * *

Wedi wythnosau o din-droi yn ei unfan, nid oedd Daniel fymryn nes i'r lan. Llusgai'r dyddiau heibio nes cyrraedd penllanw nos Sadwrn a'i hunllef o orfod wynebu'r trannoeth. Teimlai ei fod yn tresmasu bob tro y dringai i'r pulpud. Un nos Sul, mewn oedfa yn Llanllechid, aethai'n nos arno a bu'n rhaid iddo ddirwyn ei bregeth i ben.

Ni fu John Williams fawr o dro'n cael clust i hynny a mynnodd fynd draw i Bristol House er i Hannah awgrymu y byddai'n well gadael i'r hogyn fod. Croeso digon llugoer a gafodd gan Edward Ellis pan ddwedodd ei fod am gael gair efo Daniel.

'Fydda i ddim yn tarfu arno fo ac ynta wrth 'i lyfra,' meddai'n swta. 'Ond os ydi o'n bwysig . . .'

'Fyddwn i ddim yma oni bai am hynny, Edward Ellis.'

'Os ydach chi'n mynnu.'

Arweiniodd ef i'r parlwr gan ymddiheuro i Daniel am dorri ar ei draws. Nid oedd groeso iddo yno chwaith. Eisteddai Daniel yn surbwch yn ei gadair a'r llyfr y bu iddo ei gipio pan glywsai sŵn traed yn gorwedd yn segur ar ei lin. Sylwodd y pen-blaenor fod hwnnw â'i wyneb i waered ac ni thrafferthodd adleisio ymddiheuriad Edward Ellis.

Cwrteisi cynhenid yn hytrach nag unrhyw awydd i wybod beth oedd i gyfri am yr ymweliad annisgwyl a barodd i Daniel ofyn,

'A be alla i neud i chi, John Williams?'

'Rhoi tawelwch meddwl i mi, gobeithio. Mi wn i nad ydi petha wedi bod yn rhwydd i chi, ond prawf arnon ni ydi'r rhwystrau 'ma, yntê?'

'Ac rydw i wedi methu'r prawf hwnnw.'

'Choelia i fawr! Dydach chi rioed am adael i'r un llithriad bach gawsoch chi'r Sul dwytha eich tarfu chi?'

'Ro'n i wedi colli 'nhroed ymhell cyn hynny.'

'Ond beth am eich ffydd chi?'

'Cholla i byth mo hwnnw, John Williams.'

'Dyna'r cyfan o'n i am 'i wbod. Bendith arnoch chi, 'machgan i.'

'Ond peth marw ydi ffydd heb weithredoedd. Rydach chi'n iawn, prawf arna i oedd hyn, i ddangos teyrngarwch tuag at fy nghyd-ddynion ac i unioni cam rhai fel Robert Evans, sydd wedi mynd yn aberth i'r frwydr.'

'Mae ganddoch chi'ch brwydr eich hun i'w hymladd. Ac mae'r llwybr i Ganaan, ym mhob oes, yn arwain drwy ddiffeithwch a thrallod a phoen. Ond daliwch i'w gerddad o, Daniel, ac mi fydd yr olygfa o gopa Bryn Nebo yn werth yr holl ymdrach.'

Mygodd Daniel y geiriau oedd yn corddi o'i fewn. Roedd y pen-blaenor a'i dad yr un mor fyddar a chibddall â'i gilydd. Siarad gwag fyddai'r cyfan, p'un bynnag, gan un na allodd ateb her Now Morgan a throi ffydd yn weithredoedd. Cofiodd ei orchest y noson y bu iddo ddanfon Edgar Owen i'w lety ac ymateb hwnnw i'w, 'Mi wna i yr hyn fedra i'.

Roedd John Williams yn gwyro ymlaen ac yn estyn llyfr iddo.

'Rydw i wedi dod â hwn i chi gael golwg arno fo. Esboniad ar yr Epistol at y Rhufeiniaid, maes llafur yr Ysgolion Sabothol am yr hydref. Does dim angan esboniad, o ran hynny. Mae negas yr Apostol Paul yn ddigon clir i bawb.'

Cawsai yntau, fel un o weision yr Apostol, y nerth i drosglwyddo'i neges. Gallai ddychwelyd i Gae'r-berllan yn dawel ei feddwl, i sicrhau Hannah nad oedd angen pryderu oherwydd un siglad bach a bod ffydd Daniel yn ei Dduw mor gadarn ag erioed.

* * *

Aethai'r Awst a'i gynnwrf heibio heb i Grace brin sylwi. Roedd gorfod cynnal sgwrs yn dreth arni, a haerai ambell gwsmer ei bod yn fwy o hen drwyn nag erioed. Er na fynnai'r un ohonynt gyfaddef hynny'n agored, roedd y ffaith na fu i Grace Ellis lwyddo i fachu Edgar Owen yn gysur i'r merched a fu'n ei lygadu'n obeithiol ac yn esmwytho peth ar eu methiant hwy. Daliai ei thad i gerdded ar flaenau'i draed heibio i'r parlwr rhag tarfu ar Daniel. Yno, roedd y pentyrrau esboniadau wedi eu gwthio o'r neilltu, ac ni wnaeth Grace unrhyw ymdrech i dynnu'r llwch oddi arnynt. Roedden nhw bellach mor anghyffwrdd â'r ers talwm y bu'n dianc iddo yn ystod yr oedfa. Nid oedd na doe nac yfory, dim ond yr heddiw diorffen a'i ddyletswyddau.

Un bore o Fedi, a hithau ar ei phen ei hun yn y siop, dychwelodd yr un y bu ond y dim iddi â cholli ei hurddas o'i herwydd yn gwbwl ddirybudd. Aeth holl fwriadau da'r wythnosau cynt ar chwâl a theimlodd eto gyffro curiad calon. Roedd Edgar yr un mor dalog ag arfer, fel pe baent wedi ffarwelio ar y termau gorau posibl, a'i wahoddiad yn fwy o ddweud nag o ofyn. Cawsai air gyda'i thad, meddai, ac roedd hi'n rhydd i dreulio'r diwrnod yn yr Eisteddfod ym Mangor. Ni chafodd gyfle i wrthod, ac ni fyddai wedi dymuno hynny. Brysiodd i fyny i'w hystafell a bwrw'r diwrnod nad oedd eto ond ar ei draean heibio i ganlyn ei dillad gwaith.

Y prynhawn hwnnw, ymunodd y ddau â'r gynulleidfa yn y pafiliwn mawreddog ar hen Barc yr Esgob. Pan gerddodd Lloyd George, llywydd y dydd, i'r llwyfan aeth y lle'n ferw trwyddo. Cododd y bobl ar eu traed a pharodd y gweiddi gorfoleddus a'r chwifio hetiau am bum munud cyfan. Pitïodd Grace nad oedd ei thad yno i weld a chlywed ei arwr a cheisiodd ddal ei gafael ar ei eiriau fel y gallai eu hadrodd wrtho. Ond roedd olwynion bach y meddwl, na fu pall arnynt unwaith, fel pe baen nhw wedi cancro. Grace Ellis, Bristol House, oedd yr orau'n ei dosbarth am ddysgu barddoniaeth. Ac nid ei ddysgu'n unig. Gallai arogli tarth yr hydref a blasu'r ffwythau aeddfed, mwytho ysblander y glaswellt ac ymuno yn nawns y cennin Pedr. Ond onid oedd hi, fel y gwas diog, wedi cuddio ei thalent yn y ddaear a gadael i chwerwder y siom ddifa'r tyfiant?

Yn ei gofid, ni fu iddi gymryd fawr o sylw o feirniadaeth faith y Proffeswr John Morris Jones o goleg Bangor. Ond, yn raddol, dechreuodd y meddwl a fu'n segur gyhyd ystwyrian a gwelodd, fel y gwelsai unwaith y cennin euraid yn gryndod yn yr awel, y llong a ddaeth i ddwyn y Brenin Arthur i Ynys Afallon:

> 'Yng nghraidd y llong ar ddull ail
> I orsedd, roedd glwth eursail,
> Ac ar ei gerfwaith cywrain
> Gwrlid mwyth o sgarlad main.'

A'r gynulleidfa eiddgar yn ysu am gael gwybod pwy oedd *Tir na'n-Og*, nid oedd Grace yn ymwybodol o ddim ond diferion y geiriau, fel glaw mân drwy haul Mai:

> 'Yno, fro ddedwydd, mae hen freuddwydion
> A fu'n esmwytho ofn oesau meithion;
> Byw yno byth mae pob hen obeithion,
> Yno mae cynnydd uchel amcanion;'

Yn ddiarwybod iddi, roedd wedi cyffwrdd â llaw Edgar. Plethodd yntau'i fysedd am ei bysedd hi. Teimlodd lyfnder ei gnawd drwy rhwyllwaith ei menyg les. Toddodd y geiriau a'r cyffyrddiad yn un i ail-greu'r ysblander;

> 'Ni ddaw fyth, i ddeifio hon, golli ffydd,
> Na thrawd cywilydd, na thoriad calon.'

Nid eiddo'r doe oedd ei hynys Afallon hi. Roedd hi'n para i fod, ac o fewn cyrraedd. Clywodd Edgar yn sisial yn ei chlust,

'Diolch i chi am ddod efo fi, Grace.'

'Fyddwn i ddim wedi colli hyn am y byd.'

Nid pethau brau mo'r breuddwydion, wedi'r cyfan, ond

sylfaen gobaith. Roedd y diwrnod a wawriodd cyn bod y dydd Iau hwn o Fedi ar ei draean yn cydio'r doe, yr heddiw a'r yfory yn undod cadarn. Ac i Edgar yr oedd y diolch am hynny.

Aeth defod y cadeirio heibio, fel cynnwrf Awst, heb i Grace brin sylwi. Ni fu iddi rannu siom y gynulleidfa nad oedd T. Gwynn Jones, y bardd buddugol, yno i gael ei gadeirio. Roedd yn ddigon fod ei eiriau ganddi.

Nid y ferch a'r chwaer a adawodd Barc yr Esgob ar fraich Edgar Owen, ond Grace Ellis Bristol House, a allodd ddod o hyd iddi ei hun, a hynny heb golli dim o'i hurddas.

20

Er bod coed y Castell yn un rhyfeddod o liwiau'r hydref, ni chafodd Laura gyfle i'w mwynhau. Roedd William yn meddiannu pob munud o'i hamser rhydd, a'r straen o geisio gwrthsefyll ei berswâd i brofi ei chariad tuag ato yn dwyn ei nerth i gyd. I'w ddwylo barus ef yr âi ei chyflog bellach, i'w gadw'n ddiogel ar gyfer y cyd-fyw. A hithau'n ddim gwell na charcharor rhwng terfynau'r Castell, nid oedd bod heb arian yn ei phoeni, ond roedd meddwl am dreulio gweddill ei hoes yn ei gwmni yn codi'r cryd arni. Aeth yn gandryll o'i go pan fentrodd hi awgrymu eu bod yn gohirio priodi am sbel er mwyn cael eu cefn atynt. Gallai fod wedi dygymod â'r cleisiau. Gwyddai o brofiad y byddai rheiny'n cilio, ond roedd ei glywed yn poeri gwawd ar yr hyn a fu rhyngddi hi a Dan yn ei brifo i'r byw. Ysai am gael dweud ei chwyn wrth rywun, ond nid oedd ganddi neb. Dim ond

William, a fyddai'n ei hatgoffa, dro ar ôl tro, ei fod o'n ddigon iddi.

I fyny yn Llwybrmain, lle'r oedd tri yn rhannu aelwyd, roedd y dweud yr un mor amhosibl. Ni fu i amser leddfu dim ar yr euogrwydd ac ni allodd yr un ohonynt estyn dwylo dros y gadair wag i gyffwrdd â'i gilydd. Roedd gorfod gwylio'i fam yn ymdrechu i gael dau ben llinyn ynghyd, a'i analluedd ef i ysgafnu'r baich, yn fwy nag y gallai Tom ei oddef ar adegau. Yn ystod yr haf, nid aeth wythnos heibio heb iddo alw i weld W.J. Parry, yn y gobaith o gael gwaith yn Chwarel Pantdreiniog, dim ond i gael ei siomi bob tro.

Ddechrau Hydref, pan gyrhaeddodd adref wedi siwrnai ofer arall, suddodd ei galon pan welodd Now Morgan yn eistedd ar y wal gyferbyn â'r tŷ.

'Be w't ti'n 'i neud yma?' holodd.

'Aros amdanat ti. Mae gen i rwbath i'w ddeud wrthat ti.'

'Dydw i ddim isio gwbod, Now.'

'Ond mi dw i angan deud. Sut mae dy fam bellach?'

'Gystal â'r disgwyl.'

'Mae gen i dipyn o feddwl ohoni hi 'sti . . . fel oedd gen i o dy dad.'

'Biti na fasat ti wedi dangos hynny.'

'Ia 'te. Ond falla bydd clywad 'y mod i'n gadal yn rywfaint o gysur iddi hi.'

'Lle w't ti'n bwriadu mynd?'

'I'r Sowth, at Dei 'y mrawd.'

'Paid â rwdlan.'

'Mi dw i o ddifri, Tom. Fedra i ddim dygymod rhagor. Mi fuo ond y dim i mi 'i cha'l hi neithiwr pan saethodd un o'r coesa duon at griw ohonon ni oedd yn lluchio cerrig at do'r tŷ.'

'A mae hi wedi dŵad i hynny rŵan?'

'Ni ddaru fygwth y bydda fo'n gorff cyn y bora 'te. A mae hwnnw isio byw, fel ninna.'

'Che'st ti mo dy ddal gen y plismyn 'lly?'

'Ddim tro yma. Synnat ti mor gyflym mae rhywun yn gallu rhedag pan mae bwled yn chwyrlïo heibio i'w glust o. Ond dyna sy'n mynd i ddigwydd os arhosa i yma. Galw fi'n gachgi os mynni di, ond mi fydda jêl yn ddigon amdana i.'

Ni roddodd clywed Now Morgan, y broliwr parod ei ddyrnau, yn cyfaddef gwendid unrhyw bleser i Tom – er iddo ddymuno ei weld yn cael torri ei grib sawl tro. Hyd yn oed petai ganddo ef le i bwyntio bys, ni fyddai wedi cymryd y byd ar y funud ag edliw ei orchest iddo na'i atgoffa fel y bu iddo ddweud y byddai'n dal ati, i'r pen. Dyn wedi'i sigo oedd hwn, yn ddim ond cysgod o'r hen Now nad oedd arno ofn na dyn na diafol.

'Mi wn i nad oes gen i ddim hawl gofyn dim gen ti, ond 'nei di ddeud wrth Dan fod yn ddrwg gen i 'mod i wedi tynnu arno fo?'

'Anamal y bydda i'n 'i weld o. A p'un bynnag, chdi ddyla ddeud.'

'Gobeithio'r nefoedd na chafodd o mo'i ddal neithiwr. Feddylias i ddim am funud y bydda fo'n mynnu dŵad efo ni.'

Teimlodd Tom ei waed yn berwi ac aeth y cydymdeimlad a fu'n atalfa iddo gynnau efo'r gwynt.

'Be ddeudist ti wrtho fo, Now?'

'Dim ond y bydda codi carrag yn ormod iddo fo heb sôn am 'i thaflu hi. Mi wyddost sut un ydw i am herian.'

'O, gwn, yn rhy dda.'

'Do'n i'm yn bwriadu dim drwg.'

'Ond mae'r drwg wedi'i neud. Doedd dial ar y coesau duon ddim yn ddigon gen ti, yn nag oedd? Hegla hi am y Sowth gynta medri di a dos â dy wenwyn i dy ganlyn. Mi fydd y lle 'ma'n iachach hebddat ti.'

'Mi fyddi di'n difaru deud hynna.'

Sylwodd Tom fod y graith ar dalcen Now yn dechrau plycio, ond nid oedd hynny'n mennu dim arno mwyach. Malu a dinistrio, dyna'r cyfan y gallodd hwn ei wneud, er ei orchest i gyd.

'Mi ddylwn fod wedi'i ddeud o ymhell cyn hyn.'

Trodd ar ei sawdl a chroesi am y tŷ. Wrth iddo agor y giât, clywodd Now yn galw,

'Dos ditha i'r diawl, y babi mam.'

Ond er bod peth o'r hen rodres yn ei osgo wrth iddo gerdded i lawr y lôn, roedd Now Morgan, wrth idlio i'w ofn, wedi colli'r hawl i ddal ei ben yn uchel.

* * *

A'i bryder am Dan yn cynyddu fel yr âi'r oriau heibio, ni allodd Tom fyw yn ei groen heb fynd i lawr i'r pentref. Bu'n loetran o gwmpas am hydoedd, ond er iddo holi a stilio nid oedd fymryn elwach. Cerddodd heibio i Bristol House sawl gwaith cyn gallu magu plwc i alw yn y siop. Gwyddai y byddai Grace yn synhwyro'i bryder heb orfod iddo yngan gair, ac yn ei holi'n dwll. Ond roedd gofyn iddo gadw'i ben. Ni faddeuai Dan byth iddo petai'n achwyn arno.

Roedd ffawd o'i blaid, am unwaith. Edward Ellis yn unig oedd wrth y cownter. Cafodd dderbyniad digon tebyg i'r un a gawsai John Williams pan holodd a oedd Dan o gwmpas. Gostyngodd Edward ei lais ac meddai'n swta,

'Mae o'n y parlwr wrth 'i lyfra, fel arfar. Ydach chi am i mi roi ryw negas iddo fo?'

Er nad oedd gan Tom unrhyw fwriad o ymddiheuro ar ran Now, byddai wedi croesawu'r cyfle i gael gair efo Dan. A dweud be, mewn difri? Ei gymell i chwilio'i gydwybod? Ei rybuddio o ganlyniadau tor-cyfraith? Dysgu pader i berson fyddai hynny. Efallai mai fel hyn yr oedd hi orau. Ni fyddai Dan yn diolch iddo am ymyrryd. Ond o leiaf, roedd yn gysur gwybod iddo gael ei arbed neithiwr.

'Dim ond deud wrtho fo am gymryd pwyll.'

'Mi wnaiff Grace a finna'n siŵr 'i fod o'n ca'l pob chwara teg.'

Gollyngodd Edward ochenaid o ryddhad pan adawodd Tom y siop. Roedd pobol yn gallu bod yn ddifeddwl iawn. Ond sut oedd disgwyl i un na allai aros i adael yr ysgol a'i throi hi am yr hen chwarel 'na ddeall maint y pwysau oedd ar Daniel? A pha fusnes oedd ganddo fo i beri i Daniel gymryd pwyll? Llonydd, dyna oedd yr hogyn ei angen, a'i ddyletswydd ef a Grace oedd ei warchod. Ond roedd hi wedi mynd i hel ei thraed ers awr a rhagor heb air o eglurhad. Roedd o wedi bod yn ddigon bodlon caniatáu iddi dreulio diwrnod yn yr eisteddfod yn Mangor, er y byddai ef wedi rhoi'r byd am gael clywed anerchiad Lloyd George. Ond manteisio ar ei ewyllys da oedd peth fel hyn. Yma roedd ei lle hi.

Er i Grace deimlo plwc bach o euogrwydd wrth iddi sleifio allan drwy'r cefn, roedd hwnnw wedi hen ddiflannu erbyn iddi gyrraedd Pont y Tŵr. 'Dydi'r lle wedi newid dim,' dyna ddwedodd Tom y noson honno. A hithau, yn ei hymdrech i gadw'r gorffennol o hyd braich, yn cau ei llygaid i hynny. Ond gallai eu hagor yn llydan heddiw. Canai'r geiriau'n ei chlustiau:

> 'Ni ddaw fyth, i ddeifio hon, golli ffydd
> Na thrawd cywilydd, na thoriad calon.'

Teimlodd hyder newydd yn deffro ynddi wrth i'r hen siom a'r chwerwder a fu'n llyffethair arni fynd i ganlyn llif yr afon. Aeth am Gae'r-berllan, i ddiolch i Hannah Williams, na allodd lenwi'r gwacter wedi colli'r un bach, am ei chyngor ac i'w sicrhau y byddai'n dal ei gafael.

* * *

Pan ganodd cloch amser chwarae ddydd Gwener, arhosodd Ifan wrth ei ddesg. Gwyddai fod Twm Mos, cefnder Joni, a'i lawia o blant bradwyr yn aros amdano yn yr iard ac yn ysu am ffeit. Roedd Ned Tanybwlch wedi eu clywed yn cynllwynio dial wrth y tai bach y bore hwnnw, a Twm Mos yn haeru y byddai'n darn-ladd Ifan am fygwth rhoi cweir i Joni a dychryn Beni bach allan o'i groen. Swatiodd pan glywodd syr yn dod i'r ystafell, ond nid oedd modd osgoi'r llygad barcud.

'And why are you still here, boy?' holodd yn siarp.

'Dydw i'm yn teimlo'n dda, syr.'

Gan nad oedd neb o fewn clyw, mentrodd Edgar Owen ddefnyddio'r iaith na fyddai byth yn ei harfer rhwng muriau'r ysgol.

'Mi wnaiff awyr iach les i chi. Ffwrdd â chi.'

Prin ei fod wedi camu allan nad oedd Twm Mos yn

sgwario o'i flaen ac yn chwifio'i ddyrnau'n ei wyneb. Clywodd un o'r bechgyn yn bloeddio, 'Ffeit, hogia', a sŵn sgrialu'r ymateb i'r alwad.

'Dydw i ddim isio cwffio efo chdi, Twm Mos.'

'Ofn sy gen ti 'te'r, babi dail?'

Na, nid oedd arno ddim o'i ofn. Ond roedd o wedi addo i Dduw na fyddai'n ymladd â neb byth eto. Petai'n torri'i addewid, ni fyddai ond tân uffern a wylofain a rhincian dannedd yn ei aros. Safodd yno a'i frechiau'n hongian yn llipa wrth ei ochr, ond y funud nesaf, pan saethodd Twm Mos ei ddwrn allan i'w daro, nid oedd ganddo ddewis ond eu codi i'w amddiffyn ei hun.

'Rho waldan iddo fo, Ifan!' gwaeddodd Ned.

Gwnaeth yr anogaeth i Twm Mos weld y gwyllt. Hyrddiodd ei hun ymlaen a daeth pennau'r ddau i wrthdrawiad. Wrth iddo geisio ei sadio ei hun, sylwodd Ifan fod y plant wedi distewi a chlywodd chwip o lais yn dweud,

'Stop this, at once. Did you start this fight, Thomas Moses Jones?'

'No, syr. It was him said he was going to kill me.'

'Y cythral c'lwyddog!'

'That's enough, Ifan Evans. I will not tolerate this kind of behaviour.'

Er bod ei ben yn canu ac un llygad yn prysur gau, daliodd Ifan ei dir. Ni ddylai fod wedi rhegi fel'na, ond byddai'n well ganddo fod wedi dioddef cweir go iawn na chael bai ar gam.

'Ond dydi hynna ddim yn deg. 'Nes i ddim byd iddo fo.'

'Go to my room, both of you.'

Hysiodd Edgar Owen y ddau am yr ysgol ac aeth yntau

i'w dilyn, yn benderfynol o brofi mai ganddo ef yr oedd y llaw uchaf drwy wneud esiampl o'r un a feiddiodd roi tafod i'r fath fygythiad a herio'i awdurdod ef.

Wedi oriau o gadw pellter o Lwybrmain, bu'n rhaid i Ifan ildio i'r gwacter yn ei stumog. Roedd wedi cymryd ei le wrth y bwrdd ac yn ysu am i Tom ofyn bendith fel y gallai orffen ei swper a dianc i'w lofft cyn i'r lamp gael ei chynnau, pan ofynnodd ei fam,

'W't ti wedi golchi dy ddwylo, Ifan?'

Petrusodd cyn ei hateb, a'r 'do' celwyddog a fyddai'n ei bodloni hi ac yn ei arbed yntau'n glynu wrth ei dafod.

'Dw't ti ddim wedi golchi dy glustia, beth bynnag. Mi ofynnodd Mam gwestiwn i ti.'

'Fedra i ddim.'

'Be w't ti'n 'i feddwl, fedri di ddim?'

'Brifo maen nhw. Baglu 'nes i wrth chwara sbonc llyffant efo Ned a mynd ar 'y mhen i lwyn o ddrain.'

'Tyd i mi ga'l golwg arnyn nhw. Estyn y lamp i mi, Tom.'

Er bod yr olew yn isel a'r golau'n bŵl, roedd yn amlwg i'r ddau nad drain oedd wedi achosi'r gwrymiau cochion ar gledrau'r dwylo.

'Ôl cansan ydi hwn 'te. A lle ce'st ti'r llygad du 'na?'

'O, Ifan! Dw't ti rioed wedi bod yn cwffio eto?'

Roedd y siom yn llais ei fam yn brifo mwy na cherydd Tom.

'Do'n i ddim isio gneud. A 'nes i mo'i daro fo chwaith.'

'A pwy oedd y "fo" 'ma?'

'Twm Mos. Isio talu'n ôl i mi oedd o am fygwth Joni. Ond mi ddeudodd mai fi oedd wedi mosod arno fo ac wedi bygwth 'i ladd o a mi ddaru Mistar Owen 'i gredu o.'

'Gafodd Twm gansan?'

'Naddo. Dydi hogia bradwrs byth yn ca'l.'

'W't ti'n deud y gwir, Ifan?'

'Ydw, Mam. A mae Duw yn gwbod hynny, dydi?'

'Ydi, 'ngwas i, yn gwbod y cwbwl. Mi dw i'n meddwl y dylat ti gal gair efo'r Mr Owen 'na, Tom.'

'Na! Mi fydda'n pigo arna i'n waeth byth wedyn. Addo na 'nei di ddim, Tom.'

'Os w't ti'n deud fod yn well i mi beidio.'

'Ond dydi o ddim yn deg fod yr hogyn wedi ca'l 'i guro ar gam.'

A baich ei anallu'n crymu'i ysgwyddau, syllodd Tom i'r tywyllwch y tu hwnt i olau'r lamp rhag gorfod edrych ar y dwylo bach clwyfus a'r boen yn llygaid ei fam ac meddai'n dawel,

'Does 'na mo'r fath beth â thegwch i rai fel ni, Mam, nac unrhyw obaith o'i ennill o chwaith.'

* * *

I'r gwas y rhoddwyd y fraint o annerch gweithwyr Braich y Cafn yr hydref hwnnw. Gwnaeth yntau'n fawr o'r cyfle gan fynegi ei lawenydd o'u gweld mewn hwyliau mor dda, yn un teulu hapus, cytûn. Llwyddodd y gymeradwyaeth a gafodd i esmwytho peth ar y syrffed a deimlodd o orfod rhoi clust i gwynion y meistr am awr a rhagor. Roedd y Wasg yn gwneud ati i'w bardduo unwaith eto a'r ffaith ei fod wedi ei wahardd rhag ei amddiffyn ei hun oherwydd yr achos enllib yn erbyn W.J. Parry yn dân ar ei groen. A phetai hynny ddim yn ddigon, roedd y llythyrau a dderbyniodd oddi wrth Henry Jones ar ran swyddogion

Undeb y Chwarelwyr yn gofyn iddo ailystyried cyfarfod â'r cynrychiolwyr wedi mynd yn fwrn llwyr arno. Pan fentrodd ef awgrymu ei fod yn rhoi taw arnynt un waith ac am byth trwy bwysleisio nad oedd ganddo ddim i'w ychwanegu, ac mai dyna ddiwedd y mater, ni wnaeth ond dweud, yn swta, mai dyna'r union beth yr oedd yn bwriadu ei wneud, a hynny ar fyrder.

Y llythyr hwnnw oedd byrdwn Henry Jones yn Neuadd y Farchnad y nos Sadwrn ganlynol:

'Dweud mae o, gyfeillion, nad oes dim i'w ennill o unrhyw drafodaeth oherwydd fod Pwyllgor y Chwarel yn amlwg yn amharod i gydymffurfio ac yn benderfynol o lynu at amodau cytundeb 1897. Mae o hefyd yn honni fod ymddygiad y streicwyr ymhell o fod yn heddychlon ac anrhydeddus, fod ffenestri'n cael eu torri, iaith anweddus ac enllibus yn cael ei defnyddio, merched a phlant yn cael eu herlid, eu gwawdio a'u cam-drin.'

Torrodd un o'r gynulleidfa ar ei draws gan weiddi,

'Ond dydi o fawr o ddeud be mae'r coesa duon yn 'i neud i ni.'

Gadawodd y llywydd i'r gweiddi a'r hwtio dawelu cyn ychwanegu,

'Mae termau'r cytundab y mae Arglwydd Penrhyn yn gwrthod ei ystyriad yn rhai cwbwl rhesymol . . . y rhyddid i gyflwyno cwynion drwy gynrychiolydd, gwell triniaeth gan y swyddogion, y cyflogau i gael eu talu bob pythefnos yn hytrach na bob mis, diwygio'r rheolau disgyblu, diddymu'r system gontractio.'

Ni allodd y gymeradwyaeth fyddarol esmwytho dim ar ofid Henry Jones. Suddodd i'w gadair a gadael i eraill gymryd yr awennau.

Gwelsai John Williams olion siom y methiant ar wyneb y llywydd ac ni allai feddwl am ddychwelyd adref heb gynnig gair o gysur iddo. Safodd yn nrws siop gyferbyn â'r neuadd i mochel rhag y gwynt oedd yn ysgubo drwy'r stryd fawr. Gwelodd Henry Jones yn gadael, ond pan oedd ar fin croesi tuag ato clywodd lais yn ei gyfarch.

'Mae'r gwynt yn gafal heno, John Williams.'

'Ydi, mae o. Mi fydd yn ddiwadd blwyddyn eto cyn pen dim, Daniel.'

'A ninna heb fod damad elwach. Gwastraff amsar oedd y llythyru 'na. On'd oedd y Lord wedi gwneud yn ddigon amlwg 'i fod o'n gwrthod cydnabod awdurdod y Pwyllgor ac yn amharod i roi sylw i unrhyw gais.'

'Ond dyna'r unig siawns sydd ganddon ni o gael cytundab heddychlon ac anrhydeddus.'

'Geiria na ŵyr y pendefig gwaedlas mo'u hystyr!'

'Mi wnaeth Henry Jones 'i ora droston ni, Daniel. Mae o wedi sefyll yn gadarn, o'r dechra, ac wedi llywyddu pob cyfarfod ers y cloi allan.'

'Ac yn traethu'n helaeth un nos Sadwrn ar ôl y llall. Ond pa well ydan ni ar yr holl siarad, ac ailadrodd yr un hen ystrydeba?'

'Braidd yn gynnar ydi hi i chi roi'ch llinyn mesur ar betha. Yr oen yn dysgu i'r ddafad bori, yntê? Mae 'na barch mawr i Henry Jones ym Methesda 'ma, ac mae parch, 'machgan i, yn rwbath sy'n rhaid 'i ennill. Esgusodwch fi.'

Ond roedd Henry Jones wedi hen ddiflannu, a'r cyfle wedi ei golli. Cerddodd John Williams yn ôl am Gae'r-berllan a'r gwynt yn gwanu drwy'r gôt fawr oedd wedi gweld ei dyddiau gorau, fel yntau. Roedd tân braf yn ei aros yno, ond ni allai gwres hwnnw ddileu'r oerni y tu mewn. Er iddi synhwyro fod rhywbeth mwy na gwrthodiad y Lord wedi ei darfu, ni fu i Hannah holi. Pa ateb bynnag fyddai ganddi hi i'w gynnig, ni fyddai hynny'n ddim o'i gymharu â'r sicrwydd a'r nerth a roddai'r weddi cyn noswylio iddo.

* * *

Erbyn drannoeth, roedd y weddi honno wedi ateb ei phwrpas a John Williams yn llywio'r cyfarfod blaenoriaid yr un mor hyderus ag arfer. A phob cynnig wedi'i dderbyn, heb unrhyw wrthwynebiad, meddai,

'Dyna'r cyfan am heno felly, frodyr.'

'Mae 'na un matar arall y carwn i dynnu sylw ato fo.'

Cuchiodd John Williams. Cawsai ddigon ar glywed Daniel yn bwrw'i lach ar Henry Jones, heb orfod rhoi clust i un arall o deulu Bristol House.

'Rydach chi i gyd wedi clywad, mae'n siŵr, fod Samuel Davies wedi'n gadael ni.'

'Roedd o wedi gneud hynny ers tro byd.'

Anwybyddodd Edward sylw'r pen-blaenor.

'Mae'r angladd, fel dw i'n deall, ddydd Mawrth nesa.'

'Wela i ddim fod a wnelo hynny ddim â ni, fel blaenoriaid.'

'Meddwl yr o'n i, John Williams, y dyla un neu ragor ohonon ni fod yn bresennol. Mi fu Samuel Davies yn aelod ffyddlon yma ac yn athro Ysgol Sul am flynyddoedd lawar.'

'Cyn iddo droi'n fradwr a chefnu ar hen grefydd 'i dadau.'

Roedd yn amlwg oddi wrth yr ysgwyd pen a'r amenio fod mwyafrif y blaenoriaid o'r un farn.

‘Ond ydach chi ddim yn meddwl ’i bod hi’n ddyletswydd arnon ni roi heibio’r anghydfod am unwaith, petai ond i ddangos ein gwerthfawogiad o’i wasanaeth?’

‘Mae’n dyletswydd ni tuag at ein gilydd.’

Cododd Edward ac estyn am ei gôt a’i het.

‘Fedra i ddim derbyn hynny. Rydw i am i chi wbod y bydda i’n mynd i’r angladd.’

‘Ond ddim ar ein rhan ni, Edward Ellis. Ac rydw i’n credu ein bod ni i gyd yn gytûn ar hynny.’

Er mai taith fer oedd yr un rhwng y capel a Bristol House, teimlai Edward wedi ymlâdd erbyn iddo gyrraedd y tŷ. Ond er bod ei goesau’n gwegian, a’r gofid o fod wedi tynnu’n groes i John Williams yn pwyso’n drwm arno, roedd y penderfyniad y byddai yno ddydd Mawrth i dalu’r gymwynas olaf i Samuel Davies yn dal yr un mor ddiwyro.

21

Ni fu i John Williams alw i nôl ei faco fore Llun. Wedi pwdu yr oedd o, yn ôl Grace. Credai hi fod ei thad yn llygad ei le, ond cawsai Edward Ellis ei sigo gan ymateb ei fab pan ddwedodd Grace wrth y bwrdd brecwast,

‘Mi dw i’n siŵr y daw Daniel efo chi i’r angladd, Tada.’

Gwnaeth haeriad Daniel na fyddai ef yn ystyried talu teyrnged i un oedd wedi troi ei gefn ar ei gyd-ddynion i Edward ei amau ei hun, a daeth i’r casgliad nad oedd dim amdani ond mynd draw i Gae’r-berllan a syrthio ar ei fai. Ond pan aeth drwodd i’r gegin i ofyn i Grace gymryd drosodd yn y siop roedd hi’n paratoi i adael.

'A lle w't ti'n cychwyn tro yma?' holodd.

'I weld Elen Evans. Rydw i wedi bod yn esgeulus iawn ohoni'n ddiweddar.'

'Wedi bwriadu galw i weld John Williams yr o'n i . . . i ddeud 'y mod i wedi ailfeddwl.'

''I le fo ydi gneud hynny. Glynwch chi at eich penderfyniad, Tada.'

Aeth y dicter a deimlai Grace tuag at Daniel a'r ofn y byddai i'w thad ildio yn angof wrth iddi ddringo am Douglas Hill. Synhwyrodd Elen fod rhyw newid ynddi yr eiliad y camodd i'r tŷ. Nid oedd dim o ôl y chwerwedd a barodd i'w chalon waedu drosti yn y llygaid duon. Yr eneth a arferai alw yn Stryd Ogwen oedd hon, un y gallodd rannu'i dyhead o gael ei haelwyd ei hun â hi a rhannu'i llawenydd hithau pan ddywedodd, 'Mi dw i am fod yn athrawas, Elen Evans'.

Wedi iddi baratoi paned, eisteddodd y ddwy o boptu'r tân. Er nad oedd hwnnw ond llygedyn, teimlodd Elen ei hun yn dechrau cynhesu, fel petai Grace wedi dod â haul haf i'w chanlyn i gegin lle'r oedd hi bellach yn aeaf gydol y flwyddyn.

'Dydi Tom ddim yma?'

'Mae o wedi mynd draw i tŷ pen at Harri. Digon sobor ydi hi yno, mae arna i ofn. Mi dw i'n cofio Ifan yn deud pan ddaru Harri listio y bydda'r Lord yn rhoi lot o bres i'r teulu petai o'n ca'l 'i ladd.'

'Ond mi gafodd 'i arbad, yn do?'

'A faint o werth sydd ar 'i fywyd o heddiw, Grace? Ista'n 'i unfan drwy'r dydd, gwbod dim lle mae o. Dydi o ddim hyd yn oed yn nabod 'i fam 'i hun. Be oedd 'nelo rhyw hen ryfal ym mhen draw'r byd â hogyn o Pesda?'

Brathodd Elen ei thafod. Ni ddylai fod wedi crybwyll hynna a mentro colli'r gwres a deimlodd gynnau.

'Mae'r rhyfal hwnnw drosodd, drwy drugaradd.'

'Biti garw na fedran ninna ddeud yr un peth. Plant diniwad fel Ifan sy'n diodda fwya 'te. Mae'n ddigon fod y Twm Moses 'na wedi'i fygwth o heb 'i fod o'n ca'l 'i feio a'i guro ar gam.'

Dyna hi eto. Be oedd ar ei phen hi, mewn difri? Pam na allai fod wedi cadw'i gofidiau iddi ei hun fel y gwnaethai ers misoedd?

'Mae'n ddrwg gen i, 'ngenath i. Pediwch â chymryd sylw ohona i. Rhyw hen felan sydd wedi dŵad drosta i. Mae petha'n dda burion arna i, a 'styriad.'

'Gan bwy gafodd Ifan gweir, Elen Ifans?'

Roedd Grace yn gwyro ymlaen ac yn ei gorfodi i roi ateb i'w chwestiwn.

'Y titsiar. Roedd Tom am fynd yno i siarad efo fo ond Ifan fydda'n diodda petai o'n gneud hynny, medda fo.'

'A pwy ydi 'i athro fo, felly?'

'Rhyw Mr Owen. Plant y streicwyr sy'n 'i cha'l hi ganddo fo bob tro. Dydi'r lleill byth yn ca'l 'u cosbi.'

Teimodd Grace ias oer yn rhedeg i lawr ei meingefn. Sylwodd Elen ar y cryndod a brysiodd i roi'r coedyn y bwriadai ei gadw tan y min nos ar y tân. Ond ni allodd y fflamau a gydiodd wrtho ailennyn y gwres. Parodd ofn Elen y byddai iddi weld fod yr hen chwerwedd wedi dychwelyd iddi osgoi edrych i lygaid Grace. Yno, yng ngaeaf ei chegin, wedi iddi adael, gofynnodd i'w Duw faddau iddi, gan wybod na allai byth faddau iddi ei hun petai hi, oherwydd ei hunanoldeb a'i hysfa i rannu'i gofidiau, wedi achosi hynny.

Petai Elen wedi mentro edrych, ni fyddai wedi gweld ond dicter yn y ddau lygad tywyll. Y dicter hwnnw, a ddeilliodd o'r braw a gawsai pan glywodd mai Edgar oedd wedi curo Ifan, a wnaeth iddi roi clep i'r giât nes ei bod yn crynu ar ei hechel.

'A pwy sydd wedi sathru ar dy gyrn di tro yma?'

Bu'r sylw a wnaed rhwng difri a chwarae yn ddigon i fegino'r llid. Trodd i wynebu Tom a'i llygaid yn fflamio.

'Chdi, gymaint â neb.'

'A be ydw i wedi'i neud?'

'Gadal i dy frawd bach ddiodda ar gam.'

'Mae Mam wedi deud wrthat ti am y gweir, felly. Ddeudodd hi pwy oedd yn gyfrifol?'

'Do, mi ddaru.'

'A be w't ti'n 'i feddwl o dy . . . ffrind rŵan?'

Roedd o'n taro'n ôl, a hynny gwbwl annheg. Ond onid oedd hithau yr un mor annheg, yn ei farnu heb wybod y ffeithiau? Er pan glywsai si ei bod yn canlyn Edgar Owen, roedd wedi gobeithio nad oedd unrhyw wirionedd yn hynny, ond derbyniodd Grace y gair 'ffrind' heb droi blewyn ac meddai,

'Mi ddeuda i wrth Edgar be ydw i'n 'i feddwl ohono fo. Ond mae hynny'n fwy na allat ti 'i neud, mae'n amlwg.'

'Un fel'na ydw i 'te. Dim asgwrn cefn. Dyna pam y bydda i'n dechra yn y chwaral mis nesa.'

'A be am y byd gwell yr oeddat ti'n mynd i'w adeiladu?'

'Waeth gen i amdano fo bellach.'

'Os mai fel'na w't ti'n teimlo, waeth i ti fynd yn d'ôl ddim.'

Aeth y coegni'n ei llais fel saeth i'w galon. Gallai fod

wedi ceisio ei amddiffyn ei hun drwy ddweud ei fod wedi colli'r cwbl – ei dad, y cyfle i wneud i'w fam fod yn falch ohono, ei hunan-barch, ei chyfeillgarwch hi yn fwy na dim. Ond i be?

'Mi dw i'n cymryd nad ydi dy fam yn gwbod dim am hyn.'

'Ddim eto. Ac mi fasa'n dda gen i 'tasat ti'n peidio sôn wrth Dan. Fy lle i ydi deud wrtho fo.'

'Dydi o ddim o 'musnas i be 'nei di.'

Wrth iddo'i gwylio'n cerdded i lawr y ffordd, diolchodd Tom na fu iddo wneud rhagor o ffŵl ohono'i hun. Er maint ei golled, roedd ei gyfrinach yn ddiogel a'i anallu i fanteisio ar y cyfle i'w rhannu â Grace yn fendith erbyn hyn.

* * *

Bu Laura'n oedi yn y cysgodion ar gwr Stryd Ucha nes iddi weld ei mam yn gadael y tŷ. Pan glywodd ei thad yn galw, 'Pwy sydd 'na?' o'r llofft, rhedodd i fyny'r grisiau a'i chalon yn ei chorn gwddw. Roedd o'n gorwedd yn ei wely heb ddim ond ei ben yn dangos uwchlaw cruglwyth o ddillad nad oedden nhw wedi gweld dŵr a sebon ers misoedd.

'Ydach chi'n sâl?' holodd yn bryderus.

'Nag'dw, tad.'

'Wedi mynd â'r goes odd'arnoch chi maen nhw?'

'Na, mae hi'n dal gen i, am 'i gwerth.'

'Ond be ydach chi'n 'i neud yn fan'ma ganol dydd?'

'Mae hi'n brafiach yma na nunlla arall. Mae golwg wedi fferru arnat ti. Ydi'r cariad 'na ddim yn gadw di'n gynnas?'

Teimlodd Laura y dagrau'n cronni'n a rhwbiodd ei llygaid â chefn ei llaw.

'Be sy, 'mach i?'

'Dim byd.'

'Mae 'na rwbath yn dy boeni di, does? Dydi'r William 'na ddim wedi dy droi di heibio?'

Roedd ei lais yn feddal ac yn ffeind fel yr oedd o ers talwm pan fyddai'r ddau ohonynt yn dianc am y mynydd. Ni allodd Laura ddal na'r dagrau na'r geiriau'n ôl.

'Biti na fydda fo. Dydw i ddim isio'i briodi o.'

Ond cyn iddi allu dweud rhagor, clywodd sŵn traed ei mam ar y grisiau. Sychodd ei hwyneb yn frysiog â chwr y dillad gwely gan sibrwd,

''Newch chi ddim deud wrthi hi?'

'Dim ffiars o beryg.'

Cododd Laura ei golygon i weld ei mam yn rhythu arni.

'Mae'n fyd braf arnat ti, dydi, yn segura efo dy dad yn fan'ma.'

'Newydd gyrradd yr ydw i.'

'Wedi bod yn aros i mi droi 'nghefn, ia? A waeth i ti heb â thrio gwadu, mi gwelis i chdi. Mae gen i negas i ti, gen Elizabeth Parry, Penbryn. Isio i mi ddeud wrthat ti am alw yno cyn mynd yn d'ôl.'

'I be?'

'Be wn i? A mae gen i betha rheitiach i neud na chario negesa. 'I lle hi oedd dŵad yma os oedd hi isio dy weld di. Mae ganddi ddigon o amsar i fynd i grwydro ar draws gwlad efo'i chôr.'

'Tlawd iawn fydda hi ar y Gronfa hebddi hi a'i thebyg, Catrin.'

''Tasa pawb yn gneud yr hyn ddylan nhw fydda mo'i

hangan hi na'i chôr. A chod titha o'r gwely 'na cyn i ti ddechra magu gwreiddia.'

Yr eiliad y gadawodd Catrin yr ystafell, tynnodd Richard y dillad gwely i fyny at ei ên ac meddai'n dawel bach,

'Mi liciwn i 'taswn i'n gallu dy helpu di ond dydw i rioed wedi gallu gneud hynny, yn nag'dw.'

'Sut medrach chi 'te.'

Dyna'r unig gysur y gallai ei gynnig, ond o leiaf roedd ganddi le i ddiolch fod troi llygad dall a chau clustiau wedi bod yn help iddo allu dygymod.

'Ond mi ofala i na cheith Huw bach ddim cam.'

Roedd o'n bwriadu'n dda, ond gwyddai Laura nad oedd ganddo unrhyw ddewis ond bod yr un mor ddall a byddar ag erioed.

* * *

Brynhawn Mawrth, ymunodd Edward Ellis â'r llond dwrn o alarwyr ym mynwent yr eglwys, nid oherwydd y cyngor a roesai Grace iddo ond am fod hynny'n haws na gorfod syrthio ar ei fai. Treuliodd weddill yr wythnos yn ei baratoi ei hun ar gyfer y Sul. Byddai'n dal ar y cyfle i geisio darbwyllo John Williams nad Samuel Davies oedd y cyntaf i syrthio i demtasiwn ac nad ef fyddai'r olaf chwaith. 'Yr ysbryd ddiau sydd barod, ond y cnawd sydd wan.' Ond pa siawns oedd ganddo o allu argyhoeddi dyn a oedd yr un mor gadarn ei gorff a'i ysbryd?

Wedi i'w thymer oeri, bu'n rhaid i Grace gyfaddef iddi ei hun fod bai arni'n dial ei llid ar Tom. Ni fyddai ond wedi gwneud y sefyllfa'n waeth drwy fynd i gwyno i'r ysgol.

Ond efallai y gallai hi, ond iddi arfer doethineb, gael perswâd ar Edgar.

Nid oedd fawr o hwyl arno pan alwodd amdani nos Sadwrn. Ymunodd y ddau â'r dyrfa wrth geg Lôn Pab lle'r oedd Byddin yr Iachawdwriaeth yn cyhoeddi'r newyddion da ar gân gyda'u hafiaith arferol:

'Are we weak and heavy laden,
Cumbered with a load of care?
Precious Saviour, still our refuge,
Take it to the Lord in prayer.
Do thy friends despise, forsake thee?
Take it to the Lord in prayer!
In his arms he'll take and shield thee,
Thou wilt find a solace there.'

Teimlodd Grace eto'r hyder a fu'n cyniwair ynddi wrth Bont y Tŵr, ond tynnwyd y gwynt o'i hwyliau pan ddwedodd Edgar yn sychlyd,

'Mae'n braf iawn ar rai'n gallu dal i ganu yng nghanol yr holl helbul.'

Roedd yn troi ar ei sawdl ac nid oedd ganddi hithau ddewis ond mynd i'w ganlyn. Arhosodd Grace nes bod sŵn y canu wedi toddi i'r pellter cyn torri ar y mundandod.

'Mi fydda'n o sobor ar sawl un oni bai am haelioni'r Fyddin.'

'Ond tybed nad ydyn nhw'n gwneud cymaint o ddrwg ag o les.'

'Be sy'n gneud i chi feddwl hynny?'

'Pobol fel nhw sy'n ei gwneud hi'n haws dal ymlaen â'r streic, yntê.'

'Drwy ddangos 'u gofal am rai sydd mewn angan?'

'Rydw i wedi syrffedu ar yr holl fusnes. Mi fydd yn dda gen i weld diwedd tymor.'

Roedden nhw wedi cyrraedd Bristol House ac Edgar yn paratoi i adael gan ymddiheuro am dorri'r noson yn fyr. Nid oedd amser bellach i arfer doethineb a mesur geiriau.

'Ro'n i'n deall nad ydi petha ddim rhy dda tua'r ysgol.'

'Ac yn gwaethygu bob dydd. Mi fu'n rhaid i mi adael i un o'r bechgyn fynd adre'n gynnar ddoe am fod rhai o blant y streicwyr wedi bygwth ymosod arno fo.'

'Mi alwas i weld Elen Evans, Llwybrmain, ddechra'r wythnos. Braidd yn boenus ydi hi ynglŷn ag Ifan.'

'A ddim heb reswm.'

'Mae colli'i dad wedi deud yn arw arno fo, Edgar.'

'Rydw i *yn* ymwybodol o'r amgylchiadau ac wedi cymryd hynny i ystyriaeth, ond mae'r bachgen fel petai o'n gwneud ati i herio f'awdurdod i. Mi daliais i o'n ymladd yn yr iard rai dyddiau'n ôl.'

'Mae'n cymryd dau i neud hynny.'

'Mi fu'n ddigon haerllug i wadu nad fo oedd yn gyfrifol am yr helynt.'

'Ac yn dal i wadu, yn ôl 'i fam.'

'Gwyn y gwêl y frân ei chyw. Doedd gen i ddim dewis ond ei ddisgyblu o, er mor gas gen i orfod gwneud hynny. Dyna fy nyletswydd i, fel athro.'

Dychwelodd Edgar i'w lety a'r cydwybod y ceisiodd Grace ei brocio yn gwbl dawel, ond cadwodd cydwybod Grace hi'n effro am oriau. Roedd hi wedi methu achub cam Ifan er ei gorchest i gyd. Ni allai'r hyder newydd gystadlu â hunanhyder Edgar. Ni fu iddo ef erioed golli golwg arno'i hun nac amau ei hawl i gyflawni'i ddyletswydd. Ond roedd hi wedi bod mor hawdd bwrw'i dirmyg ar Tom. Cofiodd fel yr oedd wedi cenfigennu wrtho y noson honno wrth Bont y Tŵr oherwydd iddo gael ei ddymuniad. Byddai'n ôl yn y chwarel ymhen y mis, nid o ddewis, ond o orfodaeth. Roedd hithau wedi diystyrru'r anobaith yn ei lais, wedi rhwbio halen i'r briw a chymryd arni nad oedd hi'n malio.

Aeth blinder yn drech na hi a daeth cwsg â gollyngdod dros dro, ond drannoeth, wrth iddi ymroi i ddiwrnod arall a'i chydwybod yr un mor anesmwyth, gwyddai y byddai arni angen ei holl nerth os oedd am allu dal ei gafael.

* * *

Aethai'r Sul heibio yn ddigon didramgwydd, wedi'r cyfan. Ni fu gair o sôn am yr angladd a chafodd Edward Ellis ei arbed rhag yr ymdrech ofer o geisio argyhoeddi John Williams. Galwodd y pen-blaenor am ei faco fel arfer fore Llun ac er nad oedd ganddo fawr i'w ddweud teimlai Edward fod ganddo reswm dros ei longyfarch ei hun ar ei safiad.

Am weddill y bore, roedd gwên a chroeso'n aros y cwsmeriaid a alwodd yn Bristol House, ond bwriwyd y wên honno i'r cysgod pan ddaeth Tom i mewn. Cyn i Edward allu lleisio protest roedd wedi cerdded heibio iddo. Aeth yntau i'w ddilyn i'r cyntedd a chythru am ei fraich i geisio ei atal rhag mynd ymhellach.

'Fedra i ddim caniatáu hyn, Tom. Ac fe ddylach chitha wbod yn well na tharfu ar Daniel.'

'Mae'n rhaid i mi ga'l 'i weld o.'

Roedd yn amlwg fod Tom wedi cynhyrfu, ond nid oedd hynny'n rhoi esgus iddo ymddwyn fel hyn. Petai Grace yno, ni fyddai hi fawr o dro'n ei setlo, ond roedd hi wedi hel ei thraed ers awr a rhagor a'i adael ef i ysgwyddo'r cyfrifoldeb unwaith eto.

Ysgydwodd Tom ei hun yn rhydd o'i afael. A'r sarhad o gael ei orchfygu gan lefnyn o hogyn wedi'i amddifadu o'r balchder a deimlodd oherwydd ei safiad, cychwynnodd Edward yn ôl am y siop ond arafodd ei gamau pan glywodd Tom yn dweud,

'Na, arhoswch, Edward Ellis. Waeth i chitha ga'l clywad ddim.'

Agorodd drws y parlwr a daeth Daniel allan i'r cyntedd. Clywsai'r lleisiau'n codi a gwyddai na fyddai Tom wedi meiddio herio ei dad oni bai fod rhywbeth mawr yn bod.

'Be sy, Tom?' holodd yn bryderus. 'Wedi ca'l rhybudd i adal y tŷ ydach chi?'

'Na . . . a dydi hynny ddim yn debygol o ddigwydd rŵan 'y mod i'n mynd yn ôl i'r chwaral.'

'Be ddeudist ti?'

'Mi dw i'n dechra yno ddydd Llun nesa.'

Trodd Daniel ato a'i wyneb wedi'i ystumio gan gynddaredd.

'Do'n i fawr feddwl y byddat ti, o bawb, yn barod i werthu dy enaid am sofran.'

'Mi wn i 'y mod i wedi dy siomi di.'

'Mae'n dda gen i na chafodd dy dad fyw i weld hyn. Mi ddewisodd o rhoi terfyn ar 'i fywyd yn hytrach na gwadu'i egwyddorion a throi cefn ar 'i gydweithwyr.'

'Doedd dim angan hynna, Daniel. Rydw i'n siŵr fod gan Tom 'i resyma dros fynd yn ôl.'

'Esgusodion, 'falla. Ond dydw i ddim yn bwriadu rhoi clust iddyn nhw, nac yn dymuno aros yng nghwmni bradwr.'

Dychwelodd Daniel i'r parlwr a chau'r drws yn glep. Am y tro cyntaf erioed, teimlai Edward gywilydd o'i fab, ond pan ymddiheurodd ar ei ran y cyfan a ddwedodd Tom oedd,

'Doedd hynna ddim ond yr hyn o'n 'i ddisgwyl, ac yn 'i haeddu, Edward Ellis.'

* * *

I fyny yn Llwybrmain, ar ysgwyddau Elen y syrthiodd y baich o dorri'r newydd i Ifan. Gadawodd i'r dicter a'r dagrau gael eu rhyddid cyn dweud,

'Er dy fwyn di a finna mae Tom yn gneud hyn 'sti.'

''Nes *i* ddim gofyn iddo fo.'

'Mwy na 'nes inna.'

'Ond mi oeddach chi isio i 'nhad fynd yn ôl, doeddach?'

'Am 'y mod i'n gwbod mai dyna lle'r oedd o isio bod.'

'Ond dydi Tom ddim isio mynd, o ddifri?'

'Nag'di, 'ngwas i. Ddim am i ni golli'n cartra mae o 'te, a dyna fydda'n digwydd pe baen ni'n methu talu'r rhent.'

'Chawn ni ddim aros yma p'un bynnag.'

'Fedar y Lord mo'n troi ni allan rŵan.'

'Ond mi fuo'n rhaid i Dei Mos a Lisi a Joni ada'l, yn do, ar ôl i Now a Tom falu'u ffenestri nhw.'

'Sut gwyddost ti mai nhw ddaru?'

'Tom ddeudodd wrtha i. Mi dan ni gyd yn gorfod cwffio dros be dan ni'n feddwl sy'n deg, medda fo. Ond do'n i ddim isio ffraeo efo Joni, na digio 'nhad.'

'Nag oeddat, wn i. Mi wydda dy dad hynny hefyd. A fydda ynta ddim wedi gallu diodda'n gweld ni mewn angan. Mi w't ti wedi gwisgo drwy'r unig bâr o sgidia sy gen ti, dwyt, ac wedi gorfod mynd i'r ysgol ar ddim ond crystyn sych sawl bora.'

'Mae pawb 'run fath . . . pawb ond plant bradwyr. Ond mi fydda inna'n un ohonyn *nhw* rŵan.'

Roedd i'r hen air hyll y bu'n ceisio ei osgoi unwaith ei golyn, fel erioed, a bellach nid oedd modd dianc rhagddo. Byddai'n glynu wrthynt ac yn eu dilyn i bobman. Ond ni chymerai hi ei llethu ganddo. Os oedd ildio'n gywilydd yng ngolwg rhai, roedd ei balchder hi yn ei mab yn ddigon i oresgyn pob dirmyg a gwawd. Ni fyddai'r gadair wag ar yr aelwyd yn ddolur mwyach. Roedd Tom, trwy ei ofal amdanynt a'i barodrwydd i dalu'r pris, wedi profi ei fod cystal dyn â'i dad ac wedi ennill yr hawl i eistedd ynddi.

22

Nid Elen Evans oedd yr unig un i deimlo'n falch o'i mab. Dychwelodd Master Charles i'r Castell, yn iach ei gorff a'i feddwl, a chafodd Arglwydd Penrhyn foddhad mawr o glywed ei fod wedi dangos gwroldeb anarferol yn wyneb y gelyn. Ond taflodd y toriad o bapur newydd y *Sheffield and Rotherham Independent* a dderbyniodd drwy'r post gysgod dros y dathliadau. Aeth ati'n ddiymdroi i baratoi pamffled yn ateb y cyhuddiadau a wnaed yn ei erbyn. Ychydig oriau'n ddiweddarach, roedd y pamffled hwnnw ar ddesg y goruchwyliwr ym Mhorth Penrhyn ac yntau'n cael gorchymyn i'w anfon i bob marchnatwr llechi ledled y wlad. Cofiodd Young fel y bu i'r meistr ddweud wrtho ei fod wedi ei wahardd rhag gwneud unrhyw ddatganiad.

Awgrymodd yn betrus y byddai'n ddoethach ei adael nes bod yr achos llys yn erbyn W.J. Parry drosodd, ond roedd yr arglwydd yr un mor amharod ag arfer i dderbyn cyngor ac meddai'n ffroenuchel,

'Perhaps you should reserve your opinion until you have read the libellous attack on my character.'

Haerai'r awdur, pwy bynnag ydoedd, fod merched a phlant ym Methesda yn newynu i farwolaeth oherwydd i'r penteulu wrthod plygu o dan iau gorthrymwr a wnaethai'r hyn a allai i dorri ei ysbryd a'i amddifadu o'i hawliau fel dyn. Nid oedd budr-ymelwa'r marchnatwyr caethweision, hyd yn oed, i'w gymharu â gormes gwŷr o addysg, teitl ac eiddo, oedd yn cau eu llygaid yn fwriadol ar y dioddef a'r trallod, er eu mantais eu hunain.

'And what do you think of this, Mr Young? He claims that the cash-boxes and ill-gotten gains of such must form chains to shackle their owners and make for them in the not far distant hereafter a hell prolific in torture.'

Ni allai'r goruchwyliwr lai na chytuno fod cynnwys y toriad yn enllibus, er ei fod ef o'r farn na fyddai tynnu sylw ato ond yn porthi'r fflamau. Gwnaeth un ymdrech arall i'w diffodd cyn iddynt gael cyfle i ledaenu.

'The man is obviously deranged. Would it not be better to ignore such blasphemy?'

'I reserve the right to defend myself, Mr Young. You will send these pamphlets out as soon as possible.'

Ofnai Young ei fod wedi mentro'n rhy bell, ac addawodd wneud hynny ar fyrder gan ychwanegu y byddai'n dda o beth i'r marchnatwyr gael y gwir o lygad y ffynnon. Ond nid oedd ar yr arglwydd angen hwb i'w hyder. Roedd termau ac amodau gwaith yn ei chwarel ef, meddai, mor deg, a'r cyflogau cystal, os nad gwell, nag mewn unrhyw chwarel yng ngogledd Cymru ac yntau'n fwy na pharod i gyflogi unrhyw un oedd yn fodlon derbyn y telerau. Am y gweddill, nid oedd ganddynt neb i'w feio am eu trallod ond hwy eu hunain.

* * *

Ni ddaeth Edward Ellis ar gyfyl y siop y bore wedi ymweliad Tom. Roedd Grace ar gychwyn i fyny'r grisiau i alw arno fod cinio'n barod pan ddwedodd Daniel,

'Waeth i ti heb.'

'Ond dydi o ddim wedi symund o'r llofft ers neithiwr. W't ti'n meddwl y dylan ni ofyn i Doctor Roberts gael golwg arno fo?'

'Petai gan hwnnw ffisig all wella siom, mi fyddwn inna'n mynd ar 'i ofyn o. A does 'na'r un siom i'w chymharu â chael ar ddeall fod un yr o'n i'n ei ystyriad yn ffrind yn dewis gwasanaethu'r treisiwr sy'n gyfrifol am yr holl ddiodda 'ma.'

'Mae Tom wedi deud wrthat ti, felly?'

'Ddim cyn rhoi gwbod i ti, mae'n amlwg. Roeddat ti â dy lach yn arw arno fo ar un adag doeddat, am 'i fod o wedi mynd i ganlyn Now Morgan a chodi twrw. Siawns na fyddi di'n fodlon rŵan 'i fod o wedi dangos 'i gefnogaeth i'r Lord.'

'Digwydd taro arno fo pan alwas i weld Elen Evans 'nes i.'

'A mi roist dy fendith ar 'i benderfyniad o?'

'Naddo . . . mwy na rois i ar d'un di. Ond go brin y bydda hynny'n ddigon i darfu Tada.'

'Na, roedd o'n barod i gredu fod gan Tom 'i resyma. Fi sydd wedi'i darfu o drwy ddeud fy mod i'n rhoi'r gora i bregethu. Fel deudist ti, dydi o ddim ond yn deg iddo fo ga'l gwbod y gwir.'

'A mae o wedi derbyn hynny?'

'Mae'n ymddangos 'i fod o'r tro yma.'

Roedd yr hen air yn dweud fod y gwir yn gallu lladd. Sut oedd Tada'n mynd i ddygymod, a'i freuddwyd wedi'i chwalu? Chwerwi, fel y gwnaeth hi, ynteu ymostwng ac ildio fel Tom a Laura? Byddai hyn yn ergyd greulon iddo, ond nid oedd y gwaniad bach a deimlodd hi yn ddim mwy na llosg danadl poethion ar gnawd, a'r un mor fyr ei barhad.

'Mi w't ti'n gweld bai arna i?'

'Dy ddewis di ydi o, Dan.'

'Does gen i ddim dewis. Falla y doi di i ddeall hynny, ryw ddiwrnod.'

Wrth iddi estyn yr hambwrdd a thaenu drosto y lliain bach gwyn a gawsai ei rhieni'n anrheg priodas, nid oedd damaid o ots gan Grace a ddeuai i ddeall ai peidio. Tywalltodd y cawl i ddysgl a thafellu'r bara'n denau, a gadawodd y gegin heb air ymhellach. Er ei bod wedi dod o hyd iddi ei hun, ac yn gwybod pwy oedd hi bellach, roedd Grace Bristol House yn para'n ferch i'w thad.

* * *

Y prynhawn hwnnw, pan aeth Grace i nôl y llestri i'w golchi a chael y llofft yn wag a'r cawl a'r brechdanau heb eu cyffwrdd, safai Edward Ellis yng nghegin Cae'r-berllan, lle y bu iddo unwaith syrthio ar ei fai heb fod yn siŵr a oedd hwnnw'n fai ai peidio.

Ni fu i John Williams ei gymell i eistedd. Teimlai ei fod wedi gwneud ei ddyletswydd trwy alw'n y siop a rhoi cyfle iddo ymddiheuro.

'A be sy'n eich poeni chi, Edward Ellis?'

Ni allai, fel Cristion, wrthod derbyn ei ymddiheuriad ond roedd gofyn iddo wneud yn berffaith glir na fyddai, fel pen-blaenor, yn caniatáu i'r fath beth ddigwydd eto.

'Wedi galw i ddeud na fydda i ddim yn y seiat nos fory yr ydw i . . . ac i ofyn 'newch chi gymwynas â fi.'

Be oedd yn bod ar y dyn, mewn difri? Ei le fo oedd gofyn maddeuant yn hytrach na chymwynas.

'Mi garwn i chi ddeud wrth y brodyr fy mod i'n dymuno ymddiswyddo o fod yn flaenor.'

'Ymddiswyddo? Ond does dim galw arnoch chi i neud hynny. Rydw i'n siŵr eich bod chi'n sylweddoli erbyn hyn eich bod chi wedi ymddwyn yn annoeth a'ch bod chi'n barod i gyfadda hynny. Mae'r brodyr, fel y gwyddoch chi, yn rhai trugarog iawn.'

'Does a wnelo'r angladd ddim â hyn. Sut y galla i eistedd yn y sêt fawr gan wbod fod fy mab i fy hun wedi cefnu ar y gwerthoedd sydd wedi'i gynnal o?'

'Wnâi Daniel byth mo hynny.'

'Mae o wedi rhoi heibio bob bwriad o fynd i'r Weinidogaeth ac am roi'r gora i bregethu.'

'Dros dro, falla.'

'Ydach chi'n cofio be oedd testun 'i bregath gynta fo, John Williams?'

'Ydw, ac yn credu 'i fod o lawar nes at ddeall 'i hystyr hi erbyn hyn.'

'Apêl ar i ni garu'n gwrthwynebwyr sydd yng ngeiria Paul, yntê? Os ydi hynny'n gofyn gormod, fe allwn ni o leia ymatal rhag 'u casáu a gneud drwg iddyn nhw. Ond ymatab Daniel i hynny oedd fy atgoffa i o'r hyn ddwedodd Moses wrth genedl Israel: "Canys ef a ddychwel ddial ar ei elynion, ac a drugarha wrth ei dir a'i bobl ei hun".'

'Rydw inna wedi ama'r dull o frwydro, ond falla ein bod ni'r rhai hŷn yn dueddol o orffwys ar ein rhwyfa a disgwyl i Dduw neud y gwaith i gyd drostan ni. Nid ysfa dial ond 'i brydar dros 'i gyd-ddyn barodd i Daniel ddweud hynna. Mae'i ffydd o mor ddiwyro ag erioed.'

'Mi fydda'n dda gen i allu credu hynny.'

'Ac mae gen inna bob ffydd ynddo ynta.'

Roedd tinc cerydd yn llais John Williams. Ond pa obaith oedd gan ddyn na fu erioed yn agos i'r chwarel o allu deall? Ni wyddai ef ddim am y frawdoliaeth glòs, y cyd-lawenhau a'r cyd-ddioddef, a'r dolennau oedd yn eu cydio wrth ei gilydd mor sownd â chadwyn wrth graig.

'Mae ar yr achos angan dynion sy'n barod i sefyll dros 'u hegwyddorion, fel sydd ar yr eglwys. A mi wn faint eich gofal chi am honno.'

'Ond siawns nad ydach chi'n sylweddoli fod hyn wedi'i gwneud hi'n amhosibl i mi aros yn y swydd?'

'Fedrwn ni ddim ond bod yn atebol droson ni'n hunain. "Nid ceidwad fy mrawd ydwyf i." Rydan ni fel blaenoriaid dan bwysa mawr gan nad oes ganddon ni fugail i'n tywys. Fedrwn ni ddim fforddio'ch colli chi. Rydw i'n erfyn arnoch chi ailystyriad.'

Gwyddai Edward yn dda fod gorfod dweud hynny'n groes i'r graen i un nad oedd erioed wedi erfyn ar neb. Peth annoeth fyddai ei gythruddo ymhellach.

'Rhowch amsar i mi feddwl dros y peth, John Williams.'

'Mi gewch faint fynnwch chi o amsar. Ond byddwch

"ddeallus mewn ffordd berffaith", fel y dwedodd y Salmydd.'

Dyna'i air olaf. Roedd wedi gwneud yr hyn a allai, a phetai Edward Ellis yn gwrthod ailystyried byddai'n fwy na parod i dderbyn ei ymddiswyddiad.

* * *

Ar waethaf brath tafod William, ni fu i Laura ddifaru iddi dderbyn gwahoddiad Elizabeth Parry i fynd i ganu efo'r côr. Roedd hi wedi petruso ar y dechrau. Beth petai'n methu canu'r un nodyn ac yn dwyn gwarth arni hi ei hun ac ar bawb arall? Ond doedd Miss Parry ddim yn un i dderbyn 'na'. Ni ddylai fod wedi sôn wrth William, ond byddai'n siŵr o ddod i wybod ac yntau'n gwylio pob symudiad. Pan fynnodd hi nad oedd hi'n gwneud dim drwg i neb, roedd o wedi troi arni a'i chyhuddo o gefnogi'r streic wrth fynd i grwydro ar draws gwlad yn hel pres i gadw rhai oedd yn rhy ddiog i wneud diwrnod o waith. Pe baen nhw'n dod i wybod am hyn yn y Castell, meddai, byddai wedi darfod arnynt. Dyna pryd y dwedodd o wrthi ei fod wedi cael cynnig bwthyn ar y stad a bod y teulu oedd yn byw yno wedi cael gorchymyn gan y Lord i symud allan ddechrau'r flwyddyn. Gwnaeth hynny hi'n fwy penderfynol fyth o gadw'i haddewid i Miss Parry, er iddi orfod mynd ar ei llw mai hwn fyddai'r tro cyntaf a'r olaf.

Pan gamodd i'r llwyfan a syllu ar y môr wynebau o'i blaen, wyneb William oedd gan bawb, a bu ond y dim iddi ildio i'r anobaith na fyddai iddi byth allu ailgynnau'r gân. Ond roedd hi wedi llwyddo. Bu'r gân honno, fel erioed, yn eli i'r galon. Byddai wedi bod yn fodlon dioddef mwy na brath tafod er mwyn gallu cael gwared â'r holl bethau cas, petai ond am awr neu ddwy, ac roedd hi'r un mor barod i fentro hynny eto ar waetha'r llw.

*   *   *

Ni allodd Tom anghofio'i ofidiau na llwyddo i'w celu rhag ei fam ac Ifan. Roedd wedi gobeithio gallu gadael y tŷ cyn iddynt stwyrian, ond roedd y ddau wedi cael y blaen arno, ei fam yn y gegin fach yn paratoi'r tun bwyd ac Ifan yn rhoi dwbin ar ei esgidiau chwarel.

'Mi dan ni'n dal yn ffrindia 'lly?' holodd a myctod yn ei lais. 'Ofn oedd gen i dy fod ti wedi digio wrtha i.'

'Mi o'n i . . . ond mi dw i'n meddwl 'mod i'n dallt rŵan. 'Nei di gadw brechdan i mi, fel bydda Dad yn arfar gneud?'

'Wrth gwrs y g'na i.'

'Mae'r sgidia'n barod i chdi, Tom.'

'Ac mi gei ditha dy dâl ddiwadd mis.'

Bu Tom wrthi am hydoedd yn ceisio cael yr esgidiau am ei draed. Ar waethaf ymdrech Ifan, roedd y lledr yn galed ac anhyblyg, ac yntau'n fodiau i gyd.

'W't ti am i mi roi rhagor o dwbin arnyn nhw?'

'Na, mi ddo i i arfar. Wedi bod yn segur yn rhy hir maen nhw, fel finna.'

'Mi a' i i olchi nwylo 'ta.'

'Ydyn nhw'n dal i frifo?'

'Nag'dyn.'

'Ac mae petha'n well tua'r ysgol?'

'Mi fyddan, unwaith y daw syr i wbod.'

Daeth Elen â'r tun bwyd drwodd. Wrth iddi ei estyn

oddi ar y silff roedd ei bysedd wedi cyffwrdd â'r tun arall a'r llythrennau R.E. wedi'u hysgythru ar ei gaead a bu'r paratoi a arferai fod yn bleser yn dreth arni.

'Glywsoch chi hynna, Mam?'

'Do, mi glywis.'

'Fydd dim raid i Ifan ofni ca'l cweir eto.'

'Mi fedrwn ddiolch am hynny.'

'Ac mae gen inna achos diolch i chi.'

'Am be d'wad?'

'Am lwyddo i ga'l Ifan i ddeall.'

'I ti yr ydan ni i ddiolch, 'machgan i. Mi wn i faint mae hyn yn 'i olygu i ti. Ond mi ddown ni'n tri drwyddi efo'n gilydd 'sti.'

Ni chafodd Tom unrhyw flas ar ei frecwast. Sawl gwaith yr oedd o wedi haeru, yma wrth y bwrdd, nad oedd ildio i fod, rhoi ei lach ar ei dad am gowtowio i'r meistri, a gweld bai ar y ddau am blygu i'r drefn a derbyn yn ddigwestiwn? Gadawsai'r chwarel a'i hunan-barch yn ddianaf. Heddiw, byddai'n dychwelyd yn fradwr a'i hunan-barch yn dipiau. Efallai y gwelent ddiwedd ar y tlodi a'r newyn ymhen amser, ond byddai'r cywilydd yn staen arno ef a'i debyg, am byth.

*   *   *

Aethai pythefnos heibio heb i Edgar alw yn Bristol House ac ofnai Grace ei bod wedi ei dramgwyddo. Nid ei lle hi, wedi'r cyfan, oedd beirniadu ei ddull o ddisgyblu ac efallai iddi fod yn rhy barod i gadw rhan Ifan, heb wybod y ffeithiau. Ond doedd dim angen iddi fod wedi pryderu. Pan alwodd amdani nos Sadwrn roedd, os rhywbeth, yn fwy hyderus nag arfer a golwg hunanfodlon arno. Ei rhyddhad na fu iddo gymryd ato a barodd i Grace ddweud yn chwareus,

'Rydach chi'n edrych yn bles iawn arnoch eich hun heno, Edgar.'

'O, mi rydw i. Chredwch chi ddim lle'r o'n i wythnos i heno, Grace.'

'Ro'n i'n meddwl falla eich bod chi wedi mynd adra.'

'Mae'n rhy agos i ddiwedd tymor i hynny. Na, ro'n i o fewn tafliad carreg i chi. Yn Neuadd y Farchnad fel mae'n digwydd.'

'A be 'nath i chi fynd i fan'no?'

'Gobeithio yr o'n i y bydda hynny'n help i mi allu delio efo'r helyntion yn yr ysgol gan fod anwybodaeth o'r sefyllfa, yn ôl eich brawd, yn beth peryglus iawn.'

'Gawsoch chi'r hyn yr oeddach chi'n 'i obeithio?'

'Mi ge's i gadarnhad o'r hyn yr ydw i wedi'i deimlo, o'r dechrau. Does dim syndod fod y plant yn ymddwyn fel maen nhw a'u tadau mor anfoesgar â gwawdio a hwtio Arglwydd Penrhyn ar goedd, taflu'r bai i gyd ar 'i ysgwyddau o.'

'Ac rydach chi'n meddwl 'i fod o'n ddi-fai?'

'Heb 'i fai heb 'i eni, yntê. Ond fedrwn i ddim credu y gallai Henry Jones, ac yntau'n eglwyswr, ddangos y fath ddiffyg parch â haeru fod gan y llywodraeth hawl i gyhuddo'r arglwydd o gamddefnyddio'i deitl i ormesu pobl yr ardal. A'r gynulleidfa'n cymeradwyo! Ro'n i'n falch nad o'n i'n un ohonyn nhw.'

'Does 'na'm peryg i hynny byth ddigwydd, Edgar.'

'Dyna'r peth ola y byddwn i'n 'i ddymuno.'

'Ac rydach chi'n siŵr o fod yn difaru i chi ddŵad yma o gwbwl.'

Byddai'r oslef ddirmygus wedi bod yn ddigon i darfu unrhyw un, ond ni wnaeth Edgar ond gwenu ei wên anaml a dweud,

'Mi fyddwn yn difaru f'enaid, oni bai fy mod i, drwy hynny, wedi'ch cyfarfod chi.'

* * *

Gŵyl y rhoddion fu'r Nadolig hwnnw i lu o dlodion Bethesda. Cawsant eu bendithio, nid â manna o'r nefoedd, ond â glo a dillad, nwyddau a chig eidion o'r ansawdd gorau. Enwyd y rhoddwyr ar dudalennau *Gwalia* a diolchwyd iddynt ar ran yr anghenus am eu haelioni a'u gweithredoedd trugarog.

Yng Nghastell Penrhyn, rhannodd Ledi Pennant anrhegion oddi ar y goeden yn y Neuadd Fawr i'r gweision a'r morynion yn dâl am eu teyrngarwch. Cadwodd Laura yr hances a dderbyniodd yn y gist fach efo'r flows goler les a'r sgert resog ddu. Yno yr oedden nhw wedi aros, ar waethaf crechwen y morynion. Unwaith yn unig y bu iddi eu gwisgo, a hynny i fynd i angladd Robert Evans. Diwrnod digon siomedig fu hwnnw, er bod y cof ohono wedi'i chynnal am fisoedd.

Byddai wedi gallu dal ei gafael arno oni bai i un o'r morynion ddweud ychydig ddyddiau ynghynt iddi glywed, pan alwodd i weld ei rhieni yn Gerlan, fod Daniel Ellis wedi rhoi'r gorau i bregethu. Sut y gallai Grace ac Edward Ellis adael iddo wneud hynny, a hwythau'n gwybod mai dyna yr oedd o wedi bod eisiau ei wneud erioed? Cofiodd fel y bu iddo ddweud na adawai i neb na dim sefyll yn ei ffordd. Ar yr hen streicwyr 'na yr oedd y bai. Roedd Dan wedi bod yn barod i weithio ddydd a nos, ond be wnaethon nhw? Codi twrw a chreu helynt, ei orfodi i gerdded allan a difetha'i siawns o fynd i'r coleg. Yr hen gnafon drwg. Ac roedd Tom wedi bod ar fai hefyd. On'd oedd o wedi gwneud ati i dorri ar draws Dan pan fyddai'n pregethu iddyn nhw wrth yr afon? Gweiddi 'Amen' a 'Haleliwia' nerth esgyrn ei ben a difetha bob dim. Biti na fyddai hi wedi bod â digon o blwc i gefnogi Dan a dweud wrth Tom am gau ei geg. 'Does 'na ddim byd fedri di neud'; dyna ddwedodd Dan y diwrnod hwnnw pan roddodd Huw bach ei geiniog iddi i geisio'i chysuro. Ond pa hawl oedd ganddi hi i ofyn cysur? Dan oedd yn iawn. Nid oedd ganddi ddim i'w gynnig iddo, a waeth iddi heb â gweld bai ar bawb arall pan oedd hi gymaint i'w beio â neb.

Byddai'r bwthyn ar y stad yn wag ymhen pythefnos a hithau'n ei chlymu ei hun wrth William, hyd angau. Gan na allai fforddio'r un dilledyn newydd, nid oedd ganddi ddewis ond gwisgo'r flows les a'r sgert resog ddu i'w phriodas. Ni fyddent o unrhyw werth iddi wedyn a byddai wedi colli'r hawl ar y clwt bach, a fu unwaith yn eiddo iddi hi a Dan, a brifo braf y cofio am byth.

Ni roddodd y pâr esgidiau newydd a gafodd yn anrheg Nadolig unrhyw bleser i Ifan. Byddai'n well ganddo fod wedi dioddef traed gwlyb a mentro dal annwyd na bod yn nyled y Lord. Er bod y pwdin plwm yr un mor flasus ag oedd o cyn y cloi allan, cafodd drafferth i'w fwyta. Roedd ei fam wedi sylwi, a chymerodd arno mai'r pishyn tair gwyn oedd wedi mynd yn sownd yn ei lwnc. Eisteddai Tom wrth ben y bwrdd yng nghadair ei dad, ond edrychai allan o le yno rywsut ac roedd cryndod yn ei lais wrth iddo ofyn bendith.

Ni fyddai pethau byth yr un fath eto. Roedd pob dim â'i wyneb i waered, ei elynion wedi troi'n ffrindiau a'i ffrindiau'n elynion, a syr yn gwneud ati i fod yn glên. Ni chawsai air o glod yn Hermon er ei fod wedi dysgu salm gyfan ar ei gof a'i hadrodd heb fethu unwaith. Hwn oedd y Nadolig gwaethaf erioed, ac ni allai aros i adael y bwrdd a dianc i'w lofft. Ond bu'n rhaid iddo helpu ei fam i glirio'r llestri. Unwaith yr oedden nhw'n y gegin fach roedd hi wedi cau'r drws yn dynn cyn dweud,

'Mi ddeudist ti dy fod ti'n deall, yn do?'

'Ro'n i'n meddwl 'y mod i , ond . . .'

'Ond be, Ifan?'

'Do'n i ddim isio'r hen sgidia 'na. Dydw i ddim isio dim byd gen y Lord.'

Er iddi fynnu mai Tom oedd wedi eu prynu â'r cyflog y bu'n gweithio mor galed i'w ennill, ac mai iddo ef yr oedden nhw i ddiolch, gwyddai Ifan mai arian brad oedd wedi talu amdanynt ac y byddai pob cam a gymerai yn ei atgoffa o hynny. Aeth i'w lofft heb ddiolch i Tom ac heb allu na deall na derbyn.

23

Llythyrau 'Nelson', a gyhoeddwyd yn *Baner ac Amserau Cymru*, fu'r symbyliad i Daniel gyfnewid y pulpud am y llwyfan. Rhoesai hwnnw ei gas ar aelodau pwyllgor y streic, yn arbennig Henry Jones. Barnai ef nad oedd gan y llywydd unrhyw ymddiriedaeth yn y dynion, mwy nag oedd ganddynt hwy yn y rhai oedd wrth y llyw. Onid oedd wedi profi hynny drwy ddweud y byddai llawer rhagor wedi dychwelyd i'r chwarel petai twnnel o dan y ddaear yn arwain yno? Haerai mai geiriau di-fudd ac addewidion gau a lefarwyd o lwyfan y neuadd ac nad oedd dim i'w ennill trwy'r 'dal allan noeth'.

Rhoddodd gweld y gwawd ar ddu a gwyn ysgytwad i Daniel. Roedd yntau wedi bod yr un mor barod i feirniadu'r llywydd. Pa ryfedd fod clywed un na lwyddodd i ennill parch neb yn barnu dyn a haeddai'r parch hwnnw wedi ennyn dirmyg John Williams? Ond nid oedd hynny, hyd yn oed, i'w gymharu â'r hunanddirmyg a deimlodd y noson y bu iddo ymateb i her Now Morgan na allai godi carreg, heb sôn am ei thaflu. Am wythnosau wedyn, gallodd deimlo caledwch y garreg honno ar ei gledr a chlywed y glec wrth iddi daro'r llawr, ac nid oedd y rhyddhad o wybod ei fod wedi gwrthsefyll trais yn ddigon i wneud iawn am ei fethiant.

Os bu i Daniel Ellis amau ei hawl i esgyn i bulpud, roedd yn fwy ansicr fyth o'i hawl i lwyfan Neuadd y Farchnad. Diolchodd i Henry Jones am ganiatáu iddo gymryd rhan yn y cyfarfod, ac i'r gynulleidfa am dderbyniad nad oedd yn ei haeddu. Heb geisio ei arbed ei hun, cyfaddefodd iddo, am amser maith, betruso rhag cymryd rhan yn y frwydr a bodloni ar adael i eraill ymladd drosto. Ni allai neb amau diffuantrwydd y gyffes ac roedd i'r neges a'i dilynodd fwy o argyhoeddiad na'r un bregeth a draddododd erioed. Geiriau wedi'u cribinio o esboniadau oedd cynnwys y mwyafrif o'r pregethau, ond ei eiriau ef oedd y rhain, yn llifo'n ddigymell ac yn hawlio gwrandawiad:

'Tŷ trugaredd', dyna ydi ystyr yr enw Bethesda. Mae'r gormeswr, na ŵyr ystyr y gair trugaredd, wedi ceisio ei feddiannu, garreg wrth garreg, fel y mae o wedi ceisio prynu eneidiau â'i bunt y gynffon. Ond ein braint a'n dyletswydd ni, fel tenantiaid, ydi gwarchod y tŷ. Yn ystod y ddwy flynedd ddiwethaf, mae rhai cannoedd a dderbyniodd y fraint honno wedi dewis anwybyddu'u dyletswydd. Fe gofiwch i Grist ddweud, "Os bydd tŷ wedi ymrannu yn ei erbyn ei hun, ni ddichon y tŷ hwnnw sefyll." I'r rhai sydd wedi gwerthu eu heneidiau, does yna ddim mwy o werth iddo na thŷ ar dywod. Un o amcanion y frwydr hon ydi gwneud gwell dynion ohonon ni pan ddown ni allan o'r ffwrn dân. Mae hi'n rhy hwyr i'r gormeswr allu dianc o afael y fflamau, ond fe fydd ein hymdrech ni i warchod ac i ddiogelu'r tŷ yn ein cyfoethogi a'n puro. Oherwydd fe ŵyr pawb sydd yma heno iddo gael ei adeiladu ar graig ac y bydd iddo sefyll, ar waethaf y gwyntoedd a'r llifeiriant, ac yn wyneb pob caledi.'

Os mai o barch i Henry Jones y cytunodd y gynulleida i roi clust i Daniel Ellis, roedd y gymeradwyaeth frwd yn siarad drosti ei hun. Er mai wythnos gwas newydd oedd hon, roedd pawb o'r farn fod y pregethwr bach yn ei medru hi ac wedi ennill ei le yn un ohonyn nhw.

* * *

Tra oedd gweithwyr Castell Penrhyn yn paratoi i ddathlu Nos Galan, roedd Laura'n swyno cynulleidfa o rai esmwyth eu byd â'i hymbil ar y deryn pur. Pan oedd Dan a hithau'n gariadon, byddai'n cymryd arni mai hi oedd yn anfon yr aderyn yn llatai i siarad drosti. Er ei hofn o fethu gwneud hynny'r tro hwn, roedd hi wedi bod eisiau rhoi un cynnig arall arni cyn ei rhoi o'r neilltu i ganlyn y flows a'r sgert, y clwt bach a'r atgofion.

Wrth iddi fynegi'i serch a'i hiraeth, mentrodd edrych ar

yr wynebau o'i blaen a gwelodd lun o wyneb Dan, mor glir â phetai'n eistedd yno, ac mor agos ati fel y gallai estyn ei llaw allan i'w gyffwrdd. Nid oedd y gymeradwyaeth a'r encôr a gafodd yn golygu dim iddi ac ni allai aros i ddychwelyd i'r Castell cyn i'r llun ddiflannu.

Ond cafodd ei gipio oddi arni yr eiliad y camodd i'r cwrt. Roedd hi wedi gobeithio na fyddai William wedi gweld ei cholli yng nghanol y rhialtwch ond roedd o yno, yn sefyll rhyngddi a'r drws ac yn holi, cyn iddi gael ei gwynt ati,

'A lle w't ti 'di bod?'

'Mewn consart ym Mangor.'

'Chymrist ti ddim rhan, siawns?'

'Do'n i ddim 'di bwriadu gneud ond fedrwn i ddim gwrthod Miss Parry.'

Rhythodd William arni a'i lygaid yn tanio yng ngolau'r lleuad.

'Ydi o ddim yn ddigon gen ti 'nhwyllo i heb ddeud celwydd ar ben hynny? Mynd i hel rhagor o bres i'r diawliad diog 'na 'nest ti 'te.'

'Ond mae'r gwragadd a'r plant bach yn llwgu.'

'Tuag ata i mae dy gyfrifoldab di, nid atyn nhw.'

Roedd o'n gwyro drosti a'r arogl sur ar ei anadl yn codi cyfog arni.

'A' i byth eto, mi dw i'n addo. Pam nad ewch chi'n ôl at y lleill, William? Mae'n biti i chi golli'r sbort.'

'Trio ca'l 'y ngwarad i w't ti, ia?'

'Wedi blino rydw i. Mi fydda'n well i mi fynd i 'ngwely.'

'A be sydd o'i le ar 'y ngwely i? Tyd, fydda i fawr o dro'n gneud i ti anghofio dy flindar.'

'Na! Dydi hynny ddim yn iawn.'

'Ac ers pryd w't ti'n malio be sy'n iawn?'

Gafaelodd ynddi a'i llusgo allan o'r cwrt i gyfeiriad y stablau. Teimlodd Laura y cyfog yn codi i'w llwnc. Roedd wedi darfod arni, a'r ymdrech i gadw'i phellter o'r llofft stabal wedi mynd yn ofer. Byddai'n rhaid iddi gario gwarth y noson hon i'w chanlyn am byth.

'Waeth i ti ildio rŵan ddim. Mi fyddwn ni'n ŵr a gwraig toc ac mi fydd gen i hawl i dy ga'l di pryd mynna i.'

'Dydw i ddim isio'ch priodi chi.'

Aeth cryndod drwyddi pan glywodd ei hun yn yngan y geiriau y bu'n ysu am allu eu dweud.

'Be ddeudist ti?'

Saethodd ei law allan a'i tharo ar draws ei hwyneb.

'Dydi dy addewidion di'n golygu dim, yn nag ydyn? Mae'n hen bryd dysgu gwers i ti.'

Roedd ei boch ar dân a'i chorff yn boenau byw drosto. Pan welodd ei law yn codi'r eildro, erfyniodd arno i beidio'i brifo ond ni wnaeth hynny ond ei annog i ddweud,

'Isio dy frifo di sydd, y bitsh glwyddog. Wn i'm be welis i ynat ti rioed. Ond does 'na neb yn ca'l gneud ffŵl ohona i heb orfod talu am hynny.'

* * *

Nid oedd y flwyddyn newydd ond prin wedi gwawrio pan glywodd Grace guro ysgafn ar ddrws y cefn. Criw o blant oedd yno, debyg, yn methu aros i ofyn calennig. Cafodd ei themtio am funud i'w hanwybyddu, ond siawns nad oedden nhw'n haeddu gwobr am godi allan mor gynnar. Aeth i lawr y grisiau ar flaenau ei thraed. Goleuodd y lamp ac estyn am ei phwrs o ddrôr y gegin cyn agor y drws. Roedd yr iard yn wag. Ei dychymyg oedd yn chwarae triciau arni, mae'n rhaid. Roedd hwnnw wedi bod yn fwy effro nag arfer yn ddiweddar.

'Grace.'

Deuai'r llais o'r cysgodion ym mhen draw'r iard. Lapiodd Grace y siôl y bu iddi ei tharo dros ei hysgwyddau cyn gadael y llofft yn dynnach amdani a chamu allan.

'Laura? Chdi sydd 'na? Be w't ti'n 'i neud yma'r adag yma o'r bora?'

'Doedd gen i nunlla arall i fynd.'

'Tyd i mewn, da chdi, cyn i'r ddwy ohonon ni fferru.'

Dilynodd Laura hi i'r gegin. Er bod y nodyn o anobaith a glywsai yn y llais wedi rhybuddio Grace fod rhywbeth o'i le, ni fu'n ddigon i'w pharatoi ar gyfer yr hyn a welodd yng ngolau'r lamp.

'Pwy 'nath hyn i chdi, Laura?' holodd.

'Fedra i ddim deud.'

Mygodd Grace yr ysfa i holi rhagor. Gorffwys, dyna oedd ar Laura ei angen rŵan. Ond gwyddai ei bod hi eisoes wedi cael ateb i'r un cwestiwn yn y 'fedra i ddim deud'.

Gallodd Grace gymell Laura i swatio yn y llofft fach o dan y to heb unrhyw drafferth, ond bu'n rhaid iddi wrth bwyll ac amynedd cyn cael cadarnhad o'i hamheuon. Amser brecwast, ni fu iddi ddadlennu dim o hynny wrth ei thad a Daniel, dim ond dweud nad oedd Laura hanner da a'i bod wedi ei pherswadio i aros yno er mwyn cael cyfle i ddod ati ei hun. Derbyniodd ei thad yr eglurhad heb ddangos fawr o ddiddordeb, ond yr eiliad y gadawodd y gegin ei thro hi oedd cyflenwi'r atebion i gwestiynau Dan.

'A lle mae Laura rŵan?' holodd.

'Yn llofft Nansi. Mae 'na olwg mawr arni hi.'

'A'r William 'na sy'n gyfrifol?'

'Mae hi'n mynnu 'i bod hi'n haeddu cweir am 'i dwyllo fo.'

'Does 'na ddim twyll yn perthyn i Laura. Mae arna i flys mynd draw i'r Castall a setlo'r cythral.'

'Setli di ddim byd efo dy ddyrna, Dan.'

'Mwy nag efo dim arall.'

'Dydw i ddim mor siŵr ar ôl clywad y bregath roist ti'n y neuadd nos Sadwrn.'

'Roeddat ti yno, felly?'

'O'n.'

'Dydi o mo'r lle i chdi, Grace.'

'Fi sydd i benderfynu hynny. Paid â gadal i hyn godi i dy ben di, ond ro'n i'n teimlo reit falch 'mod i'n chwaer i ti.'

'Mae hynna gystal clod â dim.'

Ac yn golygu mwy na'r curo dwylo a'r curo cefn nos Sadwrn. Cofiodd fel y byddai'n chwyddo ers talwm wrth glywed y sgŵl yn ei brolio. Grace Ellis, hogan fwya peniog yr ysgol. Ei chwaer o! A rŵan roedd yntau wedi llwyddo i wneud iddi hi fod yn falch ohono fo.

''Nei di yrru llythyr i'r Castall ar ran Laura i ddeud na fydd hi ddim yn mynd yn ôl yno?'

'Wrth gwrs y g'na i. Ydi hi'n fodlon i mi ddeud pam?'

'Nag ydi, a mae'n rhaid i ni barchu'i dymuniad hi. Mi fydda'n dda gen i petai'r William 'na'n ca'l 'i haeddiant.'

'Y rhai diniwad fel Laura sy'n gorfod diodda, bob amsar.'

Roedd ar fin ychwanegu at hynny pan gipiodd Grace y geiriau o'i geg.

‘A’r treisiwr yn dianc a’i groen yn iach . . . yn union fel ’i fistar.’

* * *

Yr eiliad y cyrhaeddodd adref o’r ysgol, tynnodd Ifan esgidiau’r Lord a’u taflu i gornel.

‘A be mae rheina ’di neud i ti?’ holodd ei fam.

‘Brifo maen nhw.’

‘Mi ddoi di i arfar. ’Tasat ti’n lle Tom mi fasa gen ti achos cwyno. W’t ti wedi gweld y golwg sy’ ar ’i droed o?’

‘Naddo.’

Ac nid oedd eisiau gweld chwaith, na chlywed unrhyw sôn am y chwarel.

‘Wedi chwyddo ryw chydig mae o, Mam. Mi fydd yn iawn erbyn fory.’

‘Dw’t ti rioed yn bwriadu mynd at dy waith?’

‘Fedra i ddim fforddio colli dwrnod arall.’

‘Ond does gen ti ddim gobaith ca’l esgid am y troed ’na, heb sôn am allu cerddad cyn bellad â Braich Cafn.’

Roedd y ddau yn dechrau arni eto, fel pe baen nhw wedi anghofio’r sgwâr bach ar y ffenestr lle’r arferai’r cerdyn fod a’r ymdrech a wnaeth ei dad i gadw’n driw iddo. Teimlodd Ifan ei waed yn berwi ac meddai’n bigog,

‘Arno fo mae’r bai yn gollwng y garrag ar ’i droed.’

‘Nid fi ddaru, Ifan. Damwain oedd hi.’

‘Fel yr un ge’st ti bythefnos yn ôl, ia?’

‘Hidiwch befo hynny rŵan, Mam.’

‘Os w’t ti’n gofyn i mi, mae ’na lawar gormod o ddamweinia’n digwydd tua’r chwaral dyddia yma.’

‘Lle digon peryg ydi o ar y gora ’te. Mi faswn i’n glynu at ’y ngwaith ysgol ’taswn i chdi, Ifan.’

'Dyna ydw i'n mynd i 'neud. A' i ddim yn agos i'r twll lle.'

Er ei rhyddhad o glywed hynny, byddai Elen wedi hoffi rhoi pryd iawn o dafod i'r ewach bach, ond bu'r edrychiad a roddodd Tom arni yn atalfa. Felly'n union y byddai Robat yn edrych pan fyddai lleisiau'n codi a ffrae yn mudferwi. Efallai ei bod wedi disgwyl gormod gan Ifan, yn hytrach na rhoi cyfle iddo ddeall a derbyn yn ei ffordd ac yn ei amser ei hun. Wrth iddi godi'r esgidiau newydd o'r gornel a'u gosod drwyn wrth drwyn ar bwys y ffendar, teimlai Elen yn sicr y deuai'r diwrnod pan fyddai Ifan yn barod iawn i'w gwisgo, a hynny â balchder.

* * *

Dychwelodd Edgar o'r Bala, a chyngor ei fam wrth iddynt ffarwelio yn atseinio'n ei glustiau. Yr haf cynt, aethai ei rieni ar daith a drefnwyd gan fasnachwyr y dref, a bu'r olwg a gawsant drwy ffenestri'r cerbyd ar yr ardal lle'r oedd eu mab yn ennill ei fywoliaeth yn hunllef arnynt byth ers hynny. Er i Edgar eu sicrhau ei fod yn ddigon abl i ddelio â'r sefyllfa yn yr ysgol, ni allent ddygymod â'r ffaith ei fod yn gwastraffu ei allu ar rai mor annheilwng.

Cafodd groeso mawr gan Nel Lloyd, ac ni allai aros i gael dweud wrtho am y ganmoliaeth a roesai John ei chefnder i frawd Miss Ellis. Biti garw fod Daniel wedi rhoi'r gorau i bregethu, ond, fel deudodd John, dim ond dros dro oedd hynny. Byddai cael cefnogaeth bachgen dawnus fel y fo yn gaffaeliad i'r achos ac yn sbardun i'r dynion ddal ati nes cael y maen i'r wal.

Bu ond y dim iddo dorri ar y ddefod wythnosol trwy fynd draw i Bristol House, ond llwyddodd i'w ffrwyno ei hun. Aeth i alw am Grace nos Sadwrn yn fwy penderfynol fyth o weithredu ar gyngor ei fam, ond cafodd ei darfu gan ei hymateb pan ddwedodd fod yn ddrwg calon ganddo drosti hi a'i thad.

'Am be, felly?'

'Sut y gallai Daniel ymddwyn mor anghyfrifol?'

'Cyfeirio at y cyfarfod yn y neuadd yr ydach chi, mae'n debyg.'

'Fedra i ddim credu fod un sydd wedi bod yn pregethu cariad Crist yn barod i gefnogi trais.'

'Mae trais yn magu trais, Edgar. Rydach chi wedi gweld hynny'n digwydd yn yr ysgol.'

'Ac wedi gwneud pob ymdrech i'w atal.'

'Drwy ddisgyblu'r sawl yr oeddach chi'n credu oedd yn gyfrifol?'

'Mi wyddoch nad oedd gen i ddim dewis.'

'Dyna mae Daniel yn 'i ddeud hefyd.'

'Ond mae'r peth yn sarhad arnoch chi fel teulu.'

'Yng ngolwg rhai, falla.'

Ni allai daflu llwch i'w lygaid ef drwy ffugio nad oedd hi'n malio. Pob clod iddi am geisio bod yn driw i'w brawd, ond pam y dylai deimlo'n ddyledus i un nad oedd teyrngarwch yn golygu dim iddo?

Roedd hi'n oedi i wrando'r canu o'r neuadd ac yn troi clust fyddar i'w siars ei bod yn rhy oer i sefyllian.

> 'Mae pen y bryniau'n llawenhau,
> Wrth weld yr haul yn agosáu,
> A'r nos yn cilio draw.'

Doedden nhw erioed yn credu hynny? Yr unig obaith oedd ganddynt o weld bore ddydd oedd syrthio ar eu bai a chydnabod eu dyled i'w meistr.

'Ydach chi'n meddwl fod modd gwireddu breuddwydion, Edgar?'

Synnodd glywed un y tybiodd fod ei thraed yn soled ar y ddaear yn gofyn y fath gwestiwn.

'Dydw i erioed wedi rhoi unrhyw goel arnyn nhw. Osgoi cyfrifoldeb fyddai hynny, yntê?'

'Ac i bwy yr ydan ni'n gyfrifol?'

'Ni'n hunain yn bennaf oll. Rydw i wedi penderfynu gadael yr ysgol ddiwedd tymor yr haf. Wn i ddim beth sydd gan y dyfodol ar fy nghyfer i, ond o leia fe fydd gen i'r rhyddid i wneud y gorau o'r gallu sydd gen i. Fyddai'n ormod i mi ofyn i chi ystyried rhannu'r dyfodol hwnnw efo fi, Grace?'

Sawl tro yn nhrymder nos yr oedd hi wedi dychmygu ei glywed yn gofyn hynny? Hithau'n cloffi rhwng dau feddwl ac yn gohirio rhoi'r ateb. Ond y nos Sadwrn honno y tu allan i neuadd Bethesda gallodd ddweud, a hynny heb betruso,

'Mae'n ddrwg gen i, Edgar, ond fedrwn i byth gefnu ar fy nghynefin a 'nheulu. Rydach chi'n rhydd i adael, ond dydw i ddim. Yma yr ydw i'n perthyn ac yma mae fy nyfodol i . . . beth bynnag sydd gan hwnnw i'w gynnig.'

* * *

Ar waetha'r boen a'i cadwai'n effro'r nos, ni fu Laura erioed mor hapus. Yno, yn hafan y llofft fach, roedd gwybod fod Dan o fewn cyrraedd cystal eli ar friwiau â'r gân. Efallai y gallai gynnau honno eto rhyw ddiwrnod a'i rhannu efo'i thad, ond ar hyn o bryd nid oedd eisiau dim mwy na chael llonydd i gasglu'r atgofion fesul un nes bod ganddi lond dwrn ohonynt.

Pan glywodd sŵn traed Grace ar y grisiau, roedd hi'r un mor gyndyn ag arfer o ollwng ei gafael arnynt.

'Panad i ti, Laura.'

'Doedd dim isio i ti drafferthu.'

'Roedd Daniel yn holi amdanat ti rŵan. W't ti'n barod i'w weld o?'

'Ddim nes bydda i 'di mendio'n iawn.'

Eisteddodd Grace wrth erchwyn y gwely. Byddai gofyn iddi fesur ei geiriau'n ofalus. Nid oedd am i Laura feddwl am eiliad ei bod yn faich arnynt.

'Mi wyddost am Mr Parry, Coetmor Hall?'

'Y dyn ffeind 'na sydd wedi rhoi gwaith i lot o ddynion?'

'Ia. Mae un o'r morynion yn gadal, i briodi, a meddwl o'n i falla y bydda gen ti ddiddordab mewn trio am 'i lle hi.'

'Ond fyddan nhw mo f'isio i yno ar ôl be ddigwyddodd yn y Castall.'

'Paid ti â meiddio beio dy hun am hynny. Ac maen nhw'n gwbod yn well tua'r Castall na gneud unrhyw gwyn. Os w't ti'n fodlon, mae Daniel yn dweud yr aiff o i gael gair efo Mr Parry ar dy ran di.'

Sylweddolodd Grace, wrth iddi weld wyneb Laura yn goleuo, y gallai fod wedi arbed mesur ei geiriau.

'Mi a' i yno fory nesa, os ca' i. 'Nei di ddiolch i Dan drosta i?'

'Mi gei ddiolch iddo fo dy hun.'

Syllodd Laura arni a'r wyneb oedd yn olau i gyd eiliad ynghynt yn cymylu.

'Be w't ti am 'i neud, Grace? Dydi petha ddim yn dda yn y siop, yn nag ydyn?'

'Digon sobor ydyn nhw, a deud y gwir.'

'Ond aros yma 'nei di?'

'Lle arall a' i , mewn difri?'

'Be 'tasa'r titsiar 'na'n gofyn i ti 'i briodi o?'

'Mae o wedi gneud, ac wedi ca'l 'i wrthod. Doedd o mo'r un i mi, Laura, mwy nag oedd William i ti.'

'A dw't ti ddim yn difaru?'

'Lle i ddiolch sydd gen i 'mod i wedi dŵad o hyd i'r atab mewn pryd.'

Wedi i Grace ei gadael, ni fu Laura fawr o dro cyn gallu ailgydio'n yr atgofion. Roedd hynny'n haws fyth rŵan. Anghofiodd bopeth am y baned wrth iddi flasu'r mwyar duon a theimlo'r awel fach gynnes ar ei boch.

* * *

Fel y nesâi at Lys Coetmor, y cof o'r diwrnod y bu iddo wrthod cynnig W.J. Parry oedd flaenaf ym meddwl Daniel. Roedd Grace yn sicr na fyddai'n dal hynny'n ei erbyn, ond ni allai lai na theimlo mai hyfrdra ar ei ran oedd gofyn cymwynas ganddo.

Hi oedd yn iawn, fel arfer. Ni wnaeth Mr Parry ond dweud, pan fu iddo gyfaddef hynny,

'Roedd ganddoch chi'ch rhesymau, Daniel.'

'Do'n i ddim am fod yn ddibynnol ar neb.'

'Rydan ni i gyd yn ddibynnol ar rywun. Mrs Parry fydd yn cyflogi'r morynion, fel rheol, ond dydw i ddim yn credu y bydd ganddi unrhyw wrthwynebiad. Y gantoras fach ydi Laura, yntê? Ond mae gen i go i rywun ddweud 'i bod hi'n forwyn yng Nghastell Penrhyn.'

'Dyna lle roedd hi hyd yn ddiweddar. Gobeithio na fydd i chi ddal hynny'n 'i herbyn hi.'

Ofnai Daniel ei fod wedi ei darfu drwy ddweud hynny. Ni allai fforddio rhoi cam o'i le. Ond bu'r wên chwareus yn ddigon i dawelu ei ofnau.

'Ddim o gwbwl, Daniel. Fedrwn ni ddim dal gweision y diafol yn gyfrifol am ymddygiad 'u meistr.'

'Ac fe wyddoch chi, yn well na neb, pa mor bwerus ydi hwnnw.'

'Dydi o ddim yn feistr arna i, drwy drugaredd.'

'Rydach chi'n benderfynol o ymladd yr achos enllib, felly?

'O, ydw. Mae o wedi'i ohirio dros dro, er mwyn i gyfreithwyr yr arglwydd gael cyfla i gasglu rhagor o dystiolaeth yn f'erbyn i. Rydw i'n bwriadu defnyddio'r llys fel llwyfan i argyhoeddi'r genedl gyfan o werth amhrisiadwy cyfiawnder a chwarae teg.'

A hwn oedd y dyn yr oedd rhai yn ei gyhuddo o droi dŵr i'w felin ei hun yn ei ymwneud ag Arglwydd Penrhyn yn ystod streic '97? Pwy ohonyn nhw fyddai'n barod i herio'r gelyn, wyneb yn wyneb? Crwydrodd ei lygaid dros y silffoedd llyfrau a'r ddesg dderw soled, ei lledr coch wedi'i orchuddio â phapurau. Byddai wedi rhoi'r byd am gael bod yn berchen ar lyfrgell fel hon ar un adeg, ond heddiw nid oedd ond yn ei atgoffa o'i barlwr bach ef a'r amser a wastraffodd yno. Pam na allai yntau, fel W.J. Parry, fod wedi rhoi ei holl enaid yn y gwaith a chreu ohono rywbeth o werth parhaol?

'Rydw i'n edmygu'ch safiad chi'n fawr, Mr Parry. Pitw iawn ydi 'nghyfraniad i wedi bod, a hynny'n hwyr ar y dydd.'

'Fyddach chi'n ystyriad ailgydio'n eich bwriad o fynd i'r Weinidogaeth, Daniel?'

'Go brin fod gen i'r hawl i hynny bellach.'

'Rydan ni i gyd yn cael camau gweigion o dro i dro. Meidrol ydi pawb ohonon ni, yn llawn amheuon ac ofna.'

'Ac mae'r frwydr yn erbyn un dyn digyfaddawd wedi diysbyddu holl ynni ac adnodda cymdeithas gyfan.'

'Pwy ŵyr be ddaw, yntê, wedi i'r briwia gael cyfla i wella?'

'Mi fydd y creithia'n aros am genedlaetha.'

'O, byddan. Rydan ni wedi'n clwyfo, gorff ac ysbryd. Ond dydach chi ddim wedi digalonni, Daniel?'

'Nag ydw. Mi wna i yr hyn fedra i, i'r diwadd.'

'Rydw i mor falch o glywad hynny. Ac os oes yna rywbeth alla i 'i neud, peidiwch â phetruso dod ar fy ngofyn i.'

Ond roedd un gymwynas yn ddigon ar y tro. Gadawodd Daniel a'i dasg wedi'i chyflawni, i wynebu'r cyfrifoldeb a roddwyd arno fel tenant o warchod y tŷ.

24

Ni lwyddodd y gwanwyn a'i haul claear i godi na chalon nac ysbryd. Collwyd tir a siglwyd y tŷ i'w sylfeini wrth i'r baw gael ei daflu i bob cyfeiriad. Beiwyd yr heddlu a haerwyd fod yr ardal yn dihoeni o dan ormes eu teyrnasiad, un y gellid ei gymharu â'r teyrnasiad braw yn Ffrainc, a'r ddeddf orfodol yn Iwerddon. Beiwyd y merched, a chredai rhai y byddai pethau'n llawer esmwythach ym Methesda oni bai am eu hymyrraeth hwy. Cyhuddwyd Mary Thomas, hen wraig o ymddangosiad parchus, o guro tun a gweiddi

'Bradwyr', wrth i rai o weithwyr Chwarel y Penrhyn fynd heibio, ac un arall o annog ei phlant i daflu cerrig at wraig i gymydog a galw arnynt i'w lladd. Beiwyd y bobl am anfon landloriaid a'u cynrychiolwyr i'r Senedd fel bod landlordiaeth yn cael ei warchod a'r gweithwyr yn cael eu sathru dan draed. Beiwyd y streicwyr a'r bradwyr fel ei gilydd a galwyd unwaith eto, trwy gyfrwng llythyrau di-enw, ar yr arweinwyr i ddod â'r ffwlbri i ben a rhoi terfyn ar streic oedd wedi mynd yn fwrn ar y wlad ers llawer dydd.

Mewn cyngerdd yn Chelsea, yn dilyn datganiad Côr Bethesda o 'Rhyddid Meibion Gwalia', mynegodd William Jones A.S. ei ofid nad oedd fawr obaith y byddai i'r llywodraeth ymyrryd yn y cweryl, er na fyddai hynny'n ei atal rhag pwyso arnynt i roi'r sylw dyledus i'r achos. Yn gynnar ym mis Mawrth, pan gafodd gyfle i gyflwyno'r achos hwnnw, gofynnodd Lloyd George ai gormod disgwyl i'r Llywodraeth gyhoeddi, 'Dyma dir sy'n perthyn i bobl yr ardal'. Os bu i Arglwydd Penrhyn, drwy ryw fodd neu'i gilydd, gael hawl gyfreithlon i'r teitl, onid oedd gan Senedd Prydain Fawr yr hawl i ddweud, 'Yr ydych yn defnyddio'r teitl i eiddo nad yw'n perthyn i chi i'r diben o newynu'r bobl.'

Yn Neuadd y Farchnad ddydd Llun y Pasg, wedi'r holl Sadyrnau o wrando, rhoddwyd cyfle i'r chwarelwyr leisio barn. Ychydig iawn o'r rhai a glowyd allan a ddychwelodd adref i fanteisio ar hynny, ond roedd y negeseuon a ddarllenodd y cadeirydd ar ddechrau'r cyfarfod yr un mor gefnogol ag arfer; 'Hogia Bethesda' yn eu cymell i sefyll efo'i gilydd ac ymddiried yn y pwyllgor, a 'Streicwyr' Merthyr yn eu hannog i fod yn unol eu penderfyniad.

Cafodd y penderfyniad o sefyll allan yn hytrach na

mynd i mewn i'r chwarel at fradwyr ei gario'n unfrydol. Yn ei araith, mynegodd William Jones ei lawenydd o wybod y gallai bellach ddychwelyd i Lundain heb deimlo cywilydd, ond ni fyddai iddo anghofio gwŷr glew Bethesda, mwy na'r ceiliog ffesant balch, porthiannus a welsai yn hawlio'i le rhwng Aber a Bangor y bore hwnnw.

Roedd Arglwydd Penrhyn yno, yn oriel y pendefigion, pan roddwyd Achos Bethesda gerbron y Tŷ. Methiant fu cynnig Mr Asquith, ar ran yr wrthblaid Ryddfrydol. Bwriodd Bromley Davenport, cyfaill mawr yr arglwydd, lysnafedd ar y chwarelwyr ac ni feiddiodd yr un o'r seneddwyr Torïaidd yngan gair yn erbyn Penrhynyddiaeth. Cyhoeddwyd llythyr oddi wrth Samuel W. Thackeray M.A. LL.B., yn y *Daily News* yn pwysleisio nad oedd Arglwydd Penrhyn yn ddim ond tenant dan y goron, un oedd yn dal y tir yn hytrach na'i berchenogi. Dylid ei ddadberchenogi yn ddioed a galw arno i ad-dalu chwarelwyr Bethesda drwy adfer pob un ohonynt, a'u teuluoedd, i'r safle o gysur a llwyddiant yr oeddynt yn ei fwynhau dair blynedd yn ôl.

Dal ei dir a'i hawliau a wnaeth tenant y Castell yn Llys Mainc y Brenin, Llundain er i W.J. Parry wneud yr hyn a allai i argyhoeddi'r llys hwnnw o hanfodion cyfiawnder. Rhoddwyd y dyfarniad yn ffafr yr erlynydd gyda phum can punt o iawn, ond cafodd y diffynnydd o leiaf beth cysur o glywed y blaenor yn datgan ar ran y rheithwyr y gellid adfer gwell teimladau yn chwarel Bethesda petai'r perchennog a'i swyddogion yn dangos mwy o ysbryd cymodol.

Agorwyd cronfa gyda'r bwriad o helpu W.J. Parry i dalu'r costau, a haerwyd yn *Y Genedl Gymreig* y dylai trigolion pob ardal ymateb i'r apêl. Er nad oedd Mr Parry yn eithriad i'r dywediad, 'Heb ei fai, heb ei eni', yr oedd, serch hynny, yn uwch o'i ysgwyddau na neb arall o gymwynaswyr Bethesda.

* * *

Crwydrodd yr haf drwy Ddyffryn Ogwen mor sicr ei gam ag erioed. Tyfodd gwair a blodau yn ôl ei droed i orchuddio'r erwau llwm, ond ni allodd guddio'r craciau yn sylfeini'r tŷ oedd wedi ymrannu yn ei erbyn ei hun.

Er bod John Williams yr un mor gadarn ei ffydd, ni allai yntau gelu ei siom o weld y seddau gweigion yn Jerusalem, ond llwyddodd i'w gysuro ei hun a'r ffyddloniaid â geiriau Crist, 'Canys lle mae dau neu dri wedi ymgynnull yn fy enw i, yno yr ydwyf yn eu canol hwynt.' Ni fu i Edward Ellis ildio'i le yn y sêt fawr er i'r penderfyniad hwnnw gymryd wythnosau. Ond dyna fo, dyn eistedd ar ben llidiart fu Edward erioed, ac er nad oedd yn fodlon cyfaddef hynny, roedd John Williams yn sicr fod yr un safiad a wnaeth adeg angladd Samuel Davies wedi ei ysgwyd. Nid oedd wedi ymddiheuro am yr oedi na chynnig unrhyw eglurhad, a chredai John Williams ei fod ef wedi dangos ysbryd Cristnogol y tu hwnt i bob disgwyl drwy ddweud, 'Soniwn ni ddim rhagor am y peth'.

Yn ystod y gwanwyn, gwelsai Edward eisiau Gwen yn fwy nag erioed. Roedd Daniel fel pe bai'n gwneud ati i rwbio halen i'r briw ac wedi haeru ar goedd, yn ôl pob sôn, mai'r llwyfan fyddai ei bulpud o hyn allan. Byddai hynny ynddo'i hun wedi bod yn ddigon i dorri calon Gwen heb iddo ef ddiystyrru'r anrhydedd a gawsai o fod yn un o geidwaid y Tŷ. Ni soniodd air wrth y teulu am ei fygythiad i ymddiswyddo. Dangos gwendid fyddai hynny yng ngolwg Grace. P'un bynnag, roedd hi wedi bod yn rhy brysur yn dwndran y Laura fach 'na i gymryd sylw o'i wewyr meddwl. Er pan agorwyd y ddarllenfa newydd yn y Café, yno yr oedd hi'n treulio pob munud sbâr. Roedd hi'n amlwg yn credu ei fod yr un mor barod â hi i dderbyn gwrthgiliad Daniel ac i ollwng y cyfan dros gof drwy beidio sôn rhagor am y peth.

Gwnaethai gofal Grace a chymwynas Daniel yr hyn na allodd y gwanwyn. Er ei bod yn gyndyn o fentro allan o'r llofft fach yn y to ac yn swil o wynebu Dan, bu'r wên a gawsai Laura pan ddiolchodd iddo yn drysor i'w ychwanegu at y llond dwrn o atgofion. Cawsai hi'n ddigon anodd dal gafael arnynt ar y dechrau. Roedd pob dim mor ddieithr, a'r ofnau a ddaethai i gymryd lle yr hen hiraeth creulon yn ei phlagio. Beth pe baen nhw'n dod i wybod yn Llys Coetmor am yr helynt a fu yn y Castell? Beth petai'r nosau di-gwsg yn ei rhwystro rhag gwneud ei gwaith a hithau oherwydd ei methiant yn siomi'r ddau oedd wedi gwneud cymaint drosti, ac yn ei chael ei hun eto heb neb? Ond ei hofn mwyaf oedd y byddai Dan yn methu maddau iddi am addo priodi William, a hithau wedi dweud nad oedd hi eisiau neb ond y fo.

Yno, yn Llys Coetmor, lle'r oedd pawb, hyd yn oed y mistar, er ei holl ofalon, yn glên ac yn ffeind, dechreuodd yr ofnau gilio o un i un. I lawr yn Bristol House roedd Dan a Grace yn barod eu croeso bob tro y galwai heibio. Byddai wedi mendio drwyddi oni bai am yr un ofn hwnnw na allai gael ei wared.

Daeth Ifan i ddygymod ag esgidiau'r Lord fesul tipyn. Aethai nifer y ffrindiau a drodd yn elynion yn llai o fis i fis wrth i'w tadau a'u brodyr hwythau droi'n ôl am y chwarel. Nid oedd fawr nes at ddeall pam, ond gallodd fynd i gyfarfod Tom at Hirdir a bwyta'r frechdan a gadwodd iddo heb deimlo'r surni'n ei stumog. Deuai Twm Mos heibio'n aml i'w nôl i chwarae, ond er ei fod yn giamstar ar sbonc llyffant doedd 'na mo'r un sbort i'w gael â phan oedd Joni ac yntau'n llawiau.

Aethai i lawr i Dregarth i weld Joni unwaith, ond nid oedd gan hwnnw ddiddordeb mewn dim ond cael gadael yr ysgol a mynd i'r chwarel. Roedd o'n honni y byddai'r streic drosodd erbyn yr hydref a phawb yn ffrindiau unwaith eto, ac nid oedd gan Ifan galon i ddweud wrtho ei fod yn fwy twp nag arfer os oedd o'n credu fod hynny'n bosibl.

* * *

Er mai llwch lli oedd gan Joni Mos rhwng ei glustiau, byddai sawl un wedi bod yn barod i dderbyn ei honiad fod y streic yn dirwyn i'w phen. Yn ôl adroddiad a dderbyniwyd o swyddfa Porth Penrhyn, gwrthodwyd un rhan o dair o'r cant a phymtheg fu'n ceisio am waith yn ystod y pythefnos cyntaf o Hydref. Nid oedd Emilius Augustus Young wedi anghofio osgo herfeiddiol y dynion wrth iddynt gerdded allan dair blynedd ynghynt. Ei dro ef oedd derbyn neu wrthod, a gallai fforddio gwneud hynny. Wrth i rif y gweithwyr gynyddu, roedd diddordeb y cyhoedd yn yr helynt yn cilio ac arian y Gronfa Gynorthwyol yn lleihau. Dywedwyd pethau hallt am y dynion ifanc oedd wedi manteisio ar yr arian o'r dechrau, rhai fyddai'n falch o gael dechrau tair blynedd arall ar yr un telerau. Proffwydwyd mai'r gaeaf hwn fyddai'r un garwaf yn hanes yr ardal, pan fyddai rhai cannoedd o'r trigolion heb gymaint ag wyth a grôt yr Undeb i'w cynnal a phob ffynhonnell wedi mynd yn hesb.

Taniwyd ffrwydron i groesawu Arglwydd Penrhyn a phwysigion eraill i'r chwarel ddechrau Tachwedd. Clywyd yr ergydion yn atseinio o Douglas Hill i Gae'r-berllan, o stryd fawr Bethesda i'r Gerlan, a'u sŵn fel utgyrn Jericho yn darogan gwae. Wythnos yn ddiweddarach, yn Neuadd y Farchnad, ni ellid clywed ond rymblan pell y muriau'n cwympo wrth i Henry Jones gymryd ei le ar y llwyfan am y tro olaf. Safodd yno am rai eiliadau a'i lygaid wedi'u hoelio ar ei gynulleidfa cyn dweud,

'Fel y gwyddoch chi, rydw i wedi arfar eich cyfarch chi fel cydweithwyr bob nos Sadwrn ers y cloi allan, ond go brin fod hynny'n bosibl heno gan fod yma fwy o gydfradwyr nag erioed o'r blaen. Er bod mwyafrif o ddeg ar hugain ac un wedi pleidleiso'n y cyfarfod diwethaf dros ildio, mi ofynnais i i chi bwyllo nes y ceid canlyniad y bleidlais o'r De. Ond rydw i'n deall fod ugeiniau o'r cant a thrigain gododd eu dwylo dros barhau'n ffyddlon hyd y diwedd y noson honno wedi rhuthro i'r chwarel fore Llun i erfyn am waith. Fedra i ddim ond condemnio yn y modd llymaf y dynion, os teilwng o'r enw, sy'n euog o wneud hynny. Er na chawson ni ganlyniad pleidlais o'r De rydan ni wedi derbyn llythyrau oddi yno yn ein cynghori ni nad oes, yn wyneb y sefyllfa yma ym Methesda, unrhyw ddewis bellach ond terfynu'r frwydr. Y cyfan sy'n aros i mi, felly, ydi cyhoeddi'n swyddogol fod y streic ar ben.'

* * *

Roedd hi'n hwyr ar Grace yn cychwyn am Lwybrmain brynhawn Mercher. Bu'r un mor gyndyn ag arfer o adael y ddarllenfa ac arhosodd y geiriau a ddarllenodd y prynhawn hwnnw yn *Cymru* O.M. Edwards efo hi bob cam o'r daith;

'Bachgen dengmlwydd gerddodd ryw ben bore,
Flwyddi maith yn ôl, i gwr y gwaith;
Gobaith fflachiai, drwy ei lygaid gleision,
Oleu dengmlwydd ar y blwyddi maith.'

Gwelsai hi'r un gobaith yn llygaid Tom unwaith, ond roedd hwnnw wedi hen ddiffodd a go brin y gellid ei ailgynnau byth eto.

Pan alwodd, 'Fi sydd 'ma, Elen Evans', o'r drws, llais Tom atebodd.

'Mi fydd raid i ti drio dygymod â nghwmni i am 'chydig, mae arna i ofn. Fydd Mam ddim yn hir. Wedi picio i tŷ pen mae hi.'

'Ydi petha wedi gwaethygu yno?'

'Maen nhw'n mynd â Harri bach i'r seilam heddiw. Yr hen ryfal 'na wedi'i andwyo fo.'

'Mae'n rhyfal ninna wedi gneud 'i siâr o ddifetha.'

'Ac i be? Roedd 'nhad yn iawn. Mi ddeudodd o o'r dechra y bydda hyn yn magu casinab, rhwygo'r gymdeithas a theuluoedd, troi brawd yn erbyn brawd a ffrind yn erbyn ffrind.'

Ni wnaeth Tom unrhyw ymdrech i godi. Eisteddodd hithau gyferbyn, a'r cydwybod y gallodd ei dawelu dros dro eto'n pigo fel pinnau bach ar groen. Sut y gallai fod wedi bod mor ddirmygus ohono ac esgus nad oedd hi'n malio?

'Cadar dy dad oedd honna 'te?'

'Ia, a dyna fydd hi. Does gen i'm hawl arni.'

'Mwy nag sydd gen i ar gadar Mam.'

'Mae Dan yn siŵr o fod yn siomedig iawn efo canlyniad y bleidlais.'

'Ydi, ond doedd 'na ddim dewis ond ildio.'

'Rydw i wedi'i ddigio fo am byth 'sti. Fydd petha byth 'run fath eto, Grace.'

'Na fyddan, ond mae'r hen air yn deud nad oes 'na dim meddyg gwell nag amsar.'

'W't ti'n credu hynny?'

'Fedra i ddim fforddio peidio. W't ti'n meddwl fod siawns y gallwn ni'n dau ddal i fod yn ffrindia?'

'Ro'n i wedi gobeithio ar un adag y gallan ni fod yn fwy na hynny. Dyna o'n o isio'i ddeud wrthat ti'r noson wrth Bont Tŵr a'r dwrnod hwnnw y buost ti'n trin 'y mriwia i.'

Roedd Tom wedi osgoi ateb ei chwestiwn ac ni allodd hithau, wrth gofio'r ymdrech a wnaeth i gadw'r ers talwm o hyd braich, ond dweud,

'Biti na faswn i wedi rhoi cyfla i ti.'

* * *

Er mai llythyr byr ac i bwrpas oedd yr un a anfonodd cyn-gadeirydd Pwyllgor y Streic at Arglwydd Penrhyn ar y pedwerydd ar ddeg o Dachwedd, 1903, golygodd ei ysgrifennu fwy o boen a gofid iddo na'r un llythyr arall erioed:

> *My Lord,*
> *It is my duty to inform you that your late quarrymen have by a majority of those who recorded their votes determined that the struggle is now to be considered as ended.*
> *I remain, My Lord,*
> *Your obedient servant,*
> *Henry Jones.*

Roedd yr ateb a dderbyniodd dridiau'n ddiweddarach yn fyrrach fyth, a'r clo ar dair blynedd o frwydro wedi'i gywasgu i un frawddeg:

Sir,
I beg to acknowledge the receipt of your letter dated 14 November.

I am,
Yours,
Penrhyn.

* * *

Nid oedd bellach arlliw o'r haf a fu wrth Bont y Tŵr, ond ni faliai Laura ddim am hynny. Byddai wedi gallu dweud nad oedd eisiau dim mwy na chael bod yma efo Dan oni bai am yr ofn oedd yn dal i'w phlagio. Chwyddodd yr ofn hwnnw pan ddwedodd Dan,

'Mi w't ti'n crynu drwyddat. Falla y bydda'n well i ni fynd yn ôl.'

'Na, ddim eto. Mae hi'n dawal braf yma, dydi.'

'Yn wahanol iawn i'r hyn oedd hi ym Mehefin ddwy flynadd yn ôl pan o'n i'n swatio yn y parlwr yn lle bod yma'n gefn i'r dynion. Mi fydda gan gerrig y bont 'ma dipyn o stori i'w hadrodd pe baen nhw ond yn gallu siarad.'

'Lwcus nad ydyn nhw ddim. Isio anghofio sydd rŵan 'te.'

'Ond dydi hynny ddim yn bosib.'

'Dyna liciwn i allu neud . . . anghofio am y streic a'r Castall, a bob dim, a cha'l bod fel roeddan ni ers talwm.'

'Pan oeddan ni'n credu y galla breuddwydion a dymuniada ddod yn wir.'

'Mae hynny'n gallu digwydd weithia, dydi, os ydan ni isio rwbath o ddifri?'

'A be w't ti isio, Laura?'

'Dydi o'm yn deg i mi ddeud.'

'Nag yn deg i minna ofyn. Ond rydw i'n gobeithio 'i fod o yr hyn ydw inna 'i isio hefyd. Fyddat ti'n fodlon 'y nghymryd i'n ôl, madda i mi am dy siomi di?'

'Ond does 'na ddim byd i'w fadda.'

'O, oes, ac mae'n mynd i gymryd blynyddoedd lawar i mi neud iawn i ti am hynny.'

'Ond fedri *di* fadda i mi?'

'Am be, mewn difri?'

Byddai wedi bod gymaint haws cerdded y llwybr y credai ei fod wedi ei alw i'w ddilyn petai Laura yno wrth ei ochr. Roedd hi wedi gofyn cyn lleied ganddo, ac yntau wedi gwrthod yr oll oedd ganddi hi i'w gynnig. Pa lwybr bynnag fyddai'n agor iddo o hyn allan, ni chymerai gam ar hyd-ddo hebddi hi. Tynnodd hi ato a'i gwasgu'n dynn. Gorffwysodd Laura ei phen ar ei ysgwydd. Bellach, a'r ofn a'i cadwai'n effro'r nos wedi mynd i ganlyn yr hiraeth creulon, gallai ddweud â'i llaw ar ei chalon nad oedd arni eisiau dim mwy na hyn.

* * *

Yng Nghastell Penrhyn, roedd cwpan llawenydd George Sholto Douglas-Pennant yr un mor llawn. Cyrhaeddai'r llythyrau llongyfarch wrth y dwsinau, pob un yn ei sicrhau iddo fod yn gyflogwr eithriadol o deg ac ystyriol. Yn ystod y tair blynedd ddiwethaf, cawsai ei enllibio a'i sarhau, ei alw'n ormeswr, yn deyrn ffroenuchel, yn damaid diwerth a dinod o ddynoliaeth. Rhoesai'r llythyr a dderbyniodd oddi wrth y Fonesig Florence Douglas Dixie o'r Alban fwy o ysgytwad iddo na dim a ddarllenodd yn y Wasg. I feddwl fod aelod o'i deulu ei hun wedi bod mor barod i gredu'r celwyddau a ddywedwyd amdano ac i anwybyddu'r pamffledi a anfonwyd allan yn datgan y ffeithiau cywir. Roedd hi wedi apelio arno i fod yn gyfaill a brawd i'w weithwyr yn hytrach na gelyn a meistr. Byddai trwy hynny, meddai, yn ennill eu serch a'u diolchgarwch. Ond gwnaethai ef yn siŵr yn ei ateb i'w llythyr ei bod yn cael gwybod y gwir a mynnodd ei hatgoffa hefyd o arwyddair y teulu Douglas, 'Æquo animo' – 'â thawelwch meddwl'.

Galwodd ym Mhorth Penrhyn i longyfarch Emilius Augustus Young ar ei ran ef yn y fuddugoliaeth. Mynegodd yntau ei lawenydd fod y *Bristol Times* wedi condemnio'r Blaid Ryddfrydol am drafod penderfyniad yr Arglwydd i warchod ei eiddo ei hun fel petai'n ormes o'r radd flaenaf. Chwyddodd gan falchder, fel y ffesant a welsai William Jones rhwng Aber a Bangor, pan ddwedodd y meistr gymaint yr oedd yn gwerthfawrogi ei gefnogaeth a'i deyrngarwch. Brysiodd i'w sicrhau na fu iddo wneud mwy na'i ddyletswydd a'i fod yn ei hystyried yn fraint cael gwasnaethu un a ddaliodd ei dir ar waethaf pob sen a dirmyg. Ond ail farwn Llandygái gafodd y gair olaf, fel arfer, ac roedd holl urddas ei dras i'w glywed yn ei lais wrth iddo ddweud,

'All the letters I have received have confirmed my conviction throughout the troubles that I wasn't as black as I was painted and that the line I took was the right one.'

* * *

Daeth diwedd y streic â thawelwch meddwl i Edward Ellis. Roedd gobaith y byddai'r busnes yn gwella rŵan fod y cerdyn wedi'i dynnu o'r ffenestr ac yntau'n rhydd i weini ar bwy bynnag y mynnai. Rhoddodd gweld prysurdeb a bwrlwm y stryd fawr wrth iddo gau'r drws ar yr olaf o'r cwsmeriaid gysur mawr iddo. Daeth at y bwrdd swper yn ysu am gael rhannu'r newydd da â Grace a Daniel.

'Mae hi'n debycach i nos Sadwrn tâl yn y pentra heno na'r un nos Sadwrn ers tair blynadd.'

'Tebycach, falla. Gorfod cau ddaru'r farchnad.'

Roedd Grace yn benderfynol o daflu dŵr oer ar bob dim unwaith eto a Daniel yn gwneud ati i'w phorthi.

'Y Nadolig yma fydd yr un tlota welodd yr ardal erioed, Tada.'

'Mi wn i 'i bod hi'n mynd i gymryd amsar i betha ddŵad atyn 'u hunain, ond mi ddôn.'

'Fedra i ddim fforddio aros am hynny. Rydw i wedi ca'l gair efo Ellis Gruffydd twrna a mi fydda i'n dechra yn y swyddfa fora Llun.'

'Dydi o mo'r hyn yr o'n i wedi'i obeithio, Daniel, ond o leia mi fydd yn gyfla i ti ga'l dy draed 'danat ar gyfar y dyfodol.'

Byddai'n well petai wedi gweithredu ar y 'taw pia hi' a chadw'r newydd da iddo'i hun.

'Rydw i am fynd am 'y ngwely. Bora fory ddaw.'

'Nos da, Tada.'

'Nos da, a chysgwch yn dawal.'

Teimlodd y ddau ryddhad o'i weld yn gadael. Pa well oedden nhw o geisio agor ei lygaid a'i orfodi i wynebu'r gwir?

'Mae'n braf ar Tada, Grace.'

'Ydi, am wn i. Mae o'n dal yn ffyddiog yr ei di'n dy flaen i'r Weinidogaeth 'sti. W't ti'n meddwl fod gobaith y gwêl o hynny'n digwydd ryw ddwrnod?'

'Mae Laura'n credu 'i bod hi'n bosib gwireddu breuddwydion ond i rywun ddymuno hynny o ddifri calon.'

'Ac mae hi wedi ca'l yr hyn oedd hi 'i ddymuno, er na fedrodd hi rioed ddeud be oedd o. Ond doeddan ni'n dau a Tom ddim yn fyr o ddeud, yn nag oeddan?'

'Mae'n ddrwg gen i na che'st ti mo dy ddymuniad.'

'Dydi hi ddim rhy hwyr, Dan.'

'Fyddi di'n gweld yr Edgar Owen 'na eto?'

'Na fydda. Ti oedd yn iawn. Doedd ganddo fo ddim gobaith deall.'

'Symud i borfa frasach 'nath o, ia?'

'A meddwl y byddwn i'n fodlon mynd i'w ganlyn o a gadal bob dim sy'n golygu cymaint i mi.'

'Fydd symud ymlaen i'r dyfodol ddim yn hawdd i'r un ohonon ni, Grace. Mae'r tair blynadd 'ma wedi'n sigo ni. A'r cwbwl yn ddim ond gwastraff amsar.'

Syllodd Grace arno a'i llygaid yn tanio.

'Paid ti â meiddio deud hynna byth eto. Falla 'u bod nhw wedi'n sigo ni dros dro, ond maen nhw wedi rhoi yn ogystal â chymryd, ein helpu ni i ddod i nabod ni'n hunain a gallu deud be ydan ni 'i isio, fel wrth Bont Tŵr ers talwm. A mae hynny'n ddigon o reswm dros ddal ati.'

* * *

Nos Fercher yn Jerusalem, dewisodd Edward Ellis eiriau Paul yn ei Epistol at y Rhufeiniaid i gymell y ffyddloniaid i ddal wrth eu ffydd:

'Eithr yr ydym yn gorfoleddu mewn gorthrymderau; gan wybod fod gorthrymder yn peri dioddefgarwch; a dioddefgarwch brofiad; a phrofiad, obaith.

'A gobaith ni chywilyddia, am fod cariad Duw wedi ei dywallt yn ein calonnau ni, trwy yr Ysbryd Glân, yr hwn a roddwyd i ni.'

Ar ei weddi, gofynnodd John Williams i'r un Duw faddau iddynt am fethu dod allan o'r ffwrn dân yn well a phurach dynion. Erfyniodd arno dywallt ei ras i galonnau oedd wedi caledu yn nydd profedigaeth a'u cynorthwyo i oresgyn pob maen tramgwydd a osodid ar eu llwybrau fel y byddent, trwy gyfrwng gweddi ac addoliad, yn deilwng o'i gariad a'i ofal mawr drostynt.

Roedd Gweddi'r Arglwydd wedi ei hadrodd a noson arall o gydaddoli drosodd pan ddywedodd y pen-blaenor,

'Mi hoffwn i newid ychydig ar y drefn heno a therfynu'r seiat drwy ganu ein hemyn ni, un sydd wedi'n cynnal yn ysbrydol ac wedi diogelu'r Tŷ hwn ar waetha'r stormydd:

'O! Arglwydd Dduw rhagluniaeth
  Ac iechydwriaeth dyn,
Tydi sy'n llywodraethu
  Y byd a'r nef dy hun;
Yn wyneb pob caledi
  Y sydd neu eto ddaw,
Dod gadarn gymorth imi
  I lechu yn dy law.'

Gadawodd yr aelodau'r capel a geiriau'r emyn yn atseinio'n eu clustiau, gan obeithio y byddent yn ddigon i'w cynnal yn wyneb y caledi a oedd eto i ddod, ac yn rhoi'r nerth iddynt i ailadeiladu'r tŷ a rannwyd, garreg wrth garreg, i'w gyflwyno'n etifeddiaeth i'w plant.